AGORIAD YR OES

Dafydd Glyn Jones

AGORIAD YR OES

Argraffiad cyntaf: 2001

Cyhoeddir gyda chymorth ariannol Cyngor Celfyddydau Cymru

Llun y clawr: ysgythriad gan Hugh Hughes ar gyfer *Y Cymro*, 1831
Dylunio: Y Lolfa

Rhif Llyfr Rhyngwladol: 0 86243 603 6

Cyhoeddwyd yng Nghymru
ac argraffwyd ar bapur di-asid a rhannol eilgylch
gan Y Lolfa Cyf., Talybont, Ceredigion SY24 5AP
e-bost ylolfa@ylolfa.com
gwefan ylolfa.com
ffôn (01970) 832 304
ffacs 832 782
isdn 832 813

CYNNWYS

RHAGAIR

Y LLINYN sy'n cydio'r ysgrifau hyn ynghyd yw'r syniad o Ynys
Brydain yn llenyddiaeth a meddwl y Cymry. Bu'r syniad hwn yn
obsesiwn gan y Cymry oddi ar eu dechreuad. Bu'n obsesiwn gennyf
innau oddi ar ddarllen dau beth yn y flwyddyn 1965. Y cyntaf o'r
rhain oedd erthygl Alwyn D. Rees, 'Cenedl Ddauddyblyg ei Meddwl',
yn *Barn* mis Mawrth y flwyddyn honno; yr ail oedd llyfr Moray
McLaren, *If Freedom Fail: Bannockburn, Flodden, the Union* (Llundain,
1964), na ragorwyd arno eto fel cyflwyniad i gefndir hanesyddol
cenedlaetholdeb yr Alban. Gwêl y darllenydd fod yr ysgrifau o ddau
fath, y rhan fwyaf ohonynt yn rhai mwy-neu-lai academaidd, ond
ambell un yn ymdrin yn uniongyrchol ag amgylchiadau'r dydd heddiw.
Y mae rhai ohonynt yn adlewyrchu cywair y dydd a'r awr, o ddiflastod
y blynyddoedd wedi'r refferendwm cyntaf i syfrdandod y bore wedi'r
ail. Ni newidiais ddim arnynt, ac eithrio cywiro ambell wall. Caiff y
darllenydd yr hwyl o weld lle profwyd rhai o'u disgwyliadau yn
anghywir. Dro neu ddau, gwelaf fy mod yn iawn. Ailddarllenais, mewn
sobrwydd, yr ymadrodd 'am ryw hyd beth bynnag', ar dudalen 239. A
oeddwn i, yn ôl ym 1995, wedi gweld rhywbeth o gornel fy llygad? Yr
ysgrif y petrusais fwyaf ynghylch ei hailargraffu oedd y bedwaredd,
'Cyfrinach Ynys Brydain', ond yn y diwedd cafodd sefyll, er mwyn ei
brawddeg olaf os nad dim arall. Digwyddodd cryn lawer oddi ar ei
chyhoeddi gyntaf ym 1992, rhai yn wahanol i'm disgwyliadau. Ond
daliaf at ddau beth. Y cyntaf yw na ddaw gwir ryddid i'r Cymry ond
drwy senedd o'u dyfais ac o'u creadigaeth eu hunain. Yr ail yw bod yn
rhaid disodli Tŷ'r Arglwyddi gan Dŷ Senedd Ynys Brydain; nid yw'r
mymryn diwygio sydd mewn golwg yn awr i'w weld yn arwain at

hynny o gwbl.

Wedi bod mor hyf â sodro'r gair 'hanes' yn yr isdeitl, brysiaf i ddweud nad wyf hanesydd o gwbl. Mae gennyf ddiddordeb mewn hanesyddiaeth fel cangen o lenyddiaeth, dyna i gyd, a mentraf feddwl fod yr hyn a gredwyd, neu a adroddwyd, weithiau cyn bwysiced â'r hyn a ddigwyddodd, os nad pwysicach.

Mae arnaf ddyled i unigolion a sefydliadau a gomisiynodd rai o'r trafodaethau hyn gennyf, a'u cyhoeddi, am ganiatâd i'w hargraffu yr eildro: Llys yr Eisteddfod Genedlaethol (1); Cymdeithas Emrys ap Iwan, Abergele (2); Prifysgol Cymru, Abertawe (3); BBC Radio Cymru (4); Y Lolfa (11); golygyddion *Trafodion Cymdeithas Hanes Sir Gaernarfon* (5), *Taliesin* (8, 10), *Barn* (9); Gwasg Gomer ynghyd â'r Athro Geraint H. Jenkins fel golygydd *Cof Cenedl* (7), a'r Athro Jenkins unwaith eto fel trefnydd cynhadledd 'Cymru 2000' (Aberystwyth, Mawrth 2000) (12).

Diolch i Mrs Gwyneth Williams am gymorth gyda pharatoi'r copi, i'r Lolfa am fentro cyhoeddi ac am bob cydweithrediad, ac i'm teulu am gyd-fyw drwy'r blynyddoedd â'r 'obsesiwn' y cyfeiriais ati.

D.G.J.
Tachwedd 2001

YN NRYCH YR AMSEROEDD

*D*rych yr Amseroedd yw'r enwocaf o wyth llyfr Robert Jones, Rhoslan[1].

Am Robert Jones ei hun, ei yrfa a'i lafur, nid wyf yn bwriadu dweud llawer, gan nad oes gen i ddim i'w ychwanegu at y wybodaeth sydd ar gael yn ddidrafferth yn y *Bywgraffiadur* a mannau eraill[2]. Fe grynhown yn gyflym y prif ffeithiau. Blynyddoedd ei oes oedd 1745-1829. Fe'i ganwyd ac fe'i magwyd, fe gredir, yn y Suntur, Rhos-lan, ym mhlwy Llanystumdwy; bu'n byw am ryw dair blynedd ar ddeg yn Nhir Bach Uchaf, yn yr un fro; treuliodd flynyddoedd olaf ei oes yn ardal y Dinas, Llŷn. Nid yw hynny ychwaith yn rhoi cyfrif o'i holl drigfannau, oherwydd fel athro yn yr ysgolion teithiol ('Ysgolion Madam Bevan' erbyn hynny, 'Ysgolion Griffith Jones' cyn hynny) bu'n symudol iawn, gan fyw a gweithio mewn o leiaf saith o wahanol leoedd, ym Môn ac Arfon yn bennaf. Yn ôl pob hanes gŵr hunanaddysgedig oedd ef ei hun, heb dderbyn mwy na chwe wythnos o addysg ffurfiol, a'i holl weithgarwch diflino yn deillio'n syth o'i argyhoeddiad crefyddol. Yn llefnyn neu'n llanc, fe'i denwyd at y Methodistiaid, a oedd bryd hynny'n fudiad bychan, di-barch; ymunodd â hwy ym Mrynengan, a oedd yn gychwynfan a chanolfan o beth pwys yn ôl yr awdurdodau. Yr oedd iddo grefft saer coed; cododd ystafell yn Nhir Bach i'w defnyddio'n weithdy ac yn gapel – peth a gostiodd iddo denantiaeth y lle pan ddaeth ei feistr tir i ddeall beth oedd yn digwydd yno. Ond treuliodd y rhan helaethaf o'i oes ynglŷn â gweithgareddau addysgol-grefyddol, yn athro, yn llenor a golygydd, yn bregethwr (neu 'gynghorwr' fel y dywedid y dyddiau hynny), hefyd yn drefnydd a gwleidydd enwadol pwysig ei ddylanwad, fe gredir, yn y cyfnod pan ymffurfiodd y Methodistiaid Calfinaidd yn gorff ymneilltuol, ar ôl bod ers cryn dri chwarter canrif yn fudiad o fewn Eglwys Loegr yn bennaf. Bu fyw ddeunaw mlynedd ar ôl sefydlu'r enwad ym 1811, ond gwrthododd gymryd ei ordeinio, gan ddweud ei fod yn rhy hen. Golygodd gasgliad pwysig o emynau, *Grawn Sypiau Canaan* (1806); a chyhoeddodd ddyrnaid amrywiol o lyfrau rhyddiaith. *Drych yr Amseroedd* oedd yr olaf o'r rhain. Fe'i cyhoeddwyd ym 1820, o wasg John Jones, Trefriw, a'i awdur bryd hynny yn 75 oed.

Mae dau reswm pam y dewisais sôn amdano yn y ddarlith hon. Y rheswm cyntaf yw'r gwerth llenyddol cynhenid y mae pawb wedi ei gydnabod oddi ar pan ymddangosodd gyntaf. Mae'n llyfr sy'n dweud ei stori yn afieithus egnïol, yn llyfr y clywir ynddo lais dyn yn siarad, ac am hynny yn llyfr a bery. Yr ail reswm yw ei fod yn gynrychiolydd dosbarth o weithiau rhyddiaith, llyfrau'r traddodiad hanes Protestannaidd Cymreig. Yr wyf am gymryd *Drych yr Amseroedd*, gyda'i holl gysylltiadau â bro'r Eisteddfod, yn gyfiawnhad neu esgus i dynnu sylw at y rhain: nid bob amser y sylweddolir cynifer ohonynt sydd, na maint eu diddordeb, na phwysigrwydd parhaol ac ymarferol rhai pethau sy'n ymhlyg ynddynt. Cynrychiolwyr enwocaf y traddodiad yw llyfr Charles Edwards, *Y Ffydd Ddi-ffuant* (1667, 1671), llyfr Theophilus Evans, *Drych y Prif Oesoedd* (1716, 1740), a llyfrau Syr O.M. Edwards ar ddechrau'r ugeinfed ganrif, gyda llyfr Robert Jones heb fod ymhell ar eu holau. Mae eraill sy'n weddol adnabyddus, megis gwaith manwl a gwerthfawr Joshua Thomas ar *Hanes y Bedyddwyr* (1778), a dwy gyfrol uchelgeisiol Gweirydd ap Rhys, *Hanes y Brytaniaid a'r Cymry* [1874-5]. Ond y mae rhagor: *Yr Oes Lyfr*, gwaith Thomas William(s), Mynydd Bach, Llandeilo, a ailargraffwyd droeon o 1724 ymlaen, yr argraffiadau diweddar yn cynnwys ychwanegiadau gan olygyddion dienw, megis rhyw *Keesing's Archives* yn dwyn yr hanes hyd at adeg y cyhoeddi; *Hanes Crefydd yng Nghymru* gan David Peter (1816); *Hanes Dechreuad Cenedl y Cymry* gan William Owen ('Y Pab') (1826): *Hanes Cymru a Chenedl y Cymry* gan Thomas Price (Carnhuanawc) (1842). O blith yr amryw eraill sydd i'w cael byddwn i'n neilltuo dau sy'n haeddu gair amdanynt. Gweinidog gyda'r Bedyddwyr yng Nghaerfyrddin oedd

Titus Lewis. Ymhlith pethau eraill fe luniodd eiriadur da. Ym 1810, flwyddyn cyn ei farw cynnar, fe gyhoeddodd ei *Hanes Wladol a Chrefyddol Prydain Fawr* (ie, *Wladol*, fel yna, wedi ei dreiglo). Amdano y mae'n honni yn ei Ragymadrodd 'na bu cyffelyb erioed yn yr iaith Gymraeg'. Naddo, nid cyn hynny, a gallwn ni ychwanegu 'nac wedi hynny chwaith', oherwydd dyma gyfrol o chwe chan tudalen y gallai unrhyw hanesydd academaidd heddiw fod yn falch ohoni. Mae'n bartïol, fel pob llyfr hanes ond odid: yn Chwigaidd ei gwleidyddiaeth, yn Galfinaidd-Fedyddiol o ran ei golygwedd grefyddol; ond mae Titus Lewis yn rhybuddio'i ddarllenwyr yn glir iawn ar y cychwyn fod ganddo'i ragfarnau. Nid oes fawr ddim o'i le ar y llyfr hwn ac eithrio'i fod yn ganrif a thri chwarter oed. Gwaith mwy cryno, yn cymryd llai o frathiad, yw *Prydnawngwaith y Cymry* (1822) gan William Williams Llandygái. Un o Drefdraeth ym Môn oedd William Williams, cyfrwywr am rai blynyddoedd, ac yn ddiweddarach goruchwyliwr Chwarel Cae Braich y Cafn, Bethesda (Chwarel y Penrhyn wedyn) dan yr Arglwydd Penrhyn cyntaf. O'i lun yn Amgueddfa Bangor mae'n edrych arnom â dau lygad tywyll, ei osgo'n awgrymu llawer o ddawn, tipyn o feistrolaeth a thipyn o ddireidi. Nid yw William Williams yn rhybuddio'i ddarllenwyr ynghylch ei ragfarn; y mae'n ei phlastro ar bob tudalen. Dau wrthrych sydd i'w ymosodiadau, y Babaeth a'r Saeson. Am yr olaf o'r ddwy ragfarn, mae William Williams yn ymdrechu (ac i'w foddhad ei hun, mae'n siŵr, yn llwyddo) i'w chysoni â theyrngarwch diysgog i goron a llywodraeth Prydain, a llwyr gymeradwyaeth o egwyddor undeb Cymru a Lloegr. Mae'r cyfuniad hwn, a'r rhesymeg sydd yn ei wneud yn bosibl, i'w gael mewn aml un o'r llyfrau hanes yr wyf wedi eu crybwyll, fel mewn gweithiau eraill lawer; nid am un genhedlaeth na dwy y bu'n safbwynt llywodraethol yn llenyddiaeth y Cymry. Yr oedd Saunders Lewis a Griffith John Williams fel ei gilydd yn cyfrif *Drych yr Amseroedd* yr olaf yn olyniaeth y clasuron rhyddiaith Cymraeg, yr olyniaeth sy'n cynnwys Theophilus Evans ac Ellis Wynne, Charles Edwards a Morgan Llwyd, ac sy'n mynd yn ôl at y Dyneiddwyr a chyfieithwyr y Beibl. Weithiau, ac edrych arno o safbwynt llenyddol pur, bron na byddwn i'n rhoi'r teitl i

12

Prydnawngwaith y Cymry, a gyhoeddwyd ddwy flynedd ar ôl y *Drych*. Eto noder a chydnabydder i William Williams farw ym 1817, ac i rai blynyddoedd fynd heibio rhwng cyfansoddi'r *Prydnawngwaith* a'i gyhoeddi. Dyna ichwi rywbeth i ddadlau yn ei gylch!

Hyd yn oed a bod y *Prydnawngwaith* yn mynd â hi, ni byddai hynny'n gyfystyr o gwbl â gwadu arbenigrwydd *Drych yr Amseroedd*. O holl haneswyr Cymru, Cymraeg a Saesneg, rhwng Theophilus Evans ac O.M. Edwards, Robert Jones, yn y diwedd, yw'r mwyaf gwreiddiol. Dilyn ei gilydd y mae'r lleill, i gyd yn ddyledus mewn gwahanol ffyrdd un ai i Theophilus Evans ac i'r hanes traddodiadol a grynhowyd ac a adnewyddwyd ganddo ef, neu ynteu i *Frut y Tywysogion* fel y trosglwyddwyd ef drwy *Historie of Cambria*, David Powel (1584), a'i gyfaddasu wedyn gan William Wynne yn ei *History of Wales* (1697). Y mae rhai, fel William Williams, yn dethol a chrynhoi'r hen hanes, a rhoi arno ryw liw personol; rhai, fel Thomas William(s), yn ei symleiddio a'i droi'n gatalog, yn dychwelyd yn wir at hen ddull y cronicl canoloesol; rhai, wrth ychwanegu ato, yn ei adolygu o berspectif ysgolheigaidd newydd, fel y gwna David Peter, Titus Lewis, Carnhuanawc a Jane Williams, Ysgafell, y parhaodd ei *History of Wales* (1869) mor safonol â dim a oedd ar gael hyd nes y daeth dwy gyfrol fawr J.E. Lloyd ym 1912; rhai fel R.W. Morgan (Môr Meirion) yn ei *Hanes yr Hen Gymry* (1858), yn ei wneud yn fwy o gawdel gyda dogn ychwanegol o Geltigrwydd, Derwyddiaeth a ffantasïau Ioloaidd. Fe wnaeth Robert Jones ymchwil o fath gwahanol. Os oedd yn llai ysgolheigaidd na rhai o'r haneswyr eraill, nid oedd yn llai gwybodus na hwy. A defnyddio jargon y dydd heddiw, fe wnaeth Robert Jones 'waith maes', holi, sgwrsio, cofnodi, tynnu ar ei gof ei hun a chof eraill, manteisio ar gydnabod a chysylltiadau personol.

Yn *Nrych yr Amseroedd* fe welwn ni rym a gwytnwch traddodiad; fe welwn ar yr un pryd y fath newid syfrdanol mewn pwyslais, a'r fath amrywio ar safbwynt, sy'n bosibl o fewn terfynau traddodiad. Llyfr sy'n cynrychioli traddodiad ac yn dathlu chwyldro, yr un pryd – dyna yw *Drych yr Amseroedd*.

Traddodiadol, i ddechrau, yw'r teitl: yr oedd *Drych* rhywbeth neu'i gilydd, fel *A Mirror of...*, yn Saesneg neu *Speculum...* yn Lladin, yn ffurf gyffredin ar enw llyfr; o ran hynny mae gan Robert Jones ei hun *Ddrych* arall, *Drych i'r Anllythyrenog* (1788). Traddodiadol yw'r gŵyn sydd ganddo yn y Rhagymadrodd fod y Cymry wedi bod yn 'ddifraw a musgrell am gadw coffadwriaeth o lawer o bethau tra nodedig a ddigwyddasant yn eu plith'. Efallai y dywedem ni nad oedd cymaint â hynny o sail i'r gŵyn; fod cenhedlaeth Robert Jones, wrth edrych yn ôl arni, yn ymddangos yn genhedlaeth go hanesgar. Sylwer ar rai o'r dyddiadau: 1810, Titus Lewis; 1811, adargraffiad o *Historie of Cambria*, Powel; 1812, adargraffiad o *History of Wales* William Wynne; 1814, pedwerydd argraffiad *Oes Lyfr* Thomas William(s); 1816, David Peter; 1818-19, John Hughes, *Horae Britannicae or Studies in Early British History,* (dwy gyfrol); 1822, Thomas Thomas, *Memoirs of Owen Glendower (Owain Glyndwr) with a sketch of the History of the Ancient Britons, from the conquest of Wales by Edward the First, to the Present Time*; 1824, chweched argraffiad hen ffefryn arall, *Hanes y Byd a'r Amseroedd*, Simon Thomas (a gyhoeddwyd gyntaf ym 1718); yr un flwyddyn, John Jones, *A History of Wales*; yr un flwyddyn, William Owen, *Drych Crefyddol yn dangos Dechreuad y Grefydd Brotestanaidd ynghyd a hanes y Diwygiad yn Lloegr a Chymru*; 1825, William Owen eto, *Y Drych bradwriaethol, sef Hanes Brad y Cyllyll Hirion*; 1826, William Owen eto fyth, *Hanes Dechreuad Cenedl y Cymry*. Yn y blynyddoedd yn union o boptu *Drych yr Amseroedd* fe welir bod y llyfrau hanes, a chyfri'r rhai Cymraeg a'r rhai Saesneg, yn eithaf trwch. Ai na wyddai Robert Jones fawr ddim am y lleill? Cyfeiria yn ei Ragymadrodd at 'rai yn y Deheudir' a fu'n 'ddiwyd a llafurus i gasglu ynghyd gryn lawer o hanes y Cymry yn yr iaith Gymraeg, i ba rai yr ydym yn dra rhwymedig.' Pa rai oedd y rheini tybed? Joshua Thomas, Titus Lewis, David Peter? Yr hyn sy'n sicr yw mai fformiwla, agoriad traddodiadol, yw'r cyhuddiad o esgeuluso hanes, yr anogaeth i ganmol y gwŷr enwog, a'r amddiffyniad o hanesyddiaeth fel gweithgarwch; gallai'r cyfan fod wedi ei godi, air am air bron, o lyfr Herodotos, tad hanes Ewrop. Traddodiadol hefyd yw dull y cyflwyno, y defnydd o ymddiddan, holi ac ateb rhwng *Ymofyngar* a *Sylwedydd*, yn hytrach na bod traethu o un safbwynt neu mewn un llais. Bydd rhai ohonom yn ei adnabod fel dull rhai o lyfrau rhyddiaith Pantycelyn, neu ramadeg Gruffudd Robert; tebyg fod ei dras mor hen ac mor anrhydeddus â dialogau Platon. Traddodiadol, yn sicr, yw'r syniad am natur hanes a chyfrifoldeb yr hanesydd, y rhagdybiaeth mai er mwyn profi rhyw bwynt neu gyfiawnhau rhyw achos y dylid ysgrifennu hanes. Dyma'r wir draddodiad haneswyr yr Hen Fyd, yn Rhufeinwyr ac yn Roegwyr o'u blaenau. Fe fu byw tan ganol y bedwaredd ganrif ar bymtheg, pryd y daethpwyd gyntaf i synio'n gyffredinol am hanes fel gwyddor y gellid ei harfer yn 'wrthrychol' a 'diragfarn'. Ac nid cynt y daeth y syniad hwnnw nag y dechreuwyd ei amau gan rai; testun cryn drafod, yn yr ugeinfed ganrif, yw a ddichon hanes o'r fath mewn gwirionedd, ynteu a yw pob hanes yn rhwym o orffwys ar ragfarn o ryw fath neu'i gilydd. Nid yw'n ymddangos i'r cwestiwn hwn boeni rhyw lawer ar Robert Jones, mwy nag y poenodd Herodotos bedair canrif cyn Crist. Mae Robert Jones wedi hen benderfynu ymlaen llaw beth sydd arno eisiau ei brofi, ac mae'n dethol y defnyddiau a'r esiamplau sy'n profi hynny.

Yn hynny o beth y mae *Drych* Robert Jones yn sylfaenol debyg i'r *Drych* arall hwnnw, enwocach fyth, a gyhoeddwyd gyntaf ychydig dros ganrif o'i flaen, ac a gyfrifir yn un o ben clasuron ein traddodiad rhyddiaith, *Drych y Prif Oesoedd*. Nid yw awduron y naill na'r llall wedi ystyried y posibilrwydd o fod yn ddi-duedd; i'r graddau hwnnw maent yn rhannu'r un syniad am natur hanes. Ac eto, mewn rhai pethau go bwysig, dyma ddau *Ddrych* gwahanol iawn i'w gilydd, a hynny, fe allem ddweud, yn 'ddrych' o'r newid a oedd wedi digwydd i Gymru yn ystod y can mlynedd, mwy neu lai, sy'n eu gwahanu, 1716-1820. Rhwng y ddau begwn yma bu troeon go fawr ar fyd; yn arbennig, fe ddigwyddodd y gyfres gymhleth honno o gynyrfiadau crefyddol sy'n dal o hyd mor anodd eu llawn ddeall a'u hesbonio, ac a elwir o ran hwylustod 'y Diwygiad Methodistaidd'.

Beth yw 'Prif Oesoedd' Theophilus Evans? Mae 'prif' y teitl yn cadw peth o ystyr gysefin y Lladin *primus* – 'cynharaf'. Yr oesoedd cynharaf oedd y rhai pwysicaf hefyd. Felly gwelwn Theophilus Evans yn ymdroi'n bennaf gyda tharddiad tybiedig y Cymry neu'r Brytaniaid, eu dyfodiad cyntaf i'r Ynys hon, brwydrau a buddugoliaethau a gorchestion y cyfnod pan oeddynt ym meddiant yr holl Ynys. Yn hynny o beth, ailadrodd y mae beth o'r hanes chwedlonol, blodeuog, ie celwyddog (ddywedai llawer) a roed at ei gilydd yn yr *Historia Regum Britanniae* (1136), neu *Brut y Brenhinedd* fel yr arferai'r Cymry ei alw, gwaith yr enwog a'r anfarwol Sieffre o Fynwy. Yr anhawster mawr gyda Sieffre yw y gall, ambell dro, fod yn dweud peth gwir. Pe gallem fod yn gwbl sicr na ddylid coelio dim y mae'n ei ddweud, byddai bywyd yn symlach. Ond weithiau, go drat, fe all fod rhywbeth y tu ôl i'w chwedlau a'i ddychmygion, rhyw gnewyllyn o draddodiad y gellir ei olrhain drwy haneswyr cynharach fel Nennius, Beda a Gildas, a rhai o awduron y byd clasurol. Fe gafodd Sieffre ryw gnewyllyn stori o rywle. Fe aeth ati i'w helaethu, drwy arfer ei ddychymyg toreithiog ei hun, a rhoi lliw a siâp arni, a'i phoblogeiddio ledled y byd. Er enghraifft mae'n cymryd y cyfnod rhwng dyfodiad y Brytaniaid i Brydain a dyfodiad y Rhufeiniaid, a'i lenwi â gorymdaith o ddynion mawr, cwbl ddychmygol bron bob un ar wahân i'w henwau – Mymbyr a Mael, Bleiddudd, Lleon, Llŷr a'i ferched, Dyfnwal Moelmud (wedi ei symud ryw naw canrif o'i gyfnod gwirioneddol), Brân a'i frawd Beli, Elidir Wâr a llawer eraill. Pan ddaw at gyfnod y goresgyniad Rhufeinig, mae'n ceisio cyflwyno hwnnw nid fel concwest mewn gwirionedd ond fel cyfaddawd rhwng dwy genedl fawr o'r un cyff. Adran helaethaf y llyfr yw hanes Arthur, a ddarlunnir fel ymerawdwr a goncrodd wledydd lawer a'u gosod dan lywodraeth y Brytaniaid, ac a oedd ar fin darostwng Rhufain ei hun pan drawyd ef yn ei gefn gan fradwr o fewn ei dylwyth. Gelwir Arthur yn ôl ar frys i geisio amddiffyn ei deyrnas, i ymladd ei frwydr olaf, ac i gael ei glwyfo a'i ddwyn ymaith, gyda rhyw hanner addewid amwys y daw yn ei ôl ryw ddydd. Ar ôl ymadawiad Arthur, mynd i lawr yr allt yw hanes y Brytaniaid, yn ôl Sieffre o Fynwy, er ei fod yn cynnwys yr addewid neu'r darogan y daw eu hawr eto. Yn yr hen oesoedd pell yn ôl, tu draw i drothwy yr hyn a ystyriem ni'n hanes dilys, y gwêl Sieffre'r gwir ogoniant, y pethau sy'n werth eu cofnodi.

Chwe chanrif yn ddiweddarach, mae awdur *Drych y Prif Oesoedd* yn dal i gytuno i raddau mawr. Mae wedi gorfod cydnabod, dan bwysau beirniadaeth hallt rhai ysgolheigion dros ganrif a hanner o amser, na ellir derbyn fel efengyl bopeth a ddywed Sieffre. Mae ei bwyslais hefyd beth yn wahanol: rhoir llawer mwy o le i hanes crefydd; ac mae argyhoeddiadau Protestannaidd yr awdur yn lliwio'r cyfan. Ond o hyd, yn yr oesoedd bore, a'r arwyr chwedlonol cynnar, y mae diléit Theophilus Evans. Fel y daw at gyfnod y Tywysogion, cyfnod a llawer mwy o wybodaeth ddilys amdano, colli diddordeb y mae, a cholli stêm. Yr oesoedd cynnar cynnar, dyna yw'r 'Prif Oesoedd'.

Ond beth yw 'Amseroedd' Robert Jones? Fel y dywed ef ei hun yn ddigon plaen, 'y ddwy ganrif ddiwethaf' (o safbwynt 1820 felly). Hanes diweddar iawn yw rhan helaethaf *Drych yr Amseroedd*, digwyddiadau o fewn cof pobl yr oedd Robert Jones yn eu hadnabod, rhai o fewn ei gof ei hun, rhai y bu iddo ran ynddynt. Hyn, bellach, sy'n werth ei gofnodi a'i goffáu, hanes y Diwygiad Methodistaidd i bob pwrpas. Am y cyfnod cyn bod Protestaniaeth, sef hyd at yr unfed ganrif ar bymtheg, fe gofiwn beth oedd dyfarniad ysgubol Robert Jones – 'hir nos o dywyllwch dudew'. Dyma fwrw 'Prif Oesoedd' Theophilus Evans yn un bwndel allan drwy'r ffenest; ni bu na chynt na chwedyn mewn llyfr o hanes Cymru ymwrthod mor ysgubol â'r hanes traddodiadol a fuasai am genedlaethau a chanrifoedd yn ddiddordeb ac yn gynhaliaeth i'r Cymry. A mentro crynhoi: yn ôl *Drych y Prif Oesoedd* yr oedd gogoniant y Cymry drosodd erbyn y flwyddyn 700; yn ôl *Drych yr Amseroedd* 'doedd gogoniant y Cymry ddim yn dechrau tan ar ôl y flwyddyn 1700. Hyd yn oed o fewn y cyfnod Protestannaidd, mae Robert Jones yn dethol yn llym. Sonia'n fyr am gyfieithwyr y Beibl, am Biwritaniaid yr ail ganrif ar bymtheg, ac am ambell ŵr eglwysig mwy cymeradwy na'i gilydd, ond gan eu gweld yn bennaf fel rhagredegwyr i Hywel Harris, Daniel Rowland, Williams Pantycelyn a'u cenhedlaeth hwy. Onid oedd Morgan Llwyd mewn gweledigaeth wedi rhagweld diwygiad y ddeunawfed ganrif, ac wedi ei ddyddio o fewn 'oes gŵr'? Gyda diwygwyr y ddeunawfed ganrif, yn ôl Robert Jones, y daw hanes Cymru i'w uchafbwynt a'i gyflawniad, y rhain a 'wnaeth' Gymru fel yr oedd ef yn hoffi meddwl amdani. Os oedd Theophilus Evans, a haneswyr y traddodiad o'i flaen, yn darlunio cychwyniadau'r Cymry, mae Robert Jones yn sôn am ailgychwyn, aileni cenedl drwy gynhyrfiad neu ddiwygiad. Cyffredin, medden nhw, mewn gwlad sydd wedi bod trwy chwyldro, yw bod haneswyr yn ailddehongli, yn ailysgrifennu hanes y wlad yng ngoleuni'r chwyldro. Dyna a wneir yn *Nrych yr Amseroedd*.

Nid bod yr 'hen' hanes wedi ei anghofio gan bawb. Tystion i'r gwrthwyneb yw amryw o'r llyfrau hanes eraill yr wyf wedi eu henwi. Ond y mae *Drych yr Amseroedd* yn cynrychioli un math o feddwl a fu'n ddylanwadol iawn arnom ni, y meddwl sy'n cymryd fod popeth o bwys a gwerth yng Nghymru'n cychwyn gyda diwygiadau'r ddeunawfed ganrif, ac yn enwedig gyda chynnydd ymneilltuaeth dan ddylanwad y Diwygiad Methodistaidd; mai ymneilltuaeth yw Cymru.

Ymhen amser fe ddaeth rhai i gyfannu'r darlun unwaith eto, i osod a dehongli'r Gymru ymneilltuol yn ei pherthynas â Chymru'r canrifoedd o'i blaen; y pennaf yn eu plith oedd O.M. Edwards, a welai'r Gymru ymneilltuol fel coron a chyflawniad a chyfiawnhad ymdrech y canrifoedd. Hanesydd wrth ei swydd oedd O.M. Edwards, cymrawd prifysgol mewn hanes; ond nid cam ei gysylltu ag olyniaeth yr haneswyr amatur Cymreig, y pregethwyr a'r offeiriaid, a hefyd y crefftwyr, amryw ohonynt (saer, gwehydd, llifiwr, cyfrwywr) a farnodd fod cofnodi hanes y Cymry yn weithgarwch â hawl ar eu horiau hamdden: rhannai â hwy eu meddwl gwlatgar, eu hysbryd cenhadol, a hefyd y pryder neu'r anesmwythyd a synhwyrir yng ngwaith llawer ohonynt ynghylch dyfodol y Cymry – anesmwythyd dwfn ei wreiddiau, yn tarddu o ryw hen hen ragdybiaeth fod gorfod ar y Cymry ymdrechu i gwrdd â rhyw ddisgwyliadau eithriadol er mwyn cyfiawnhau eu bodolaeth o gwbl. Bydd gennyf fwy i'w ddweud am hyn cyn diwedd y ddarlith. Wrth reswm y mae darlun O.M.Edwards o'r Gymru ymneilltuol yn cynnwys elfennau nad oedd a fynnai Robert Jones ddim â hwy, y wleidyddiaeth radical nad oedd ond prin yn cychwyn pan oedd Robert Jones yn ysgrifennu ac yr oedd ef yn arswydo rhagddi p'run bynnag, a'r geidwadaeth ddiwylliannol na thybiai ef ei bod yn berthnasol iawn i gadwedigaeth cenedl. Peth fel yna yw hanes. 'Hon yw'r afon, ond nid hwn yw'r dŵr' o hyd. Mewn amser fe ddaw gweledigaeth Robert Jones i gymryd ei le mewn llif sy'n cynnwys pethau eraill yn ogystal, rhai pethau gwahanol iawn iddi.

Ond ar y pryd, pan gyhoeddwyd *Drych yr Amseroedd*, yr oedd y toriad yn drawiadol, yr olwg ar Gymru yn newydd. Fe allwn ni, â synnwyr drannoeth, gysylltu hyn â rhai pethau eraill a oedd yn digwydd tua'r un adeg, a'i weld yn rhan o batrwm. Ym 1819 y cyflwynodd Iolo Morganwg ei Orsedd, trwy ei chysylltu â'r Eisteddfod yng Nghaerfyrddin, i ganol y bywyd diwylliannol newydd ymwybodol Gymreig a oedd erbyn hynny'n ymffurfio, hwnnw hefyd yn gynnyrch ymysgwyd y ddeunawfed ganrif; yr un flwyddyn y cyhoeddodd William Owen Pughe ei *Goll Gwynfa*, i arddangos ar waith y Gymraeg newydd yr oedd ef wedi ei llunio o elfennau honedig hen. Gwŷr o ddiddordebau tra gwahanol i Robert Jones, ond o bellter gallant ymddangos yn rhannu o'r un peth, peth a alwyd yn duedd i greu 'gorffennol newydd', tuedd sy'n gryfach mewn ambell oes neu gymdeithas na'i gilydd, ac a esboniwyd cyn hyn yn nhermau rhyw 'argyfwng hunaniaeth', a thu ôl i hwnnw achosion economaidd a chymdeithasegol.[3] Ail-greu'r gorffennol: tybed nad oes rhywbeth nid annhebyg ar dro yn ein dyddiau ni, gyda'r holl doreth o lyfrau newydd ar hanes Cymru sydd wedi ymddangos yn ystod yr ychydig flynyddoedd diwethaf, pob un â'i argyhoeddiad am yr hyn sy'n bwysig, pob un yn dethol ei 'orffennol gwerth sôn amdano' fel petai?

Robert Jones, a Iolo Morganwg. Dyna gyferbyniad. Un yn saer coed, y llall yn saer maen. Un yn Fethodist ac yn geidwadwr, eto'n wrth-hynafiaethol; y llall yn Undodwr, yn radical, eto'n obsesiynol ei ddiddordeb mewn hen bethau. Y ddau fel ei gilydd yn gweld Cymru o un cwr, yn cymryd mai'r peth nesaf atynt oedd yn cynrychioli'r wir Gymru: dau begwn ar hen echel Gwynedd-Morgannwg. Un yn berffaith dawel ei feddwl nad oedd yn adrodd 'dim ond sydd wirionedd'; y llall yn gwybod yn iawn ei fod yn rhaffu celwyddau, ond yn cael hwyl arthurol arni, ac yn methu â rhoi'r gorau iddi. Yr ydym ni, sydd yma heddiw yn y Babell Lên, yn etifeddion i'r ddau. Hon yw'r afon, ac mae llawer o ffrydiau ynddi.

Os 'gorffennol newydd' a gyflwynodd Robert Jones i'w gyd-Gymry ym 1820, yr oedd hefyd, eisoes, yn orffennol chwedlonol. Fe gofir yr hyn y galwodd R.T. Jenkins *Ddrych yr Amseroedd*, 'Apocryffa'r Diwygiad'. Llyfr o straeon ydyw yn anad dim, stori ar ben stori, esiampl ar ôl esiampl i brofi'r un pwynt, i ddangos yr un grymoedd ar waith, rhai ohonynt nid llawer llai chwedlonol na storïau Theophilus Evans neu Sieffre o Fynwy, neu ddefnydd bucheddau saint yr oesoedd Pabaidd y mae Robert Jones mor ddirmygus ohonynt. Yr Athro J.E. Caerwyn Williams a wnaeth y sylw fod y *Drych* yn 'rhyfedd o ddi-hid ynglŷn â dyddiadau', a theg y feirniadaeth. Mae man a lle yn bendant ddigon ynddo, a'r cymeriadau yn rhai gwirioneddol; ond byddai rhywun yn gwerthfawrogi blwyddyn a mis yn amlach mewn gwaith sy'n adrodd twf mudiad arbennig dros gyfnod. Mae'r sôn am y Piwritaniaid – Wroth, Cradoc, Llwyd – yn dod *cyn* yr adroddiad am gyfieithwyr y Beibl – Salesbury, Morgan, Richard Davies. 'Sêr bore' yn 'yr oesoedd tywyll hynny' oedd y rhain i gyd. Syniad anysgolheigaidd sydd gan Robert Jones am yr 'hen amseroedd' chwedl yntau, tebyg iawn i syniad y mwyafrif anhyffordd mewn unrhyw genhedlaeth. (Fe ddywedodd rhywun na all meddwl anhyfforddedig amgyffred mwy na chanrif a hanner o amser hanesyddol. Ac onid dyna'r gwir? Y tu hwnt i gof taid a nain, un 'hen oes' sydd, a'r Rhufeiniaid ac Owain Glyndŵr a'r Goets Fawr yn un cawdel ynddi.) Yn y fan yna, yn anad unman, yr amlyga Robert Jones yr amatur ynddo'i hun. A phan ddaw at y Diwygiad fel y cyfryw, mae'r cyfan drachefn mewn rhyw 'amser hwnnw' diamser, yr *illud tempus* y bydd astudwyr chwedl a myth yn sôn amdano. Er bod y digwyddiadau ar un wedd yn ffres o fewn cof, eto mae rhyw wawl o arwriaeth a rhyfeddod yn eu pellhau; ac er mor sicr ydyw nad oes yma 'ddim ond sydd wirionedd', eto mae Robert Jones yn cydnabod yn rhwydd fod yr holl hanes yn 'rhyfedd'. 'Rhyfedd' yw gair mawr y llyfr. Yn ogystal ag ailadrodd yr allweddair hwn bedair gwaith mewn paragraff, y mae ymofynion agoriadol 'Ymofyngar' yn crynhoi llawer:

Myfyrio yr oeddwn ar y gwaith rhyfedd a wnaeth yr Arglwydd, o'i fawr drugaredd, yn yr oesoedd diwethaf drwy'r Efengyl yng Nghymru; a bod llaw'r Arglwydd, yn amlwg ac yn wyrthiol, yn dwyn y gwaith gogoneddus ymlaen: ond er mor rhyfedd yr ymddiffynnodd Duw Ei achos, ac y cosbodd yr erlidwyr; er hynny, meddaf, hyd y gwn i, ni bu wiw gan neb gadw coffadwriaeth, na dodi y pethau hynny mewn ysgrifen, i ddangos i'r oes bresennol ac i'r oesoedd a ddêl, ryfedd weithredoedd Duw. A chan na wyddwn am neb o'm cydnabyddiaeth a oedd mor hysbys â chwi yn holl amgylchiadau crefydd yn ein gwlad; yn enwedig gan eich bod gyda'r achos ers mwy na hanner can mlynedd, ac hefyd yn adnabyddus â llawer o hen frodyr, a chlywed ohonoch gan y rheini lawer o bethau tra rhyfedd, a ddigwyddasant cyn ein geni ni; gan hynny, dymunaf arnoch eistedd i lawr (oddigerth fod rhyw rwystr neilltuol) dan y cysgodlwyn hyfryd hwn, ac adrodd, hyd y galloch, y pethau mwyaf neilltuol a ddigwyddasant yn y ddwy ganrif ddiwethaf ynghylch crefydd.

Cystal dweud bod rhai o'r pethau 'rhyfedd' hyn yn debyg o ymddangos i ni braidd yn ddychrynllyd:

Chwi a wyddoch, er bod ein gwlad wedi ei dyrchafu hyd y nef o ran breintiau, er hynny fod gormodedd o blant, ac eraill, yn ddiarswyd yn halogi y Saboth. Adroddaf hanes fer am ddau blentyn a ddaethant i ddiwedd dychrynllyd wrth halogi Dydd yr Arglwydd. Yn agos i Gapel Curig y byddai plant yr ardal yn arfer ymgynnull i ryw ofer gampau ar y Saboth; ond yng nghanol eu hynfydrwydd rhyfygus syrthiodd carreg fawr o ochr y ffordd, a lladdodd un ohonynt yn farw. Bryd arall, yr oedd bachgen yn dringo i olwyn oedd yn perthyn i waith mwyn, ac yn ddisymwth trodd yr olwyn nes gwasgu ei ben rhyngddi a'r mur, a dryllio ei esgyrn, a bu farw yn y fan. Bydded i blant, ac eraill, oddi wrth yr esiamplau hyn, feddwl am gofio cadw yn santaidd y dydd Saboth.

Ysbryd llywodraeth yr Aiatola? Ymhlith y rhai ohonom ni Gymry, lleiafrif bychan erbyn hyn, sy'n dal rhyw gysylltiad â'r sefydliadau ac â'r gwerthoedd y bu Robert Jones yn llafurio drostynt, a oes rywun a fyddai'n fodlon amddiffyn safbwynt Robert Jones yn gyfan? Gofyn yr ydw i! Ac ymhlith y lleiafrif o'r lleiafrif hwn sydd yn ein dyddiau ni yn gwerthfawrogi o'r newydd bwyslais y Diwygwyr a'u diwinyddiaeth Galfinaidd, a oes un – gofyn yr ydw i eto – a fyddai'n gallu uniaethu â'r cyfan o'u meddylfryd? Onid gwir a ddadleuodd R.T.Jenkins flynyddoedd lawer yn ôl, yn ei ysgrif 'Yr Apêl at Hanes', fod pawb ohonom, wrth geisio esiampl ac ysbrydoliaeth yn y gorffennol, yn debyg o ddethol rhyw bethau sydd wrth ein bodd neu'n ateb ein diben, ac anwybyddu eraill? Ie, go ddiarth i'r rhan fwyaf ohonom ni, mae'n debyg, yw meddylfryd y Piwritan John Thomas, a fu'n gweinidogaethu ym Mhwllheli, ac a arferai, yn ôl Robert Jones, ddod 'i lawr weithiau o'i lyfrgell pan y byddid yn twymo'r ffwrn, fel y gallai yr olwg ar y fflamau dychrynllyd atgofio iddo echrys boenau y damnedigion.' A phrin y byddai llawer ohonom ni heddiw yn teimlo dan orfod i fynd cyn belled ag yr aeth Edward Jones o Dreffynnon, pregethwr 'yn rhagori mewn dysg a doniau ar lawer o bregethwyr tlodion y dyddiau hynny', a roddodd y gorau yn llwyr i bregethu, gan deimlo'n gwbl anghymwys ac annheilwng, oherwydd iddo, ar un eiliad, ildio i demtasiwn a rhoi un floedd dros ei dîm pêl-droed:

> Fel yr oedd efe, ynghyd â rhai gwŷr eraill o sefyllfa uwch na'r cyffredin, yn cyd-deithio ar eu meirch, digwyddodd iddynt ddyfod heibio i dyrfa o ynfydion yn prysur chwarae, y naill blwyf yn erbyn y llall. Safasant dros ryw ennyd i edrych arnynt; ac yn hynny, enillodd y plwyf yr oedd efe yn perthyn iddo y gamp; ac o wag orfoledd am y fuddugoliaeth, rhoesant floedd nes oedd y ddaear yn datseinio: a themtiwyd yntau i ynfyd

floeddio gyda hwynt. Teimlodd yn y fan wg Duw ar ei gydwybod, a'r pethau oedd efe yn eu mwynhau o'r blaen, yn cilio oddi wrtho: ac ni chynigiodd bregethu byth wedi hynny.

Unwaith eto, nid hwn yw'r dŵr. Er ein bod ni i gyd, bawb sydd yma, yn ddyledwyr mewn rhyw ffordd i Robert Jones a phobl o'r un anian ag ef, mae bron yn amhosibl bellach i ni weld pethau yn yr un modd yn union ag yr oeddent hwy'n eu gweld. Weithiau, fe'n cawn ein hunain yn wfftio; dro arall, er ein gwaethaf, yn cilwenu wrth i Robert Jones bentyrru hanesyn ar ben hanesyn, y cyfan i'w feddwl ef yn profi'n ddiymwad yr un pwynt, fod Duw yn gwaredu ei Saint ac yn dymchwel eu gelynion:

Ymhen maith flynyddoedd ar ôl hyn, digwyddodd brynhawn Saboth ar faes yn agos i Drefriw, i ryw ŵr ddyfod i gynnig pregethu; yn y cyfamser daeth yno ŵr urddasol [sef, mae'n debyg, gŵr mewn urddau] o'r ardal, yn llawn o nwydau digofus a chythreulig, ac a gipiodd y Beibl o law y pregethwr, gan ei droedio o'i flaen yn ei gynddaredd, fel pe buasai bêl droed. Cyn pen hir tarawyd y gŵr â math o wallgofrwydd arswydus. Byddai yn croch-leisio yn ofnadwy, fel y clywid ef bellter mawr o ffordd. Yr oedd efe yn ddychryn mawr, nid yn unig i'w deulu, ond hefyd i amryw yn y gymdogaeth. Parhaodd yn yr agwedd arswydus hynny hyd ddydd ei farwolaeth. Gwae a ymrysono â'i Luniwr!

Yr oedd cyfarfod, rywbryd arall, wedi ei gyhoeddi yn yr un lle, sef Rhosytryfan, ar brynhawn Saboth; a daeth lliaws ynghyd i wrando. 'Roedd gan ŵr yn y gymdogaeth darw a fyddai yn arfer rhuthro yn erchyll, fel yr oedd yn berygl bywyd myned yn agos ato. Trodd y gŵr yr anifail yn union at y gynulleidfa: ac yr oedd yn dyfod ymlaen, dan ruo a lleisio yn ddychrynllyd, tuag at y bobl. Ond cyn ei ddyfod atynt, canfu fuwch ennyd oddi wrtho; gadawodd bawb yn llonydd, a rhedodd ar ôl honno. Addawodd Duw wneuthur amod dros ei bobl ag anifeiliaid y maes, &c. Ond ymhen tro o amser, rhuthrodd y creadur afreolus ar y gŵr ei hun, gan ei gornio'n ddychrynllyd; ac o'r braidd y cafodd ddianc gyda ei einioes.

Erbyn ein dyfod i Abermo yr oedd hi yn dechrau nosi, ac yn dymestl fawr o wynt a glaw. Lled gynhyrfus oedd y pentref ar ein dyfodiad yno; ond bu llawer o'r trigolion mor dirion â lletya cynifer ag a arosasant yno...'Roedd yno un wraig, yr hon, pan ofynnwyd iddi am le i letya, a safodd ar y drws, ac a ddywedodd yn haerllug: 'Na chewch yma gymaint â dafn o ddŵr; nid wyf yn amau na roddech fy nhŷ ar dân, cyn y bore, pe gollyngwn chwi i mewn.' Ond buan y cyrhaeddodd llaw Duw hi am ei thraha a'i chreulondeb; canys, cyn y bore, yr oedd y tŷ yn wenfflam, a braidd gymaint ag oedd ynddo yn lludw. Yr oedd y tŷ y pen nesaf i'r afon i res o dai oeddynt i gyd yn gydiol â'u gilydd. Troes y gwynt, yn y cyfamser, i chwythu ymaith y tân a'r gwreichion, oddi wrth y tai eraill; pe amgen, buasai y rhai hynny yn debyg o gael eu llosgi oll. Dychwelodd y gwynt yn ôl cyn y bore, i'r lle y buasai lawer o ddyddiau cyn hynny, a lle yr arhosodd lawer o ddyddiau wedi hynny.

Un tro, pan oedd pregethwr ar ei liniau yn gweddïo, daeth benyw ysgeler, warthus, yn llawn o gythraul, a chanddi yn ei dwylo gryman drain; cynigiodd hollti y gŵr ag ef: ond goruwchreolodd rhagluniaeth yr ergyd. Ci mawr menigwr o'r dref a gafodd y dyrnod nes torri asgwrn ei gefn. Wrth weled hyn, rhuthrodd perchen y ci ati a thrawodd hi nes oedd hi yn ymdreiglo ar hyd yr heol. Felly y dibennwyd y terfysg y tro hwnnw.

Yr hyn sy'n sicr yw nad oedd Robert Jones yn bwriadu i'r hanesion hyn fod yn rhai digri; os felly y tueddwn ni i'w gweld, rhaid inni ymddiheuro i'r hen frawd. A rhywsut, y mae'r cyfan yn gweithio. Dathlu hanes pobl ddewr ac ymdrechgar y mae *Drych yr Amseroedd*, yng ngrym y gred mai 'coffadwriaeth y cyfiawn sydd fendigedig', ac mae'n ei wneud yn effeithiol ac enillgar drwodd a thro. Wrth ei ddarllen, all rhywun ddim peidio â gwerthfawrogi dycnwch ac aberth y Methodistiaid cynnar; nac ychwaith beidio â chynddeiriogi yn erbyn dialgarwch yr ysweiniaid, yr offeiriaid a'r werinos wamal a oedd yn eu herlid, dyn a ŵyr am ba beth. Rhan o'n hanhawster ni yw dirnad yn union pam yr oeddynt yn cynhyrfu'r fath wrthwynebiad, ac nid yw'r *Drych* yn ein helpu fawr yn y fan yna. Cynnil iawn yw ei grynodeb o beth oedd safbwynt a dysgeidiaeth y Methodistiaid, a pham yr oedd mor groes i'r safbwyntiau derbyniedig. Ac am eu gwrthwynebwyr, nid oes ymgais o gwbl i ddeall, heb sôn am esbonio, beth oedd yn gyrru'r rheini. Fwy nag unwaith bodlonir ar ddweud eu bod 'yn erbyn crefydd', ac yn lled aml gadewir inni gasglu oddi wrth eu hymddygiad mai pobl orffwyll oeddynt. Peth nas ceir gan Robert Jones yw dadansoddiad. Mewn *Drych*, darluniau a welir. Ac ar y diwedd fe saif rhai argraffiadau cyson, rhai adlewyrchiadau sydd wedi eu sefydlu yn y cof drwy gynnig enghraifft ar ôl enghraifft, ac adlewyrchiadau digon cywir mi dybiwn i. Argraff ddaearyddol yw un ohonynt: Cymru fel gwlad o ddyffrynnoedd a bylchau a mannau culion rhwng môr a mynydd yr oedd raid i'r pregethwyr teithiol basio trwyddynt er mawr berygl. Darllenwn am Daniel Rowland ar daith i'r Gogledd, yn cael ei ddal gan ryw labystiaid yma ym Mhenmorfa, a'i fygwth 'os âi efe ymlaen, y byddai ei esgyrn yn ddigon mân i'w rhoddi mewn cwd cyn y deuai yn ôl'. Ceir argraffiadau hefyd y gellir eu galw yn rhai cymdeithasegol: argraff o'r cynghrair rhwng y gwŷr mawr a'r werin gyffredin, yn erbyn rhai o'r haenau a oedd rhyngddynt; argraff o'r newid mewn Methodistiaeth ei hun o fod yn fudiad bychan erlidiedig i fod y mwyaf sefydliadol-barchus o'r cyfundebau. Yn y pethau yna, dangos y mae'r *Drych*, nid dadansoddi. Ond mae'n ei wneud yn effeithiol: anodd meddwl am well gair. Yn anad dim, y mae angerdd Robert Jones yn dal yn ei rym. Yr angerdd hwnnw sy'n ennill iddo le diogel ymhlith llenorion y traddodiad moliant Cymraeg, traddodiad o gofnodi enwau gwŷr a gwragedd mewn dull defodol, cysylltu enw'r dyn meidrol, ffaeledig wrth ryw ddelfryd o berffeithrwydd.

Fe all hagiograffeg neu lên y seintiau, fel mathau eraill o lên arwrol, fynd yn ddiflas a beichus os nad yw'n fodlon caniatáu inni, heibio i'r ddelfryd, ambell gipolwg ar y dynol a'r naturiol. Paragonau o ddioddef stoicaidd yw proffwydi erlidiedig Robert Jones ran amlaf, rhai ymostyngol, hirymarhous sy'n fodlon ei gadael hi rhwng Duw a'u herlidwyr. Ond mae sant yn cael digon weithiau, fel yr edrydd un hanesyn am brif arwr y llyfr. Gŵr o Eifionydd yma oedd hwnnw, William Prichard o Lasfryn Fawr ym mhlwy Llangybi, neu William Prichard, Clwchdernog (neu Gnwchdernog), Llanfechell, Môn yn ddiweddarach. 'Yr Annibynnwr cyntaf ym Môn' y'i gelwir weithiau; Annibynnwr o ran ei aelodaeth ffurfiol, a diamau o ran ei gred ynghylch trefn eglwysig, ond un a ddaeth yn drwm dan ddylanwad y diwygiad a elwir Methodistaidd, a gŵr wrth fodd calon Robert Jones. Fe ddywedir, neu fe awgrymir, mai trwy ryw gysylltiadau personol yr oedd gan Robert Jones fwy o wybodaeth am William Prichard nag am odid neb arall o'i arwyr, ac mai dyna pam y rhoed iddo gymaint o le yn y *Drych*. Dioddef yn dawel a wnâi William Prichard fel rheol, a symud ymlaen i le arall pan âi'r erlid yn annioddefol mewn un lle. Ond un tro fe gafodd ddigon:

> Dioddefodd William Prichard lawr o amarch wrth fyned i farchnadoedd Caernarfon, yn enwedig os byddai rhai o'r gwŷr urddasol yn bresennol, gan ddannod iddo mai efe a ddechreuodd daenu sismau a heresïau ar hyd y wlad, i wyrdroi pobl ddiniwed i gredu celwydd, ac i wadu yr Eglwys. – Un tro fel yr oedd yn dyfod dros Fol-y-don [*sic*], digwyddodd fod gydag ef un o gewri y wlad, sef Mr.Morris, o le a elwir Paradwys; dechreuodd hwnnw ffonodio ei geffyl ac yntau yn dra mileinig, dan dyngu a rhegi yn ysgeler; wedi dyfod i'r lan, parhau i guro yr oedd Mr. Morris, yn ddiarbed. Gofynnodd William Prichard iddo, 'Paham yr ydych yn fy nghuro heb un achos?' Atebodd yntau, a'r ysbryd drwg lonaid ei safn, 'Y mae hynny yn ormod o barch iti.' A chan nad oedd un tebygolrwydd i gael heddwch ganddo, rhuthrodd William Prichard iddo, a thaflodd ef i lawr ar ei gefn, a llusgodd ef

gerfydd ei draed ar hyd y gro, neu torchi ei ddillad a pheth o'i groen hefyd. Erbyn hyn yr oedd y gŵr wedi troi ei dôn, ac yn dechrau gweiddi yn groch, 'Mwrdwr, mwrdwr. Er mwyn Duw achubwch fy hoedl!' Ond ni ddaeth neb i'w achub; cafodd ei drin fel yr oedd yn haeddu. Wedi iddynt weled cawr y wlad wedi ei orchfygu, fel Goliath gynt, arswydodd pawb gynnig dim amarch iddo byth mwyach.

Amynedd sant yn pallu, yntau'n troi'r tu min ac yn cael y llaw uchaf. Fe ddigwydd fel yna ryw un waith neu ddwy. Yn llawer, llawer amlach mae llaw rhagluniaeth yn ymyrryd, yn gwaredu'r saint ac yn dial ar eu herlidwyr. Weithiau mae'r erlidwyr yn rhy dwp, fel y criw yng Nghorwen a oedd wedi cael ar ddeall fod pob pregethwr Methodist yn gwisgo cadach am ei ben, ac a ymosododd ar ddau borthmon moch wedi eu gwisgo felly, dau ddyn go atebol, a roddodd ddau chwech am swllt i'w hymosodwyr. Byddaf yn hoffi hefyd yr hanesyn am ŵr mawr o Ben Llŷn a aeth i gyfarfod yn Rhydyclafdy a'i wn gydag ef, yn unswydd i saethu Hywel Harris. Ond 'roedd y pregethwr yn hwyr i'w gyhoeddiad, ac 'roedd ar y gŵr mawr eisiau ei ginio. Felly fe aeth adref. Fel yna, o dipyn i beth, y mae'r erlidwyr un ai yn blino ar erlid neu'n gweld na thycia erlid ddim; mae byddin Ffaro yn cilio'n ôl, hynny sy'n weddill ohoni wedi i'r rhan fwyaf gael eu boddi yn y Môr Coch, ac mae pobl yr Arglwydd yn cerdded drwodd i ddiogelwch. Nodyn llywodraethol y *Drych* yw'r nodyn o ddathlu'r oruchafiaeth hon, ac o ddiolch amdani. Dyma ni wedi dod trwyddi, medd hanesyn ar ôl hanesyn; wedi cyrraedd, wedi goroesi, wedi concwerio. Diwedd helynt sawl un o'r saint erlidiedig yw ei fod ef, neu o leiaf ei ddisgynyddion, yn gysurus eu hamgylchiadau, yn barchus ac yn ddefnyddiol yn eu cymdeithas. Mae hwn yn fyrdwn cyson, ac yn gysylltiedig ag ef, ambell gyffyrddiad o'r hen thema Brotestannaidd neu Biwritanaidd, a fu'n destun cryn drafod ymhlith cymdeithasegwyr yn yr ugeinfed ganrif, fod llwyddiant mewn masnach yn wobr am dduwioldeb; fe fyddai rhai fel Max Weber ac R.H. Tawney yn cytuno bod hynny'n wir mewn rhyw ystyr; ond yn gweld cadwyn achos ac effaith yn beth mwy cymhleth nag yr awgryma Robert Jones. Yn wir, fe allwn ni feddwl weithiau ein bod ni'n dechrau clywed yma, a dwy flynedd ar bymtheg i fynd eto cyn y daw Victoria i'r orsedd, dinc yr hunan-longyfarch mawr Victoraidd. A bod yn fanwl ac yn deg, nid wyf i'n credu mai dyna sydd yma, er bod yma rywbeth a all swnio'n debyg iawn i hynny. Oes y Breintiau Mawrion yw hon, meddai Robert Jones dro ar ôl tro; nid oes fwy rhinweddol na'r un o'i blaen – mae'n pwysleisio hynny'n bendant iawn – ond oes freintiedig, oes y darparwyd iddi yn helaeth drwy aberth y tadau. 'Mawr yw'r achos sydd gennym i ryfeddu daioni Duw tuag atom, am i'n llinynnau syrthio mewn lleoedd tra hyfryd, sef trefnu i ni gael ein geni mewn gwlad ac oes y mae'r efengyl yn seinio mor beraidd yn ein clustiau.' Mae hon yn hen thema Brotestannaidd, hŷn o dipyn nag Oes Victoria. Fe'i lleisir yn gryf gan y Bedyddiwr Joshua Thomas, a dyma Bantycelyn yn ei gerdd 'Golwg ar Deyrnas Crist':

> Dy drefen oedd na'm ganwyd tu draw'r Atlantic mawr,
> Lle miliwn i filiynau o eneidiau sydd yn awr,
> Rhai'n pobi tan yr heulwen yn noeth, an-hardd eu llun,
> Rhai'n sythu yn y gogledd heb gysur gan yr un…
>
> Ond dyma le fy nghoelbren ac mae gorfoledd im,
> Y wlad [y] mae'r Efengyl ym marchog yn ei grym;
> Haul gododd o'r ucheldir i oleuo'n bro o'r bron,
> 'D oes ardal tan yr wybren fwy ei braint na'r ynys hon.

Tybed ar yr un pryd na fyddem ni'n iawn wrth awgrymu bod yn *Nrych yr Amseroedd*, fel ag y mae'n anochel bron ar ôl unrhyw fuddugoliaeth, unrhyw chwyldro, ryw deimlad bach o wacter, o siom fod y frwydr drosodd, ac oes yr arwyr wedi ei dilyn gan oes pryd y cymerir y Breintiau Mawr yn ganiataol? Yr oedd y Methodistiaid wedi dod trwyddi, wedi cyrraedd – ac yr oedd ar Robert Jones eisiau diolch am hynny yn anad dim; ond 'roedd raid hefyd chwilio am ddrygau newydd a gelynion newydd i'w hymladd. 'Rwy'n credu fod dau ganlyniad. Y cyntaf yw tuedd i symud y pwyslais, braidd, at allanolion bethau. Yr ail yw chwilio am heresïau i'w hymladd ac ymraniadau i ofidio o'u plegid. Y mae natur hynaws Robert Jones yn ei gadw rhag yr eithafion, ond ym mater hanfodol rhyddid meddwl a mynegiant byddai'n haws gen i ymddiried yn ambell un arall o'r haneswyr yr ydym wedi eu crybwyll, yn arbennig y Bedyddiwr Titus Lewis. Fe rydd Robert Jones ambell i gelpen, er enghraifft i'r Crynwyr a'r Bedyddwyr Albanaidd – y sectau a barhaodd yn lleiafrifoedd; ac fe gofir ei fod yn ei dweud hi'n o hallt am rai o'r cwltau lleol undydd unnos hynny a ymddangosai yn y cyfnod, megis cwlt Martha'r Mynydd yn ardal Nebo a Llanllyfni, a Mari'r Fantell Wen yn ardal Ffestiniog. 'Dichellion diorffwys Satan yn erbyn eglwys Duw' a welai ef yn y rhain, yn gam neu'n gymwys; ac ni fyddai neb haws ag awgrymu wrtho, mae'n debyg, y gall mai yr un peth a welai rhai o'r gwrthwynebwyr, genhedlaeth ynghynt, a hynny'n gam neu'n gymwys eto, yn *enthusiasm* y Methodistiaid. A phan ddaw hi'n fater o gael cyhuddiad a saif yn erbyn Bedyddiaeth, mae hi'n bur fain arno; y prif un, a bron yr unig un, yw bod perygl i bobl gael annwyd.

Mae rhagluniaeth Duw, meddai enghreifftiau lawer drwy'r llyfr, yn amddiffyn y saint ac yn gwasgar eu gelynion. Mae yna rywbeth arall hefyd, a diolch byth ei bod hi yna, yn ôl meddwl Robert Jones; sef yw honno, cyfraith Prydain Fawr. Dyma'r stori sydd megis yn crynhoi ac yn delweddu'r cyfan, stori enwog iawn am Hywel Harris:

Digwyddodd pan oedd yn Gapten ar y Militia Sir Frycheiniog, ac yntau gyda'i wŷr mewn rhyw dref yn Lloegr, ymofyn ohono a oedd dim pregethu yn y dref honno. Dywedodd rhywun wrtho, fod ymgais i hynny wedi bod amser a aeth heibio, yn nhŷ rhyw wraig dlawd yn y dref, ond bod hynny wedi cael ei lwyr ddiddymu yno. Aeth yntau at y wraig, a gofynnodd iddi, a roddai hi gennad iddo ef bregethu wrth ei thŷ. Atebodd hithau, ei bod yn ofni mai gwaith ofer oedd cynnig ar y fath beth: ond ei bod hi yn ddigon bodlon, os anturiai efe. Archodd Mr. Harris daenu y gair drwy'r dref fod yno ŵr i bregethu, gan bennu y lle a'r awr. Trefnodd y militia i sefyll o'i amgylch, a rhoes wisg amdano ar ei ddillad milwraidd. Ond gyda'i fod yn dechrau pregethu, dyma'r erlidwyr yn dechrau ymgasglu yno o bob cwr, mewn eithaf afreolaeth. Gwaeddodd yntau, 'Distawrwydd yn enw Brenin y Nefoedd.' Ond cynyddu yr oedd y terfysg. Yna yn ebrwydd diosgodd y wisg uchaf, nes oedd y wisg filwraidd yn y golwg, a gwaeddodd allan yr ail waith, 'Distawrwydd yn enw George yr Ail.' Ac ar hynny dechreuodd y *drums* chwarae. Brawychodd y terfysgwyr yn ddirfawr, a chafodd yntau lonydd i bregethu. Cafodd gyfleustra i ddangos iddynt mor amharchus oeddynt o Frenin y Nefoedd, pan na ostegent yn Ei enw Ef i wrando llais yr Efengyl: ond i arswyd eu dal pan glywsant sŵn *drums* Brenin Lloegr.

Ond diolch am *drums* Brenin Lloegr, oherwydd i Robert Jones a'r rhan fwyaf o'i gyd-Fethodistiaid, yr oedd i'r rheini eu lle o fewn cynllun Rhagluniaeth. Beth setlodd dref Pwllheli, ar ôl blynyddoedd o erlid y proffwydi?

Cyn diwedd yr erlid creulon ym Mhwllheli, daeth gweinidog enwog o'r Deheudir, ac a ddangosodd i'w wrandawyr gynhwysiad y Weithred o Oddefiad (*Act of Toleration*), a bod yr erlidwyr yn agored i gael eu cosbi yn ôl y gyfraith, ac y caent brofi awchlymder y gyfraith cyn y byddai hir, os na lonyddent. Wedi clywed hyn syrthiodd arswyd ar y dref, ac o hynny allan cafodd yr Ymneilltuwyr lonydd i addoli Duw yn heddychol.

Yr un yw'r hanes ym Môn, William Prichard Clwchdernog yn cael ei annog gan ei noddwyr i ddefnyddio'r gyfraith o blaid ei ryddid crefyddol, a hynny a wneir:

Digwyddodd fod ym Môn y pryd hynny ddau o wŷr boneddigion, sef William Bulkley, Esqr. o'r Bryn-ddu, a'r *Councellor* Williams, o'r Tŷ-fry, yn dirionach at grefydd nag eraill; ac anogodd y rheini William Pritchard [*sic*] a'i gyfeillion, oedd yn cael eu herlid, i ddefnyddio y gyfraith o blaid eu rhyddid crefyddol; ac felly y gwnaethant. Daliwyd rhai o'r mawrion oedd yn blaenori yn y gwaith o erlid, dihangodd eraill o'r wlad; a dychrynodd y lleill; ac felly gostegwyd y terfysg o radd i radd, trwy Ynys Fôn hyd heddiw, a bu tawelwch mawr.

Yr un eto fyth yn ardal Dolgellau:

Ciliodd L. Morris i'r Deheubarth rhag ei ddal, ac yno rhoddodd ei hun dan nodded dirion y llywodraeth. Erbyn hyn, wrth weled y dymestl yn dyfod, yr oedd yn llawn bryd dianc ar frys i ryw le am ddiogelwch. Nid oedd rhaid ond wynebu at yr hen fam hynaws, Llywodraeth Prydain, nad oedd hon yn union barod i daenu ei haden gynnes dros y gorthrymedig.

Onid oes rhyw ffydd fawr ar waith yn y fan yna? Onid oes digon o enghreifftiau yn y *Drych* ei hun o ddefnyddio'r gyfraith yn erbyn yr Ymneilltuwyr a'r Methodistiaid, eu gwysio o flaen llysoedd, eu carcharu, eu presio i'r fyddin neu'r llynges, fel y gwnaed â Morgan y Gogrwr druan dlawd o Bwllheli?[4] Ond rywsut rhaid edrych heibio i hynny. Rhaid yw i Robert Jones, yn union fel Joshua Thomas o'i flaen, gredu fod y Goron, y wladwriaeth Brydeinig a'r llysoedd yn sylfaenol o blaid rhyddid addoliad.

I'n harwain at y pwynt pwysicaf yr wyf yn gobeithio'i wneud yn y ddarlith hon, 'rwyf am ddyfynnu darn o tua diwedd y llyfr sy'n ddatganiad byr, huawdl a thra arwyddocaol o safbwynt gwleidyddol Robert Jones. Mae'n debyg y gwrthwynebai ef y disgrifiad 'gwleidyddol'. Ond pa air arall sydd? 'Pa beth yw yr achos,' gofynna, 'fod llawer o ardaloedd Lloegr, yr Iwerddon, ac amryw yn Scotland, yn terfysgu, ac yn codi gwrthryfel yn erbyn llywodraeth dirion Ynys Brydain?' Mae'n debyg mai cyfeirio y mae at derfysg Peterloo, a helyntion eraill yn codi o gyni'r blynyddoedd yn union wedi rhyfel Napoleon. Ac wedi gosod y cwestiwn dyna gynnig ateb yn syth:

Ond eu dieithrwch i'r Beibl a gwir grefydd? Ac oherwydd hynny nid ydynt yn ofni Duw, nac yn anrhydeddu y brenin; nac chwaith yn arswydo cablu urddas... Yn rhyw fodd fe gadwyd ein cenedl ni yn rhyfedd yng nghanol pob terfysgoedd, yn ffyddlon i'r llywodraeth. Dywedodd un gŵr anrhydeddus yn y Senedd, y gallesid gadael y Cymry allan heb sôn amdanynt, pan yr oeddynt yn sefydlu cyfreithiau newyddion i atal, ac i gosbi terfysgwyr gwrthryfelgar yn erbyn y llywodraeth. Ond pa fodd y cafodd y Cymry eu cadw mor heddychol, ragor eraill? A oeddent wrth natur yn well na'r rheini? Nac oeddynt ddim. A oedd y tlodi a'r cyfyngderau a fu arnynt yn llai, ac yn haws ei oddef, na'r caledi sydd ar y terfysgwyr? Pa un bynnag am hynny, nid am hyn y cafodd ein gwlad ei chadw mor dawel yng nghanol iselder mawr ar filoedd o dlodion. Diau yw mai y BEIBL, tan fendith Duw, a'r pregethiad ohono, ynghyd â'r Ysgolion Sabothol, i ddysgu darllen y Gair, a'i drysori yn y cof:... a thrwy y moddion hyn, ac arddeliad yr Arglwydd arnynt, y cadwyd ein cenedl rhag y pla dinistriol o ddidduw-iaeth, a gwrthryfel yn erbyn y llywodraeth. – O! Gymru, dal yr hyn sydd gennyt, fel na ddygo neb dy goron di.

Geiriau'n crynhoi llawer. Dyma hi. Cymru lonydd.

Erbyn heddiw y mae Cymry – lleiafrif mae'n bur debyg, ond mwyafrif o bosib ymhlith pobl y Babell Lên – a fyddai'n gweld y safbwynt yna'n wrthun, yn daeogaidd, yn adweithiol. Geiriau priodol bob un, ddywedwn innau, ac fe awn ymhellach. Fe fu'r syniad a fynegir mor rymus yn y darn yna y mwyaf anffodus ei ganlyniadau o bob tyb a gau dyb a fagodd y Cymry amdanynt eu hunain erioed. Ar yr un pryd, pwy a all wadu mai o'i gariad at ei bobl, ei genedl, ei wlad, y mae Robert Jones yn llefaru? Yr oedd gwladgarwch, yr oedd balchder Cymreig, ynddo ef ac Ymneilltuwyr ei genhedlaeth; mae'n bwysig i ni ddeall ffurfiau'r pethau yma, a'r fframwaith meddwl sy'n eu cynnwys, deall sut yr oedd rhywun fel Robert Jones yn gweld tynged y Cymry a bwriad rhagluniaeth ar eu cyfer.

Oherwydd mae'r weledigaeth hon yn ddylanwadol o hyd. I'w deall rhaid ceisio'i gosod yn ei chyd-destun, ac y mae'r cyd-destun hwnnw'n un eang iawn.

Pwysleisiwyd digon fod *Drych yr Amseroedd* yn gwrthod talp mawr o hen draddodiad, ac yn cynnig rhywbeth newydd yn ei le. Eto i gyd y mae'n llyfr oddi mewn i draddodiad, a'i le yn bendant iawn mewn olyniaeth o lyfrau hanes sy'n mynd yn ôl efallai i ganol y chweched ganrif. Traddodiad hanes y Cymry, y mae yna'r fath beth, ac y mae cyn hyned â'r Cymry eu hunain. Ei fan cychwyn, cyn belled ag y gellir dweud, yw llyfr Lladin y barna'r rhan fwyaf (nid pawb, fe ddylid nodi) iddo gael ei gyfansoddi tua chanol y chweched ganrif gan sant neu fynach o'r enw Gildas: y *De Excidio et Conquestu Britanniae*, neu a rhoi iddo'r teitl byr sy'n gyfarwydd yn Gymraeg, *Coll Prydain*. Syniad canolog y traddodiad yw mai'r Cymry, neu'r Brytaniaid, oedd gwir berchenogion Ynys Brydain oll, y cynfrodorion, y trigolion gwreiddiol. Neges Gildas, a'i chrynhoi at yr hanfod, oedd eu bod wedi colli meddiant ar yr Ynys oherwydd eu pechodau, a Duw'n defnyddio'r Saeson fel ffrewyll i'w cosbi. Dyna oedd yn brifo, ar y dechrau un ac am faith genedlaethau wedyn, colli Ynys Brydain, colli 'coron teyrnas', chwedl Brut y Tywysogion ymhen chwe chanrif arall. A chofier, fe wnaeth Rhagluniaeth hyn i'r Brytaniaid am eu bod, yn ei golwg hi, yn bobl arbennig, yn bobl â rhyw ddisgwyliadau eithriadol yn eu cylch ac ar eu cyfer. Fel yna y darlunnir y *Britanni* yn y llyfr cyntaf erioed i adrodd eu hanes, pobl a gollodd eu gwlad oherwydd eu pechodau; ac nid oes unrhyw sôn am ei hennill hi'n ôl.

Fe barhaodd y gred. Ond mewn amser fe newidiodd, neu o leiaf fe ddatblygodd, yn gyfochrog, fersiwn ohoni a oedd yn bur wahanol i fersiwn Gildas. Ar ben craig uchel ar gwr bro'r Eisteddfod hon bu hen frenin ffôl a bachgen ifanc o weledydd yn cyd-edrych ar ddwy ddraig yn ymladd, y wen fel petai'n cael y gorau am dipyn, ond yn y diwedd y goch yn trechu ac yn gyrru'r wen ar ffo. Dyna o leiaf a ddywed hen stori, a alwyd gan Ifor Williams yn 'fam pob mabinogi, a nain pob hen chwedl arall'. Y stori am Wrtheyrn ac Emrys (Myrddin, fel y daethpwyd i'w alw'n ddiweddarach) ac ymryson y dreigiau yn Eryri, pwy all fesur ei dylanwad? Fe'i hadroddir hi gyntaf tua dechrau'r nawfed ganrif yn y llyfr *Historia Brittonum* (Hanes y Brytaniaid), a elwir o ran hwylustod yn waith Nennius, er y tybir yn gyffredin mai cywaith neu glytwaith ydyw o ryw hen gofnodion a thraddodiadau. Wrth adrodd am Goll Prydain, mae Nennius (daliwn i'w alw'n hynny) yn newid y pwyslais yn ddirfawr, a hynny mewn dwy ffordd. Yn gyntaf mae'n dangos y Brytaniaid yn colli eu braint a'u rheolaeth nid yn gymaint, os o gwbl, oherwydd eu pechodau ag oherwydd eu camgymeriadau gwleidyddol. Seciwlar, y tro hwn, yw'r olwg ar yr hanes. Yn ail fe gynhwysir addewid, proffwydoliaeth y daw eto dro ar fyd, ac yr adferir y sofraniaeth goll.

Hyn a ddatblygir yn helaeth gan Sieffre o Fynwy yn y ddeuddegfed ganrif, ac a fynegir yn amlach ac yn gryfach fel y nesawn at ddiwedd yr Oesoedd Canol yn y canu brud neu ddarogan. 'Daw dydd Iau' yw addewid cerdd yn Llyfr Du Caerfyrddin ar ôl cofnodi curfa dost a gafodd yr hen Gymry ar ryw ddydd Mercher. Ddaeth y dydd Iau ddim eto. Efallai na ddaw byth; efallai bod grym y myth yn dibynnu'n rhannol ar iddo beidio â dod. Yr hyn a ddaeth oedd dydd Llun, ac yn benodol dydd Llun 22 Awst 1485, buddugoliaeth Maes Bosworth, a choroni un o Duduriaid Môn yn Frenin Lloegr. Dyna, yng ngolwg Cymry'r cyfnod bron heb eithriad, oedd gwireddu'r darogan. Daw dydd Iau, daeth dydd Llun. Profiad y Cymry yn ystod mil blynyddoedd cyntaf eu bodolaeth. Am y tro yr oedd posibiliadau'r myth wedi eu dihysbyddu, y posibiliadau seciwlar, gwleidyddol o leiaf, ac fe'i rhoddwyd i gadw am hir. Ymhen pedair canrif wedyn fe ailymddangosodd mewn amgylchiadau newydd, I wasanaethu dosbarth cymdeithasol newydd. A phwy all amau nad oedd a wnelo hynny ag ymddyrchafiad twrnai bach o fro'r Eisteddfod yn unben ar wladwriaeth ac Ymerodraeth Prydain?

Tybed a allwn ni ddeall un peth? Yn rhan o ddychymyg hanesyddol yr hen Gymry yr oedd drychfeddwl o dair teyrnas Ynys Brydain, tair teyrnas Frytanaidd, a oedd yno ymhell cyn bod Saeson ar gyfyl y lle. Sieffre o Fynwy sy'n adrodd bod Brutus o Gaerdroea, sylfaenydd honedig llywodraeth y Brytaniaid yn yr Ynys hon, wedi rhannu'r Ynys rhwng ei dri mab: Cymru i Camber, yr Alban i Albanactus, a Lloegr i Locrinus, y mab hynaf. Hyd y gwn i, ni ellir olrhain y syniad hwn yn ôl ymhellach na Sieffre. Ai un o gynhyrchion pen a phastwn Sieffre ydyw? Pur bosibl, ond ni allwn fyth fod yn siŵr. Hyd yn oed wedyn mae'n syniad hen, a bu'n ddylanwadol. Tair teyrnas Frytanaidd, sylwer, yn bod ers canrifoedd cyn camgymeriad Gwrtheyrn a chyn i neb o hil Hengist roi troed ar dir Prydain; ac yn eu plith deyrnas Frytanaidd Lloegr, cyfran y mab hynaf, y flaenaf o'r tair, fel mai'r sawl a feddai goron Lloegr oedd biau unbennaeth Prydain hefyd. Y mae'n werth i ni gadw hyn mewn cof, a cheisio deall nad oedd derbyn blaenoriaeth Lloegr, yng ngolwg ein cyndadau, yr un peth o gwbl â gwrogi i'r Saeson. Gallem roi enghreifftiau llachar o hynny, nid o waith Robert Jones ei hun ond o waith rhai o'i gyfoeswyr mwy seciwlar eu diddordeb, fel Titus Lewis a William Williams Llandygái. Ar y naill law maent yn llwyr gymeradwyo'r Deddfau Uno, ac fel pe baent yn meddwl fod ar y Cymry ryw deyrngarwch arbennig i goron Lloegr a llywodraeth Prydain; ar y llaw arall mae ganddynt bethau hallt ofnadwy i'w dweud am y Saeson, pethau halltach nag y byddai'r un 'eithafwr' Cymreig heddiw yn dymuno nac yn breuddwydio eu dweud. Yr oeddent yn wrth-Seisnig mewn ystyr hanfodol, ac mewn ffordd y mae'n anodd i genedlaetholwyr modern ei deall; nid *er* eu bod mor Brydeinig ond *am* eu bod felly, yn dal i feddwl yn nhermau ymryson rhwng Brython a Sais am sofraniaeth yr Ynys. Prydeinig a gwrth-Seisnig yw'r hen draddodiad hanes. Fe dalai i genedlaetholwyr heddiw feddwl yn ofalus am ymhlygiadau hyn.

Ar y pryd, ac am ychydig ar ei hôl, yr oedd brwydr Bosworth yn cael ei hystyried gan y Cymry yn fuddugoliaeth filwrol a thymhorol. Ond mewn amser fe ddaethpwyd i anghofio hynny, anghofio ein bod ni wedi ennill, ac i synio mai colli a wnaethom ni wedi'r cyfan. Gyda dyfodiad Protestaniaeth, fe roed lliw a dehongliad newydd ar y traddodiad. Dan y Tuduriaid y daeth Protestaniaeth, ac y troswyd y Beibl a'r Llyfr Gweddi i'r Gymraeg. Ac o dipyn i beth fe ddaethpwyd i weld hyn nid yn gymaint fel canlyniad 'ennill yr Ynys yn ôl' ag fel yr ad-daliad mawr am ei cholli.

Charles Edwards yn *Y Ffydd Ddi-ffuant* sy'n adrodd y stori'n gyfan a chroyw am y tro cyntaf; ond mae'n bosibl ei gweld yn ymffurfio ym meddyliau rhai o Ddyneiddwyr Cymraeg y Dadeni Dysg. Unwaith eto mae yma ddatblygu a chymhwyso o'r newydd ar hen hen thema. Gerallt Gymro, mewn darn huawdl ond amwys tua diwedd ei *Ddisgrifiad o Gymru*, sy'n sôn am y Cymry'n 'gwneuthur eu penyd mewn tlodi ac eisiau hyd nes dyfod yr amser tyngedfennol'.[5] Beth yw'r 'amser tyngedfennol' a fydd yn terfynu penyd y Cymry, nid yw'n gwbl glir. Efallai mai dydd y farn, efallai mai dydd rhyw fuddugoliaeth mewn brwydr. Ond ym meddwl yr awduron Protestannaidd ymhen pedair canrif 'does dim amheuaeth beth oedd penyd y Cymry: y canrifoedd Catholig; a dyfodiad Protestaniaeth sy'n rhyddhau'r Cymry o'u penyd. Yng ngwaith Charles Edwards mae'r cynllun yn glir ac yn fawreddog: y Brytaniaid yn colli'r Deyrnas drwy eu pechodau; yn dioddef cyfnod o gystuddiau dan dywyllwch Pabyddiaeth; ond yn y diwedd yn ennill mwy yn ôl drwy'r Diwygiad Protestannaidd, a thrwy lafur cyfieithwyr y Beibl, y gwŷr crefydd ac athrawon y bobl. Meddu, colli, ac yn y diwedd cael yn ôl rywbeth llawer gwerthfawrocach na meddiant tymhorol ar yr Ynys. Dyma osod cyfeiriad newydd pendant, ond o fewn yr hen fframwaith o hyd. Dyma'r pwyslais diwinyddol, Cristnogol sy'n uno Gildas yn y naill begwn, ac yn y pegwn arall holl haneswyr y traddodiad Protestannaidd Cymreig oddi ar yr ail ganrif ar bymtheg: bod y sofraniaeth wedi ei cholli, ac nad ar honno y dylem osod ein bryd bellach, ond yn hytrach ar y trysor mwy ei werth a neilltuodd Rhagluniaeth yn arbennig ar gyfer y Brytaniaid.

Hanesydd yn y traddodiad hwn yw Robert Jones. 'Rwy'n meddwl y gallwn ni wrthdroi llinell y bardd, heb wyrdroi ei hystyr: nid hwn yw'r dŵr, ond hon yw'r afon o hyd. Mae gan Robert Jones lwyth o enghreifftiau newydd i ategu ei gred, diwygiad arall, cnwd arall o fendithion; ac erbyn diwedd y ganrif mae gan O.M. Edwards ragor eto. Erbyn hynny hefyd mae grymoedd newydd wedi bod ar waith ac yn fawr eu dylanwad – rhamantiaeth, rhyddfrydiaeth ac athroniaeth Cynnydd; ac mae'r hen fythau am darddiad y Cymry wedi eu disodli gan esboniadau newydd, a chymeriadau newydd megis y Celt a'r Iberiad wedi ennill eu plwy. Daeth tir a daear Cymru yn elfen lawer pwysicach yn y darlun. Er hyn i gyd, parhau y mae O.M. Edwards yn yr un cyfeiriad â Robert Jones, y cyfeiriad a ddangoswyd yn glir gan Charles Edwards. Maent ill tri, a chyda hwy nifer da o lenorion llai eu pwys, yn lladmeryddion y weledigaeth hanes Brotestannaidd Gymreig, a'u pwyslais ar fath arbennig o wladgarwch nad yw yr un peth â chenedlaetholdeb seciwlar. I O.M. Edwards, yn union fel i Robert Jones, yr oedd Cymru'n haeddu parhau cyhyd â'i bod hi'n coleddu rhyw werthoedd a rhyw ffordd o fyw, ac yn amcanu o hyd, os nad bob amser yn llwyddo, i wireddu rhyw ddisgwyliadau arbennig. Yn ôl y traddodiad hwn, 'doedd hawl cenedl i fodoli ddim yn ddiamod.

I raddau mawr iawn dyma'r dehongliad o hanes Cymru a dderbyniwyd gan Ymneilltuaeth, a hyd at ganol yr ugeinfed ganrif fe erys ei ddylanwad yn drwm ar waith ein llenorion Ymneilltuol blaenllaw – Elfed, Gwili, Crwys, Tegla ac eraill. Gwir, perffaith wir ac nid llai gwir o'i ailadrodd, mai gwŷr crefydd fu ymgeleddwyr y Gymraeg am sawl cenhedlaeth; yr un mor wir mai trwy ei chyswllt â chrefydd y cafodd y Gymraeg swyddogaeth gyhoeddus gymdeithasol a fu'n ddigon am genedlaethau i wrthweithio effaith ei diffyg statws yn y byd seciwlar; gwir eto mai o gyff crefydd Ymneilltuol y tyfodd radicaliaeth y bedwaredd ganrif ar bymtheg a chenedlaetholdeb yr ugeinfed ganrif. Yn hanesyddol, bu'n gysylltiad clos iawn, pa ddiben ei wadu? Ond yn y diwedd, nid yw'n gysylltiad anorfod. Ac yn y traddodiad hanes a etifeddwyd gan Ymneilltuaeth mae yna elfennau sy'n hanfodol wrthwyneb i genedlaetholdeb gwleidyddol seciwlar. Yr oedd y genedl grefyddol a grewyd gan Robert Jones a'i debyg yn mynnu credu ei bod hi ei hun yn ddigonol – yn wir fe fu hi bron â bod yn ddigonol am ran dda o'r bedwaredd ganrif ar bymtheg – a chydag un rhan o'i meddwl yr oedd hi'n eiddigus o'r genedl wleidyddol, yn gwarafun unrhyw ymysgwyd ar ran honno. Craidd y traddodiad yw bod y Cymry, drwy ragofal Duw, wedi cael y Breintiau Mawr yn gyfnewid am sofraniaeth wleidyddol, a ddeëllid tan yn lled ddiweddar fel sofraniaeth yr Ynys; ac ymhellach mai dewis rhwng y ddau yw hi o hyd. Wrth ymgyrraedd at un, mae perygl colli'r llall. Drwy unrhyw fath o ymysgwyd gwleidyddol, boed hynny o blaid hawliau gwladol, o blaid gwastatáu breintiau a chyfoeth, neu dros newid yn statws cyfansoddiadol y genedl, yr oedd perygl i Gymru 'golli ei choron'. Bu'r ofn hwn ym mêr esgyrn Cymru grefyddol, ac mae'r ofn yn aros wedi iddi beidio â bod yn grefyddol.

Y tu ôl i'r cyfan, os gwnawn ei olrhain yn ôl at Gildas, y mae'r syniad hwnnw am y Cymry fel pobl arbennig ac etholedig, ar batrwm yr Israeliaid, yn derbyn o law Duw un ai farn arbennig neu drugaredd arbennig, y naill neu'r llall o hyd. Syniad mawr iawn ei ddylanwad, ac yn fy marn i cloffrwym neu faen melin o syniad, sydd wedi arwain fwy nag unwaith yn ein hanes at sbasmau o hunan-gyhuddo niwrotig parlysol, o chwilio'n obsesiynol am achos aflwyddiant ynom ni'n hunain yn hytrach nag yn ein hamgylchiadau. Yn awr, chwarae teg i Robert Jones, 'dyw ef ddim yn honni fod y Cymry'n fwy rhinweddol na phobloedd eraill; mae'n geirio'n ofalus fel ag i osgoi awgrymu hynny. Eto mae'n rhagdybio fod *disgwyl* iddynt fod felly, mai trwy ymdrechu i ragori ar bawb mewn rhinwedd y mae iddynt gyfiawnhau eu bodolaeth o gwbl.

Peidiwch â 'nghamddeall i. Nid yw dweud hyn yn gyfystyr â gwarafun yr hawl i ddehongli hanes yn ddiwinyddol ac i geisio sancsiwn crefyddol i genedligrwydd. Yn weddol hwyr yn y bedwaredd ganrif ar bymtheg fe gyflwynwyd i'r Cymry syniad am berthynas cenedligrwydd a chrefydd a oedd yn gwahaniaethu'n arwyddocaol oddi wrth syniad y traddodiad hanes Protestannaidd. Prin y mae i'w gael cyn Michael D. Jones; tebyg mai Emrys ap Iwan yw'r cyntaf i'w fynegi'n groyw a chofiadwy mewn llenyddiaeth. Syniad digon traddodiadol yw hwn hefyd, ond am resymau arbennig, oherwydd y ffordd y datblygodd pethau'n hanesyddol, 'doedd yr un Cymro o'r blaen wedi meddwl am ei gymhwyso'n union deg at ei genedl ei hun. Dro ar ôl tro wrth annerch ei gyd-Gymry bydd Emrys ap Iwan yn eu rhybuddio i beidio â meddwl eu bod nhw'n fwy rhinweddol na phobloedd eraill; ac ymhellach i beidio â meddwl bod galw arnynt i fod. Oherwydd, meddai, yr wyt tithau'r Cymro o'r un defnydd, o'r un gwaed, 'â'r Saeson a'r Bwyriaid a'r Caffiriaid a'r Sineaid'. Ffarwél i'r hen syniad o genedl etholedig. Hanner munud, meddech chwithau, onid yw Emrys ap Iwan, mewn datganiad enwog, yn mynnu bod y Cymry'n genedl drwy ordeiniad dwyfol, ac mai'r ordeiniad hwnnw sy'n gosod rhwymedigaeth arnynt i ymgadw'n genedl? Ydyw'n wir, mae'n dweud hynny, yn ei Homili ar 'Y Ddysg Newydd a'r Hen' (y drydedd yng nghyfrol gyntaf yr *Homilïau*). Ond darllener y darn yn ei gyswllt ac fe welir nad yw Emrys yn golygu ordeinio cenedl ar gyfer unrhyw dynged arbennig, nac i arglwyddiaethu ar genhedloedd eraill, na hyd yn oed i ragori'n foesol arnynt, ond yn unig ac yn syml i fodoli fel un o gymdeithas y cenhedloedd o dan ddeddf foesol sydd yr un i bob dyn yn ddiwahân. Yn ôl y rhesymeg hon, nid rhyw wobr i'w hennill yn eisteddfod cenhedloedd y byd yn y gystadleuaeth rinwedd i rai dros hanner cant ydyw'r hawl i fodoli; mae honno'n bod p'run bynnag, fel y mae'r gorchymyn moesol yn bod p'run bynnag. Rheidrwydd ar bob cenedl, fel ar bob unigolyn, yw ymddwyn yn foesol tuag at eraill, nid rheidrwydd a osodir ar genedl arbennig yn gyfnewid am ryw ffafrau eithriadol, neu dan fygwth rhyw gosb eithriadol. Mae'n siŵr y gellir beirniadu syniad Emrys ap Iwan; fe wnaed hynny cyn heddiw, gan rai yn derbyn ei gynsail crefyddol yn ogystal â chan rai heb fod yn ei dderbyn. Fe ddaliwn i ei fod, o'r hyn lleiaf, yn amgenach syniad, yn fwy amddiffynadwy, yn llai tebygol o gael ei gam-gymhwyso, na hen syniad llywodraethol y traddodiad hanes. Cydnabydder ei fod yn mynd yn groes i un o draddodiadau mawr gwladgarwyr o Gymry, a gynrychiolid yn ei oes ei hun gan O.M. Edwards; y tu ôl i O.M. Edwards gwelir rhai fel Gwilym Hiraethog a Ieuan Gwynedd, ynghyd â Robert Jones; y tu ôl iddynt hwythau mae'r ddealltwriaeth ddyneiddiol-Brotestannaidd o hanes Cymru fel y cynrychiolir hi gan Charles Edwards; y tu ôl iddynt hwythau, Gildas; y tu ôl iddo yntau rai o broffwydi'r Hen Destament. Ond Emrys ap Iwan sy'n iawn. Gwaetha'r modd mae llawer eto, oes ymhlith 'pobl y Pethe', sydd heb ddeall y peth syml y mae'n ei ddweud. Nid dibwys ychwaith mai yr un Emrys ap Iwan a ddywedodd mai *cysêt* yw prif wendid cenedlaethol y Cymry. Nid yn aml y mae cysêt ac angerdd yn mynd gyda'i gilydd; ond fe all hynny ddigwydd weithiau, fel yn homilïau Mari

Lewis wrth ei mab Bob, wrth bletio'i ffedog ym min y tân. Ac os bu erioed ddatganiad angerddol o gysêt, y perorasiwn ar ddiwedd *Drych yr Amseroedd* yw hwnnw. Ffolineb anhanesyddol ac anniolchgar fyddai peidio â chydnabod ein dyled i Robert Jones a'r mudiad yr oedd yn ei gynrychioli, ond 'does dim raid derbyn pob hen nonsens a gredid ganddynt, mwy nag y mae'n rhaid cyd-weld ag ef ar fater y garreg honno a dreiglodd o fin y ffordd yng Nghapel Curig.

A oes yna wersi mewn hanes? Nac oes, meddai R.T. Jenkins. Oes, meddai Ambrose Bebb. Fe ellir rhestru byddin o haneswyr y tu ôl i'r naill a'r llall. Gadawn hynyna rhwng haneswyr a'i gilydd. Peth y gellir ei awgrymu â mwy o sicrwydd yw fod gwersi mewn hanesyddiaeth, yn y modd y gwelwyd ac yr adroddwyd hanes, yn y pethau y credwyd ac y credir iddynt ddigwydd: hynny nid yn unig, nac yn bennaf, am fod y bobl wedi darllen yr haneswyr, ond am fod yr haneswyr wedi adleisio rhyw bethau a gredid gan y bobl, a hynny dros gyfnod hir iawn. Ni bu'r Cymry erioed heb draddodiad hanes. Oddi mewn iddo bu amrywiadau arwyddocaol, diddorol; bu cysondeb hefyd. Y mae llyfrau'r traddodiad, hyd at yr ugeinfed ganrif, yn corffori rhyw ragdybiadau sy'n hen, yn ddwfn, yn waelodol, bron na ddywedem yn etifeddol – er bod eisiau peth gofal wrth ddefnyddio'r gair hwnnw.

Yng nghysgod hen fytholeg Ynys Brydain, y goel mai'r Cymry oedd perchenogion gwreiddiol neu 'briodorion' yr Ynys, a'u bod wedi colli eu braint un ai drwy eu pechodau neu drwy ryw ffolineb gwleidyddol, fe ffynnodd llawer o gamresymu, o dwyll, o honiadau ffantasïol a ffuantus. Bu beirniadaeth cenedlaetholdeb modern, o Emrys ap Iwan ymlaen, yn hollol iawn yn dinoethi'r pethau yma. Eto ni ddywedwyd mo'r gair olaf, hyd yn oed yn nadansoddiad J.R. Jones o Brydeindod, a oedd yn gyffro yn ei ddydd ac sy'n ysbrydoliaeth o hyd. Dadansoddiad athronyddol oedd hwnnw, heb fod yn ymwneud rhyw lawer â thwf y syniad Prydeinig yn meddwl y Cymry o gyfnod i gyfnod, a'r amrywiol ffurfiau a fu arno, a'r amrywiol ganlyniadau yr esgorodd arnynt. Mae eto gyswllt hanesyddol i'r cyfan, a da fyddai inni feddwl yn ofalus amdano. Y tu ôl i Brydeindod y mae rhywbeth arall. Beth y dylid ei alw? Hwyrach y byddai 'Brytaniaeth' cystal enw â'r un. Wrth hynny 'rwy'n golygu'r drychfeddwl o ryw Ynys Brydain fythaidd y bu'r Cymry yn eu dychymyg yn feddiannol arni, y swm o draddodiad am ryw gyfnod pryd yr oedd y Cymry'n ei thrigiannu o gwr i gwr, ac yn gysylltiedig â'r traddodiad hwnnw rhyw falchder a deimlid o oes i oes gan 'yr hen Frytaniaid', fel yr oeddent yn dal i'w galw'u hunain yn aml mor ddiweddar ag Oes Victoria (os yw tystiolaeth llenyddiaeth yn rywbeth) – balchder a gyfrannodd fwy nad yr ydym eto wedi cydnabod tuag at greu sefydliadau cenedl a bywyd cenedlaethol modern yng Nghymru. Gwyrdroad o'r hen falchder hwn yw Prydeindod, yn y ffurf wleidyddol sydd arno heddiw. Gwyrdroad ohono hefyd yw'r safbwynt a leisir mor huawdl gan Robert Jones ar ddiwedd ei lyfr. Nid oes dim pwysicach i'w astudio a'i ddeall na'r hen syniad Brytanaidd yn amrywiaeth ei weddau – rhai ohonynt, cyfaddefer ar unwaith, yn negyddol ac yn anffodus iawn eu canlyniadau, eraill y mentrwn i awgrymu nad ydynt felly o angenrheidrwydd. Fe dâl inni geisio adnabod a deall y syniad hwn yn well eto, a gweld yn union beth y mae'n ei hawlio gennym yn amgylchiadau ein dydd ni. Mae Brytaniaeth y Cymro'n rhan ohono; os ceisiwn ei wadu, fe weithia yn ein herbyn. Byddaf yn teimlo'n aml mai cael y syniad hwn i weithio'o'n plaid ac nid yn ein herbyn yw'r her fwyaf i ni Gymry os ydym yn gobeithio goroesi dros drothwy'r unfed ganrif ar hugain.

Wrth edrych yn nrych ein hamseroedd ni, ychydig ohonom, mae'n debyg, a fyddai'n barod i ddweud gyda John Morris-Jones

> Mi welaf ddisglair olau 'mlaen,
> A dyma doriad dydd!

Byddai darlun mewn drych o'r ugain mlynedd diwethaf yn dangos y genedl grefyddol yn dadfeilio'n gyflym, a'r genedl wleidyddol, ar ôl ymystwyrian, yn camu'n ansicr, yn cael ambell i lwyddiant, ambell i siom, ac un gurfa ofnadwy – honno fel yr oedd hi'n digwydd, ar ddydd Iau, a oedd hefyd yn Ŵyl Ddewi.

Ni ddylai hynny chwaith fod yn ormod o sioc i'r sawl sy'n weddol gyfarwydd
â'r traddodiad hanes, a'r elfen fasochistaidd, hunangyhuddol, hunanbenydol
yn y Cymro y bu'r traddodiad yn ei datgelu ac ar yr un pryd yn ei phorthi. Un
o uchel-wyliau cysêt yr hen genedl oedd diwrnod Refferendwm 1979. Ond
'does wybod beth a ddaw. 'Roedd Robert Jones yn disgrifio cyfnewidiadau a
ddigwyddodd yn oes un gŵr, ac y bu ef byw yn eu canol, ac a oedd eto bron
yn anhygoel iddo ef ei hun wrth edrych yn ôl. 'Rhyfedd' oedd y cyfan. Mae
o hyd rymoedd yn gweithio dan yr wyneb nad oes gan yr hanesydd na'r
cymdeithasegydd, na'r gwleidydd na'r crefyddwr, ddim llawn graff arnynt. Fe
all hi fod yn llawer gwaeth, neu'n llawer gwell, na'n disgwyliadau ni. Mae
damweiniau hanes yn drysu cynlluniau, maent hefyd yn creu cyfleoedd i'r
sawl sy'n barod.

Mae ein traddodiad hanes yn cynnig cyfeiriad inni. Mae yna fformiwla
a allai, o'i throi yn rhaglen a'i chymhwyso yn y ffordd iawn ac ar yr adeg
iawn, ildio canlyniad a fyddai'n dra gwahanol – mor wahanol ag y gallai
dim fod – i ffars a hunllef 1 Mawrth 1979. Mae ymhlygiadau hyn yn rhai
mor bellgyrhaeddol ac mor ymarferol fel nad priodol dweud dim mwy
amdanynt mewn darlith yn y Babell Lên... ac yr ydym wedi crwydro
ymhell iawn o'r Suntur a Thir Bach.

Drych yr Amseroedd – gwerth ei ddarllen a'i astudio, heddiw fel pan
gyhoeddwyd ef gyntaf.

[Darlith Lenyddol Eisteddfod Genedlaethol Bro Madog, 1987]

NODIADAU

1. Dyma'r wyth llyfr, a'u dyddiadau: 1. *Ymddiffyn Cristionogol* (Caerfyrddin, 1770); dilynodd pedwar argraffiad arall dan y teitl mwy adnabyddus *Lleferydd yr Asyn*. 2. *Y Cristion mewn Cyflawn Arfogaeth* I (Aberhonddu, 1775), II (1784); credir mai rhan-awdur, ar y gorau, oedd R.J. ar y cyfieithiad hwn. 3. *Drych i'r Anllythyrenog* (Trefeca, 1788). 4. *Grawn-sypiau Canaan* (Lerpwl, 1795). 5. *Llwybr Hyffordd i'r Anllythyrenog* (Y Bala, 1805). 6. *Nodiedydd Attaliadol a Chyfeiriol: i gymdeithas Ysgolion Sabbothol Eifionydd* (Y Bala, 1819). 7. *Marwnad neu Goffadwriaeth am y Parch. Thomas Jones* (Dinbych, 1819). 8. *Drych yr Amseroedd* (Trefriw, 1820). Am ragor o fanylion am y cyfan ohonynt, gweler G.M. Ashton, *Drych yr Amseroedd, Robert Jones, Rhos-lan:* Golygwyd gyda Rhagymadrodd (Gwasg Prifysgol Cymru, 1958). Codais y dyfyniadau i gyd o'r argraffiad hwn.

2. Gweler: *Y Bywgraffiadur Cymreig hyd 1940, t.478;* G.M. Ashton, Rhagymadrodd argraffiad 1958; J.E. Caerwyn Williams, 'Robert Jones, Rhos-lan: yr hanesydd', *Trafodion Cymdeithas Hanes Sir Gaernarfon* XXIV (1963), tt. 153-95; G.T. Roberts, 'Robert Jones, Rhos-lan, 1745-1829', *Cylchgrawn Cymdeithas Hanes y Methodistiaid Calfinaidd* XLI (1956), tt. 2-14 – ysgrif sy'n gampwaith bychan o leoli dyn yn ei gefndir cymdeithasol a daearyddol.

3. Y sawl a hoffai wybod rhagor a meddwl ymhellach am y mater hwn, fe ddylai ddarllen cyfraniadau diddorol Dr. Prys Morgan ar y modd yr ail-grewyd gorffennol newydd i'r Cymry yn y ddeunawfed ganrif a'r bedwaredd ar bymtheg, ac yn enwedig y ddwy ysgrif hyn: 'From a Death to a View: The Hunt for the Welsh Past in the Romantic Period', yn E.J. Hobsbawm a Terence Ranger, goln., *The Invention of Tradition* (Caergrawnt ac Efrog Newydd, 1983), tt. 43-100; 'Keeping the Legends Alive', yn Tony Curtis, gol., *Wales: The Imagined Nation. Studies in Cultural and National Identity* (Pen-y-bont ar Ogwr, 1986), tt. 17-41.

4. Ar yr hanes hwn a'i gefndir, darllen hanfodol bellach yw darlith Harri Parri, *Morgan y Gogrwr o Fwlch-y-rhiw* (Pwllheli, 1983).

5. Dyfynnir o gyfieithiad Thomas Jones (Caerdydd, 1938).

TRADDODIAD EMRYS AP IWAN

Emrys ap Iwan yn ei berthynas â rhai o'i olynwyr, ac â rhai o'i ragflaenwyr, dyna fydd gennym: ei le ef yn olyniaeth y meddwl am Gymru, ei phethau a'i phroblemau, ei hawl a'i hanfod.

Gadewch imi, cyn mynd ddim pellach, nodi un bwlch mawr, sef na byddwn yn ystyried yn fanwl ac yn union ble saif Emrys yn ei berthynas â Michael D. Jones. Mae'n sicr y cofia rhai ohonoch am lythyr M.D.J. (a ddyfynnir gan T. Gwynn Jones yn y *Cofiant*), yn awgrymu y gallai fod yma ddylanwad dwyffordd:

> Nid wyv yn gwybod pwy yw eix tad cenelawl (nationalist father). Dixon fy mod wedi dylanwadu peth arnoch yn yr ystyr hon yn wybyddus i xwi, neu heb yn wybod – yn uniongyrxol neu anuniongyrxol. Yr wyf inau yn cael bwyd i'm henaid cenelawl gan Emrys ap Iwan bob tro y byddaf yn darllen ei gynyrxion.

'Pwy yw eix tad cenelawl?' Pwy, yn wir, onid atebwn ni mai ysbryd cenedlaetholdeb democrataidd Ewrop, ysbryd 1848. A'r wythnos hon ddiwethaf o'r byd dyma ysgrif odiaeth o ddiddorol yn dangos gyda thystiolaeth safadwy mai dyma wir flwyddyn geni Emrys ap Iwan – nid 1851 fel yr ydym i gyd wedi ailadrodd ar ôl Gwynn Jones. Bobl Clwyd, brysiwch i'w darllen yn eich cylchgrawn *Hel Achau*.[1] Dridiau'n ôl mi gefais gopi ohoni drwy garedigrwydd yr awdur, Mr. Bill Wynne-Woodhouse: wnaf i ddim sbwylio'ch mwynhad drwy ddatgelu'r cyfan sydd ynddi, ond gallaf ddweud bod rhai tybiadau neu fythau cyfarwydd yn cael eu chwythu ynddi yn fwy effeithiol (diolch am hynny) nag y chwythodd y fom gartref honno a dderbyniodd Emrys yn y post ryw fore oddi wrth un o dylwyth Dic Siôn Dafydd. (Ynteu ai myth oedd honno hefyd?)

Cyn diwedd ei lythyr ym 1892 mae M.D.J. yn apelio ar i Emrys ymuno ag ef i greu cynghrair neu fudiad 'i gario allan ein hegwyddorion cenelawl'. 'Ysprydiaeth anybynol sydd yn ein cynyrvu yn awr, a hwnnw yw'r bywyd,' meddai Michael, yn driw i'w enwad a'i draddodiad, ond gan ychwanegu yn gydenwadol ac yn ddiragfarn 'ond ei gael mewn corph Trevnyddol.' Fel y gwyddoch, ni ddaeth dim o'r peth ar y pryd, nac yn oes yr un o'r ddau. 'Rwy'n siŵr fod Iorwerth Peate yn iawn mewn un peth, yng nghanol ysgrif sydd gan mwyaf yn annheg a chamddeallgar tuag at Emrys,[2] mai gan Michael D. Jones, o'r ddau, yr oedd y rhaglen gymdeithasol gyfan gytbwys. Mantais Emrys oedd mai ef oedd y llenor: fe fyddai'n ei blesio fod ei syniadau wedi goroesi a dod yn ddylanwad oherwydd y ffurf a roed arnynt, oherwydd gloywder y mynegiant ohonynt. Y mae dyfarniad Gwenallt yn werth ei ddyfynnu: 'Ar ôl darllen erthyglau R.J. Derfel a Michael D. Jones nid oes dim newydd yn erthyglau Emrys ap Iwan, ond eu harddull, a seiliodd Michael D. Jones ei ddadleuon yn fwy ar hanes Cymru nag y gwnaeth Emrys ap Iwan.'[3] Mae'r cymal olaf yn sicr yn wir, ond efallai fod lle i feddwl yn fanylach eto am berthynas y ddau. Yr wyf am adael y broblem yn y fan yna, gan nodi ei phwysigrwydd. Er mwyn cydnabod newyddwch a natur arloesol yr hyn yr oedd Emrys yn ei gynrychioli, nid oes raid dangos i ba fesur yn union yr oedd yn awdur y peth hwnnw. Pa un bynnag ai ef a'i creodd ai peidio, fe'i mynegodd yn well nag y gwnaethai neb o'i flaen.

'Rwy'n dal i grynhoi pethau cyfarwydd. Nid tan ryw ugain mlynedd ar ôl ei farw y cafodd Emrys ap Iwan ysgol o olynwyr. Fe gaed honno o blith to o wŷr ifainc a ddaethai allan o'r Rhyfel Byd Cyntaf, rhai wedi ymladd ynddo, craill wedi ei wrthwynebu yn ei ddannedd, i gyd wedi profi ffrwythau chwerw iawn un math o genedlaetholdeb ac yn benderfynol bod yn rhaid disodli hwnnw â chenedlaetholdeb tra gwahanol. Yng nghyswllt arbennig Cymru, 'roeddynt yn gweld methdaliad y gwladgarwch hwyliog ond braidd yn ddiwreiddyn a fu'n cydffynnu â Rhyddfrydiaeth ym mlynyddoedd olaf yr hen ganrif, gwladgarwch Cymru Fydd; 'roeddynt yn barod i dderbyn arweiniad ac ysbrydiaeth oddi wrth genedlaetholwr mwy radical, mwy miniog ei feirniadaeth, mwy digymrodedd. Y to hwn a aeth ati i wneud yr hyn y bu Michael D. Jones ac Emrys ei hun yn ei annog ar air, sef ffurfio mudiad, plaid wleidyddol annibynnol i Gymru. Fel Emrys ei hun 'roeddynt hwythau bron i gyd yn wŷr llên, a'u hymrwymiad gwleidyddol yn annatod oddi wrth eu diddordeb yn yr iaith a'i thraddodiad llenyddol. Y ddolen gyswllt rhyngddynt hwy ac Emrys oedd y clasur o gofiant iddo gan T. Gwynn Jones, y tystiodd Saunders Lewis amdano ei fod yn 'un o'r llyfrau anfynych hynny sy'n newid hanes ac yn effeithio ar genhedlaeth gan ei hysbrydoli a rhoi cyfeiriad iddi' – tystiolaeth enwog, gyfarwydd i bawb ohonoch 'rwy'n siŵr.

Digon hysbys hefyd y pethau hynny yn nysgeidiaeth Emrys ap Iwan y cydiwyd ynddynt gan genedlaetholwyr rhwng y ddau ryfel i'w pwysleisio a'u datblygu. Ond er mor gyfarwydd, cystal eu crynhoi. Fe'u rhestrwn yn gyflym, a chan geisio cofio mai yn y cyfuniad ohonynt y mae eu newyddwch a'u harbenigrwydd.

Y cyntaf peth (1), mae'n siŵr, yw'r edrych ar yr iaith fel peth creiddiol a chanolog, a'r mynnu mai cwestiwn politicaidd, yn anad dim, yw cwestiwn goroesiad y Gymraeg. Ni wn pa rai o'i ddisgyblion yn y 1920au a gytunai'n hollol â safbwynt Emrys na ddichon cenedl heb briod iaith, safbwynt y byddai'n weddol hawdd ei wrthddadlau heb chwilio ymhell am enghreifftiau. Digon ganddynt, mae'n amlwg, oedd ei fod yn wir yn achos Cymru. Mewn un peth tra phwysig fe aethant ymhellach nag Emrys. Ni ddadleuodd ef erioed dros unieithedd Cymraeg, mwy nag y gwnaeth neb o'i flaen. I ymgeleddwyr y Gymraeg, i'r llenorion ac i'r diwygwyr crefyddol am dair canrif, testun tosturi fuasai'r Cymro uniaith Gymraeg; dyna'r traddodiad o Salesbury a Morgan ymlaen, drwy Forgan Llwyd a Phantycelyn, hyd at addysgwyr a golygyddion anterth oes Victoria. Heb ymddiarddel yn glir â'r traddodiad hwn, fe estynnodd Emrys yr egwyddor mewn modd beiddgar drwy awgrymu o leiaf ddau beth: (a) mai testun tosturi yw pawb uniaith, boed Gymro neu arall, a thestun y tosturi mwyaf yr uniaith ddi-Gymraeg yng Nghymru a'r genedl fawr uniaith nesaf atom; (b) nad Saesneg mo'r unig ail iaith y byddai'n dda i Gymro ei dysgu. Aed â hi gam ymhellach eto gan genedlaetholwyr y dau-ddegau – Ambrose Bebb, Saunders Lewis, G.J. Williams a Iorwerth Peate – y rhai cyntaf erioed mewn hanes i bleidio Cymru uniaith Gymraeg. Er datgan yr egwyddor yn glir rai troeon rhwng y ddau ryfel, nid hir ar ôl hynny y parhaodd yn eitem o bolisi gan y Blaid Genedlaethol. Nid yw hynny'n gyfystyr â dweud bod y cwestiwn wedi ei gau. Gwahaniaeth arall rhwng Emrys ap Iwan a'i ddisgyblion o genhedlaeth ddiweddarach yw bod eu pryder hwy am barhad y Gymraeg yn ddwysach; y rheswm am hynny oedd y dystiolaeth a oedd i'w gweld ar bob llaw erbyn yr ail ddegawd. Yr oedd Emrys fel rheol yn weddol ffyddiog ynglŷn â rhagolygon y Gymraeg; ei wrthwynebwyr ef a hithau oedd wedi penderfynu bod ei dyddiau hi wedi eu rhifo. Yn un peth, yr oedd yn gredwr mawr yng ngrym ewyllys a phenderfyniad; peth arall, credai fod ei gyd-Gymry yn y mater hwn yn graddol gallio, a bod amgylchiadau'r dydd, at ei gilydd, yn ffafriol i barhad yr iaith. Diau y gellir beio arno ef, fel ar O.M. Edwards ac ar John Morris-Jones, nad oedd yr un ohonynt wedi mesur hyd a lled y grymoedd economaidd a'r tueddiadau demograffig a oedd yn milwrio yn ei herbyn hi. Ond yn y diwedd, i Emrys ap Iwan, nid oedd hynny ychwaith o bwys. Mater o egwyddor oedd ffyddlondeb i iaith; nid oedd a wnelo ddim â pha mor dda neu ba mor wael oedd ei rhagolygon hi.

Daw hyn â ni at (2) yr ail elfen fawr yng nghynhysgaeth Emrys ap Iwan i genedlaetholwyr Cymreig y ganrif hon, ac yn fwyaf arbennig i arloeswyr cenedlaetholdeb gwleidyddol rhwng y ddau ryfel, sef nad oedd yn seilio dim o'i ddadl ar ystyriaethau iwtilitaraidd. Cofir ei ddatganiad huawdl:

> Cadw'r Gymraeg yn fyw ac yn iach yw'r unig Geidwadaeth y mae'n weddus i'r Cymry ymegnïo i'w hamddiffyn, a rhyddhau'r Dywysogaeth oddi wrth yr ormes Seisnig sy'n ei gwneud hi'n gadlas chwarae ac yn grochan golchi i bobl anghyfiaith ac

anghyweithas ydyw'r unig Ryddfrydiaeth y mae'n wiw i'r
Cymry ymladd drosti; canys y mae a wnelo'r Geidwadaeth a'r
Rhyddfrydiaeth yma, nid yn unig â llwyddiant, ond hefyd â
bywyd y genedl yr ydym yn perthyn iddi... I ni, y Gymraeg
yw'r unig wrthglawdd rhyngom a diddymdra, ac y mae'r sawl a
dorro'r gwrthglawdd hwnnw, trwy barablu iaith ein
gorchfygwyr heb raid nac achos yn euog o ddibristod sy'n
dangos eu bod wedi colli pob parch iddynt eu hunain; a phan
beidio dyn â pharchu ei hun y mae hwnnw i bob perwyl wedi
peidio â bod.

Yn y fan yna, fel droeon eraill, at anrhydedd y mae'r apêl. Yn fynych
fynych, bron yn anochel, fe dyn galwad anrhydedd yn groes i alwad hunan-
les. Daw'n amlwg droeon fod caru hawliau cyffredinol, i Emrys ap Iwan,
yn uwch dawn, bron na ddywedem yn sancteiddiach dawn, na charu
hawliau personol – er bod y rheini yn hawliau.[4]

Am hyn, a dyma hi'r drydedd elfen yn y cyfuniad (3), y mae Emrys o'r
cychwyn yn feirniadol o gyfundrefn economaidd ei ddydd, cyfalafiaeth
gystadleuol ddilestair, gyda hunan-les yn gyfiawnhad a symbyliad iddi.
Gwêl hi'n niweidiol i Gymru, oherwydd dau frawd ydyw'r ddau lo, y Llo
Aur a'r Llo Seisnig; ond gwêl hi'n niweidiol p'run bynnag, ac ym
mhobman. Ac fe ddaeth hyn yn rhan o'r traddodiad; osgo wrth-gyfalafol,
ynghyd ag ansicrwydd *un ai* ynglŷn â beth i'w osod yn lle cyfalafiaeth *neu*
ynglŷn â beth i alw'r hyn a osodid yn ei lle. Nid yw Emrys yn unman yn
ei alw'i hun yn sosialydd; prin ei fod yn un. Yr oedd Saunders Lewis
yntau'n rhoi diofryd ar y term ac ar y syniad, gyda chennad os nad llawn
gytundeb ei gefnogwyr a'i gymrodyr agos, hyd at yn ddiweddar yn y tri-
degau.

A dyma'r bedwaredd elfen yn y gynhysgaeth (4), elfen broblematig o'r
cychwyn, ac un sydd felly o hyd. Mynnai Emrys wleidyddiaeth a oedd yn
torri ar draws rhaniad traddodiadol gwleidyddiaeth Brydeinig; ac nid yn
unig hynny ond hefyd ar draws unrhyw raniad de-chwith, ar draws
gwleidyddiaeth dosbarth. 'Mewn gwirionedd,' meddai yn yr ysgrif bwysig

'Paham y Gorfu'r Undebwyr' (1895), 'dwy blaid wleidyddol a ddylai fod yng Nghymru hyd oni chaffo hi ei hawliau cenhedlig, sef Plaid Gymreig a Phlaid wrth-Gymreig…Na sonier mwyach am Chwigiaid Cymru a Thorïaid Cymru; sonier yn unig am y Cymry a'r gwrth-Gymry.' Drannoeth Etholiad Cyffredinol 1895 y lluniodd yr ysgrif hon, ac fe gofir ei sylw ar gorn y ddau ymgeisydd yn etholaeth Bwrdeisdrefi Dinbych: 'Yr oedd yn dda gennyf fod Morgan wedi colli, ac yn ddrwg gennyf fod Hywel wedi ennill.' Yr osgoi bwriadus ar gwestiwn chwith-a-de, yr ymwrthod â phob gwleidyddiaeth sy'n 'gosod hawddfyd person a dosbarth yn uwch na rhyddid cenhedlig' – y mae hyn yn rhan o gynhysgaeth Emrys ap Iwan, ac nid oes osgoi ar y problemau a gyfyd. Yn y diwedd ni all cenedlaetholdeb fod yn athroniaeth boliticaidd hunanddigonol, er y gall ymddangos felly am gyfnodau gweddol hir mewn rhai mathau o sefyllfaoedd: yn y pen-draw mae iddi swyddogaeth mewn cyfuniad neu mewn partneriaeth â rhywbeth arall. Caniataer hynny, ac yn syth fe gyfyd y demtasiwn a'r perygl o wneud y peth arall hwnnw yn rhan o'i hanfod hi: dal, er enghraifft, na all cenedlatholwr Cymreig *ddim* bod yn sosialydd; neu ddal na all *ond* bod yn sosialydd. Bu'n broblem oddi ar sefydlu'r Blaid Genedlaethol ym 1925; bu amryw gynigion ar ei datrys, a bu trafod deallus ac anneallus arni; y mae'n dal yn broblem.

O gredu gydag Aristoteles mai anifail gwleidyddol yw dyn yn gyntaf a phennaf, yn hytrach na chyda Marx mai anifail economaidd ydyw, fe ddilyn canlyniad arall (5), sef gwrthod credu fod unrhyw dueddiadau anochel ar waith ym mywyd cymdeithas. 'Noddfa dynion diysbryd, ac nid uchel dŵr y doethion, ydyw yr Anocheladwy,' meddai Emrys ym 1884 mewn llythyr chwyrn i'r *Faner* ar anterth dadl yr 'achosion Seisnig'.[5] A dyna'i safbwynt yn wastad. Cenedlaetholdeb sy'n pwysleisio ewyllys a rhyddid, cyfrifoldeb a dewis, yw ei eiddo ef ac eiddo'r traddodiad a'i dilynodd; mae'n ddirfodol, nid yn dueddbennol; nid yw'n gaeth i na hanes nac economeg. Am y rheswm hwnnw y mae ei wleidyddiaeth ef, mewn un ystyr i'r term, yn wleidyddiaeth adweithiol, yn gwrthod syniad cyffredin yr oes am Gynnydd. Y cam nesaf wedyn, cam nas cymerwyd gan Emrys ei hun, ond a gymerwyd â phendantrwydd mawr gan rai o'i ddisgyblion, yw gweld delfryd neu safon yn y gorffennol, a chael y presennol yn brin mewn cymhariaeth. Rhagdybir rhyw dro anghywir yn rhywle, rhyw gaff gwag, neu – a defnyddio term a fenthycir yn aml o fyd crefydd a'i gymhwyso at y byd seciwlar – rhyw 'gwymp'. Cryfhau fwy a mwy a wnaeth y pwyslais hwn yn nwylo Bebb a Saunders Lewis, gan ddwyn problemau eto – rhai athronyddol a rhai ymarferol. Cawn olwg ar y broblem athronyddol yn y drafodaeth bwysig ynghylch 'Yr Apêl at Hanes', rhwng R.T. Jenkins ar y naill law a Bebb a Saunders Lewis ar y llall. 'Fy nghweryl â hwy,' meddai R.T.J., 'ydyw eu bod hwy'n tybio y gallant atgyfodi'r pethau yn y gorffennol sydd wrth eu bodd hwy, heb atgofodi'r *cwbl* o'r cymhleth cymdeithasol yr oedd y ffeithiau hynny'n rhan ohono.'[6] Dyna'r cwestiwn – a oes i syniadau, credoau, 'gwerthoedd ysbrydol' fodolaeth yn annibynnol ar amgylchiadau materol? Nac oes, meddai Marxaeth; nac oes medd y rhan fwyaf o hanesyddiaeth fodern. Oes, meddai traddodiad Emrys ap Iwan, neu a'i roi fel arall, y mae'r ysbrydol yn real. Nid dyna ddiwedd y ddadl!

Yna (6) os gwrthod cyfalafiaeth, gwrthod hefyd yr hyn a âi law yn llaw â hi yn y byd cydwladol, sef imperialaeth. I'r cenedlaetholwr Cymreig modern mae'r gwrthodiad hwn i'w gymryd yn ganiataol; ond yn oes Emrys ap Iwan nid oedd yn rhan anochel o'r hyn a ystyrid yn genedlaetholdeb Cymreig. I'r rhan fwyaf o Ryddfrydwyr Cymru Fydd yr oedd eu gwladgarwch Cymreig yn cyd-fyw'n hapus â'u teyrngarwch i'r ymerodraeth Brydeinig a'u hedmygedd ohoni. 'Does raid ond ystyried y pennaf ohonynt, Tom Ellis, prif gynrychiolydd gobeithion y werin Gymraeg ymneilltuol, ond eto edmygwr Cecil Rhodes a chredwr yng nghenhadaeth wareiddiol fyd-eang Ymerodraeth Prydain. 'Doedd Lloyd George, tra'n mentro'i einioes yn gwrthwynebu rhyfel De Affrig, ddim yn ymwrthod â'r syniad ymerodrol fel y cyfryw; gwelai amcanion y rhyfel hwnnw, a dulliau ei ymladd, yn sen ar enw ymerodraeth a ddylai ac a allai sefyll dros bethau amgenach yn y byd. I Emrys ap Iwan, fel i Michael D. Jones, lladrad a thrais oedd pob ymledu ymerodrol, ac yr oedd yn gyson ddiarbed ei gollfarn ar ymerodraeth Lloegr. Diau bod rhyw duedd ynddo hefyd i feddwl mai Lloegr oedd y gwaethaf o'r holl bwerau imperialaidd, ac nad oedd rhyfelgarwch y gwledydd a ymladdai yn erbyn Lloegr ddim *cweit* cynddrwg â rhyfelgarwch hysbys Lloegr ei hun. Y mae rhyw gymysgwch ar y pen hwn wedi nodweddu cenedlaetholdeb Cymreig o'r pryd hwnnw allan. Nid yw'n fater canolog iawn efallai, ond mae'n fater a achosodd beth tramgwydd.

Fe gymerwn ni saib fach i grynhoi. Dyma ichwi hyd yma chwe elfen: y pwyslais ar ddyfodol yr iaith fel mater canolog gwleidyddiaeth Cymru; yr osgo wrth-iwtilitaraidd, ynghyd â'r apêl at anrhydedd yn hytrach nag at hunan-les; yr osgo wrth-gyfalafol; yr ymwrthod, ar yr un pryd, â gwleidyddiaeth chwith-a-de; yr ymwrthod â rheidiolaeth economaidd a hanesyddol, gyda'r pwyslais yn hytrach ar ryddid, a allai olygu'r rhyddid i droi'r cloc yn ôl pe dymunid; a'r feirniadaeth hallt ar ymerodraeth. Ein tuedd ni, sydd i gyd yn etifeddion Emrys ap Iwan mewn rhyw ffordd, yn ddigon felly o leiaf i ddod ynghyd yma heno i anrhydeddu ei goffadwriaeth, yw cymryd y cyfuniad hwn yn ganiataol – efallai am iddo gael ei ailddatgan mor rymus gan feddylwyr blaengar y 1920au. Ond yr oedd raid i rywun ei ddwyn ynghyd am y tro cyntaf. Digon posib mai Michael D. Jones a'i rhoes ynghyd; ond Emrys ap Iwan a'i mynegodd yn fythgofiadwy.

Gadewais tan yn awr ddwy elfen arall yn y synthesis, y ddwy yn gysylltiol â'i gilydd ac yn cydio wrth elfen (6). Os oedd cenedlaetholdeb i Emrys ap Iwan yn wrthwyneb i imperialaeth ar y naill law, yr oedd ar y llaw arall yn wrthwyneb i blwyfoldeb. Mae dod i adnabod cenhedloedd eraill, dysgu amdanynt, dysgu oddi wrthynt, eu dynwared yn eu pethau gorau, yn rhan bwysig iawn o'i genadwri, fel y gwyddoch oll. Ef, heb fawr amheuaeth, oedd y cyntaf o'r cenedlaetholwyr Cymreig-Ewropeaidd, y rhai a fynnai gan Gymru edrych tuag at Ewrop, heibio i Loegr. Saunders Lewis ac Ambrose Bebb yw ei olynwyr amlwg yn hyn o beth eto. Caed ambell ganlyniad digri i'r safbwynt hwn, er enghraifft y snobyddiaeth ddiniwed ynglŷn â rhagoriaeth yfed coffi ar yfed te, rhyw duedd i ganmol popeth Ffrengig yn orfrwdfrydig, ac i fod braidd yn grintach ac annheg weithiau yn eu golwg ar ddiwylliant Lloegr. Gellid tynnu Emrys a'i ddilynwyr yn racs ar y pen hwn, peth y byddai R.T. Jenkins yn cael hwyl fawr ar ei wneud. Ond yn gyffredinol, ennill mawr i'r meddwl Cymreig fu'r pwyslais hwn (7) ar gyfathrach uniongyrchol â gwledydd y cyfandir, pwyslais a welir yr un modd ym meirniadaeth lenyddol Emrys ag yn ei ysgrifau politicaidd.

Yr wyf am oedi ychydig bach gyda'r agwedd bwysig hon, i geisio awgrymu ble saif Emrys yn hanesyddol, ac o ran ei berthynas â'r traddodiad o'i flaen ac ar ei ôl. Un o draddodiadau Dyneiddiaeth yw'r awydd i gyflwyno i'r Cymro yn ei iaith ei hun orau meddwl cenhedloedd eraill. O'r unfed ganrif ar bymtheg hyd at y bedwaredd ar bymtheg yr oedd yr awydd hwn yn mynd law yn llaw â'r tosturi hwnnw y buom yn sôn amdano tuag at y 'Cymro uniaith'. Cynrychiolydd teg o'r traddodiad oedd Lewis Edwards, a drafodai yn ei *Draethodydd* waith Homer a Shakespeare, Goethe a Kant, Coleridge ac Arnold. Mae'r llenorion modern a gyflwynir gan Lewis Edwards i gyd yn Brotestaniaid ac yn perthyn i'r bobloedd 'Diwtonaidd' – adlewyrchiad, i raddau, o addysg pregethwr a diwinydd yn y cyfnod. Yna down at Emrys, disgybl cyfeiliorn Lewis Edwards – disgybl serch hynny y ffynnodd parch o'r ddeutu rhyngddo a'i hen athro er iddynt anghytuno'n benben ar rai pethau. Fe rydd Emrys gyfeiriad newydd i'r traddodiad, yn rhannol oherwydd ei natur a'i argyhoeddiadau ei hun, yn rhannol oherwydd ei gydnabyddiaeth â bywyd rhai o wledydd y cyfandir. Tuedda i ffafrio'r Lladinaidd yn fwy na'r Tiwtonaidd, Ffrainc yn fwy na'r Almaen; law yn llaw, dengys barodrwydd i weld rhai o rinweddau'r gwareiddiadau Catholig. Ymhellach, y mae'n gosod yr 'Ewropeaidd' neu'r 'cyfandirol' mewn cyferbyniad â'r Seisnig, gan awgrymu y byddai gwybod rhywbeth am fywyd a diwylliant gwledydd y Cyfandir yn gyfrwng rhyddhau'r Cymro o'i ddibyniaeth ar feddwl Lloegr. Dyma sefydlu'r cysylltiad rhwng (a) cenedlaetholdeb Cymreig a (b) Ewropeaeth ymwybodol, a olygai yn bennaf edmygedd o wareiddiadau Lladinaidd a Chatholig Ewrop, a gwareiddiad Ffrainc yn arbennig. Daethom yn gyfarwydd iawn â'r cyfuniad hwn yn ysgrifeniadau Saunders Lewis. Ac eto fe ychwanegodd Saunders Lewis rywbeth. Yng ngwaith Emrys ap Iwan, teimlir o hyd mai rhywbeth 'ar wahân' yw bywyd Ewrop, i edrych arno'n wrthrychol a dysgu oddi wrtho felly. 'Dos a dysga oddi wrth y Ffrancwr' yw'r anogaeth. Ond i Saunders Lewis, mae'r etifeddiaeth Ewropeaidd yn rhywbeth y mae Cymru eisoes *yn* cyfranogi ynddi, ac wedi gwneud hynny erioed, 'tae hi ond yn gwybod: yn rhywbeth sydd wedi furfio'i meddwl hi am ganrifoedd a phennu cymeriad ei llenyddiaeth yn ei chyfnodau disgleiriaf.[7] Darganfyddiad y beirniad mai un yw llenyddiaeth Ewrop, a darganfyddiad y gwleidydd 'nad yw Cymru'n bod namyn fel rhan o Ewrop', yr un ydynt. Mae hynyna oll o fewn traddodiad Emrys ap Iwan, ond ar yr un pryd yn ddatblygiad arno.

Yn gysylltiedig â'r Ewropeaeth ymwybodol yma, ac at ein pwrpas ni heno yn wythfed elfen yn y synthesis, mae peth arall, sef (8) yr agwedd o bellter oddi wrth ei bobl ei hun, neu o wrthrychedd tuag atynt, yr oedd Emrys yn ei theimlo ac yn wir yn ei meithrin. Darllenwch yr hyn sydd gan Mr. Wynne-Woodhouse i'w ddweud am y 'diferyn gwaed Ffrengig' y credai Emrys iddo ei etifeddu ar ochr ei fam. Pwysigrwydd y diferyn diarhebol, a dychmygol (mae'n beryg!), hwnnw yw fod Emrys yn hoffi meddwl ei fod yn bwysig. Rhoddai ryw annibyniaeth iddo, rhyw gryfder bach ychwanegol wrth iddo sefyll ar wahân i'w gyd-Gymry, gweld eu gwendidau a dweud ei farn yn ddifloesgni. Atgyfnerthu'r un peth yr oedd y mabwysiadu mynych ar ffugenwau – nad oeddynt ffugenwau chwaith (Iwan Trevethick, Emrij van Jan, Nehemeia o Ddyffryn Clwyd). Nid awydd i ymguddio sydd y tu ôl i'r arfer yma ganddo, ond rhyw ysfa i edrych ar bethau yng Nghymru o ongl wahanol: mae'r cymeriadau dychmygol hyn, a chyda hwy y Tad Morgan a'r Darlithydd yn *Breuddwyd Pabydd wrth ei Ewyllys*, yn gallu bod yn fwy gwrthrychol, yn fwy annibynnol, na hyd yn oed Emrys ei hun. Ond estyniadau ohono ef ei hun ydynt, a rhywbeth yn ei natur ef sy'n gyfrifol am eu dyfeisio.

'Ni bûm erioed yn euog o dradyrchafu cenedl y Cymry,' meddai Emrys un tro – enghraifft o'r tro ymadrodd 'lleihad' os bu erioed! Nid na allai ef fod yn llariaidd iawn. Darllener drwy'r *Homilïau* ac fe welir ynddynt aml baragraff o apelio taer, tyner, cariadus. Fe wyddai ef werth amrywio'i gywair, ac fe wyddai sut i wneud hynny. Nid y dychan yw'r cwbl. Ond yr Emrys ap Iwan mwyaf cyfarwydd inni, yr un a ddaw gyntaf i'r meddwl, yw'r beirniad chwyrn, didderbyn-wyneb, didrugaredd tuag at ei wrthrych a'i gynulleidfa. I'r rhai ohonom a fagwyd ar Saunders Lewis a Gwenallt fe ddaeth hon yn agwedd gyfarwydd a disgwyliedig, agwedd elyniaethus, bron, y cenedlaetholwr sy'n mesur y genedl fel y mae yn erbyn yr hyn y gallai fod, neu'r hyn y tybid y bu, a'i chael yn brin. Y mae adegau pryd y mae'r cenedlaetholwr politicaidd (Gwenallt, dyweder), bron fel petai'n dod i gyfarfod â gwrth-Gymro fel Caradoc Evans, gan basio O.M. Edwards rywle ar y ffordd. Dyna draddodiad Emrys ap Iwan, ac mae problem eto ynghlwm wrtho. Nid gwaith hawdd yw cymodi'r ddwy swyddogaeth: ar y naill law dweud y caswir, beirniadu diflewyn ar dafod; ac ar y llaw arall ysbrydoli, arwain a chynnig gobaith i bobl. Dwy dasg yr un mor angenrheidiol â'i gilydd, ond camp yw taro ar y cyfuniad iawn.

'Rwy'n dod yn awr at fy mhrif bwynt. (Ac mi fuost yn hir ar y coblyn, meddech chwithau!) Un o'r arferion llenyddol a chymdeithasol hynaf y mae cyfrif ohonynt ymhlith Cymry yw'r arfer o ddweud y drefn amdanynt ac wrthynt eu hunain. Rhoddwyd cychwyn go egnïol iddo gan yr hen lyfr *De Excidio et Conquestu Britanniae*, gwaith Gildas yn ôl y farn gyffredin, a gyfansoddwyd o bosib ar draws canol y chweched ganrif. Hwnnw, gyda rhyferthwy o gerydd cas, sy'n adrodd y modd y bu i bobl o'r enw y *Britanni*, oherwydd eu pechodau, golli meddiant ar eu gwlad, Ynys Brydain. Yn gywir neu fel arall, fe gymerodd y Cymry mai hwy oedd y *Britanni* hyn, a thrwy'r canrifoedd wedyn fe ffynnodd traddodiad o synio fel yma amdanynt eu hunain: (i) eu bod, fel yr Israeliaid, yn genedl etholedig, a rhyw ddisgwyliadau eithriadol yn eu cylch; (ii) eu bod hefyd yn bobl anufudd a phechadurus, yn siomi'r disgwyliadau ac yn tynnu am eu pennau gosb a barn; (iii) i'r farn hon ddisgyn arnynt ar drothwy eu hanes pan gymerwyd oddi arnynt ran helaethaf a ffrwythlonaf eu gwlad, a'i rhoddi i'r Saeson. Prin y bu cyfnod wedyn yn ein hanes heb i ryw Gymro, gyda'r rhagdybiau hyn yng nghefn ei feddwl, gymryd arno'i hun yr hawl i geryddu ei gydgenedl. Gyda'r Diwygiad Protestannaidd fe ddaeth pwyslais newydd, ond o fewn yr un hen fframwaith meddwl o hyd. Fe ddysgid bellach fod trugaredd Duw yng nghyflawnder yr amser wedi ymweld â'r Brytaniaid neu'r Cymry: caniatawyd i ŵr o linach Gymreig, Harri Tudur, ddod yn frenin Lloegr; yn nheyrnasiad ei fab a'i wyres ef sefydlwyd y ffydd Brotestannaidd ym Mhrydain; ac o hynny deilliodd i'r Cymry fendithion sy'n mwy nag ad-dalu am yr hen golled diriogaethol – fe gawsant oleuni gwir gred, yr Ysgrythur yn eu hiaith, ac i'w chanlyn yn y man gorff cyfoethog o lenyddiaeth Gristnogol, a chyda hynny yr awydd a'r cyfleuster i ddysgu darllen ac i'w haddysgu eu hunain a'u gwella'u hunain ym mhob ffordd. Yn lle sofraniaeth Ynys Brydain, fe gafodd y Cymry y Breintiau Mawr. Dyma fu'r safbwynt llywodraethol mewn llenyddiaeth Gymraeg ac ym mywyd crefyddol Cymru o ddiwedd yr ail ganrif ar bymtheg hyd ddiwedd y bedwaredd ar bymtheg, ac erys ei effeithiau o hyd. Fe gafwyd mai achos diolch oedd gan y Brytaniaid wedi'r cyfan, nid achos cwynfan a rhwbio'u clwyfau mwyach. Yna, yn raddol bach, ac mewn rhai cylchoedd mwy na'i gilydd, fe drodd y diolch yn hunanlongyfarch ac yn ymffrostio mewn rhinwedd; yr oedd yr hen genedl yn dal yn etholedig, cofier. Ochr arall i'r un geiniog oedd yr ansicrwydd a'r anesmwythyd, penyd cenedl sy'n cario gyda hi drwy'r byd y baich o fod yn genedl etholedig, ansicrwydd ynghylch ei gallu i wireddu'r disgwyliadau, ac anesmwythyd o feddwl nad oedd gyfiawnhad i'w bodolaeth o gwbl oni allai hi eu gwireddu. Rhwydd iawn y trôi hunan-longyfarch yn ddweud y drefn eto. Yr oedd yna hefyd warantydd y drefn, arolygydd cydwybod yr hen genedl etholedig, inspector ei moes a'i rhinwedd. Cenedl y Saeson oedd honno, y trosglwyddasid sofraniaeth yr Ynys iddi yr holl ganrifoedd yn ôl fel rhan o arfaeth ddwyfol. Tymherid yr ysfa i adfeddiannu'r sofraniaeth – ysfa a gorddai'n gynyddol fel yr âi'r bedwaredd ganrif ar bymtheg rhagddi – gan ofn colli'r Breintiau Mawr. Oherwydd un peth neu'r llall oedd hi. Fel yna y parhâi'r hen thema i ymddatblygu.

Oedd, yr oedd Emrys ap Iwan yn ddeudwr trefn. Ond nid yr un drefn y mae ef yn ei dweud â honno y bu'r Cymry'n gyfarwydd â'i chlywed, a braidd yn or-hoff o'i chlywed, oddi ar ddechrau eu hanes. Mae ef yn cychwyn o fan gwahanol. Cofir y geiriau enwog ac allweddol yn yr Homili 'Y Ddysg Newydd a'r Hen'; nid oes osgoi ar eu dyfynnu: 'Cofiwch ym mlaenaf eich bod yn *ddynion*, o'r un gwaed â'r Saeson a'r Bwyriaid a'r Caffiriaid a'r Sineaid; am hynny, byddwch barod i roddi iddynt hwy bob braint a fynnech ei chael i chwi eich hun.' Ffarwél i'r hen wladgarwch, hiliol yn ei hanfod, a chroeso genedlaetholdeb fel y daethpwyd i'w ddeall a cheisio'i weithredu gan y Blaid Genedlaethol a'r mudiadau a dyfodd ohoni yn yr ugeinfed ganrif. Ffarwél, ar yr un gwynt, i'r syniad o genedl etholedig. Ie? Beth am y gosodiad sy'n dilyn yn syth? 'Cofiwch, yn ail, eich bod yn genedl, trwy ordeiniad Duw; am hynny, gwnewch yr hyn a alloch i gadw'r genedl yn genedl, trwy gadw'i hiaith, a phob peth gwerthfawr arall a berthyno iddi.' Mae arwyddocâd y darn hwn wedi ei drafod yn narlith 1983 o'r gyfres hon, ac ni allaf ond eich cyfeirio at ddudalennau 15-18 o ymdriniaeth Dr. Tudur Jones, lle dangosir yn union ble mae gwreiddyn ysgrythurol y syniadaeth a beth yw'r fframwaith diwinyddol sy'n ei chynnwys.[8] Ordeinio, ie, ond ordeinio yn unig i fodoli; nid i arglwyddiaethu, nid i flaenori, nid hyd yn oed i ragori'n foesol. Y mae hawl cenedl i fodoli yn hawl ddiamod. Gan hynny nid oes hawl gan genedl i arglwyddiaethu ar un arall; nid oes orfod chwaith ar genedl i brofi ei rhagoriaeth, boed honno foesol neu arall, er mwyn amddiffyn ei hawl i fodoli. Er mor hen yw gwreiddiau'r syniad, yn hanes meddwl y Cymry amdanynt eu hunain mae yma gychwyn newydd.

Nid hawdd y gollyngir hen arfer. 'Wn i ddim be' sy'n bod arnon ni'r Cymry wir...': rhagymadrodd cyfarwydd i sylwadau arnynt eu hunain a'u cydgenedl gan Gymry, a'r rheini'n ddigon aml yn Gymry nad oes le i amau didwylledd eu hymboeni am gyflwr eu gwlad a'u cymdeithas. Ac eir ymlaen '... na fasan ni'n gwneud hyn... neu'r llall'. Ac yn yr 'wn i ddim' mae rhyw ensyniad fod rhywbeth *o'i le* arnom, rhyw nodwedd gynhenid, seicolegol. Llais yr hen draddodiad a glywir yma o hyd, traddodiad ac ynddo elfen ddigon diffuant o ymboeni am ffawd a hynt y Cymry, ond elfen hefyd o'r cyrnewian hunangyhuddol a gynrychiolir gan lyfr Gildas ym more ein hanes. 'Mi wn i beth sydd o'i le' yw man cychwyn y cenedlaetholwr. ''Does gennym ni dim senedd, dim llywodraeth, dim rhyddid gwleidyddol, dim rheolaeth ar ein bywyd, dim o'r moddion y mae'n rhaid i genedl wrthynt er mwyn gwneud y pethau y disgwylir i genedl eu gwneud.' Dyma'r gwahaniaeth. I Gildas a'i etifeddion drwy'r canrifoedd, cosb am ryw bechodau eraill yw'r methiant gwleidyddol. I Emrys ap Iwan, ac i M.D. Jones yr un modd, ac i'r gwir genedlaetholwr ar eu holau, y methiant gwleidyddol sy'n dod gyntaf; ym mywyd cenedl, gwleidyddol yw'r pechod. Credai Emrys er enghraifft 'mai llyfrdra cenhedlig ydyw y prif achos fod cynifer o'r Cymry mor anghywir yn eu geiriau a'u gweithredoedd'. Newidier yr amodau gwleidyddol ac fe newidia'r bobl, dyna'r awgrym. Un math o niwrotig, mae'n ddiamau, yw hwnnw sy'n beio'i amgylchiadau lle dyued pob synnwyr y dylai ei feio'i hun; mae math arall hefyd, hwnnw sy'n ei feio'i hun lle mae'n weddol amlwg bod achosion ei aflwydd yn ei amgylchiadau. Ar gyfer pob Goronwy Owen mae yna ryw Gildas.

Nid wyf am awgrymu fod safbwynt Emrys ap Iwan yn gwbl ddigynsail yn nhraddodiad y meddwl am Gymru. Y sawl sy'n chwilio am ateb i lyfr Gildas am Goll Prydain, fe'i caiff mewn llyfr hynafol arall, yr *Historia Brittonum*, a roddwyd ynghyd, fe gredir, tua dechrau'r nawfed ganrif – gwaith 'Nennius' fel y gelwir ef o hyd o ran hwylustod, er cydnabod y tebygolrwydd fod mwy nag un llaw ynddo. Yma yr adroddir gyntaf y chwedl enwog am Wrtheyrn ac Emrys Wledig, ymryson y ddwy ddraig yn y gaer yn Eryri, a buddugoliaeth derfynol y ddraig goch. Mae golygwedd Nennius yn wahanol i un Gildas ar ddau gyfrif. Yn gyntaf y mae'n esbonio'r golled diriogaethol nid yn gymaint fel cosb am bechod ag fel canlyniad anffodus camgymeriad gwleidyddol a dadogir ar un dyn, yn ôl arfer hen chwedleuwyr o grynhoi proses hir o ddirywiad neu golli tir mewn rhyw un brad, neu esgeulustod neu anffawd, ar ran rhyw un gŵr neilltuol ar ddiwrnod tynghedus. Yn ail y mae'n cynnig addewid, ar ffurf darogan, nad yw'r golled i bara dros byth; a thrwy hynny'n awgrymu nad dim byd cynhenid yn y bobl sy'n esbonio'u cyflwr darostyngedig. Am dros fil o flynyddoedd bu thema Gildas a thema Nennius yn cydymwau ym meddwl y Cymry yn eu cylch eu hunain a'u tiriogaeth, weithiau'r naill fel pe bai'n drechaf, weithiau'r llall. Cymysgedd o'r ddwy a geir ym Mrut y Brenhinedd, Sieffre o Fynwy a chan Gerallt Gymro tua diwedd ei Ddisgrifiad o Gymru. Fel y neseir at ddiwedd yr Oesoedd Canol, y fersiwn wleidyddol a seciwlar sy'n oruchaf, yn cael ei hailadrodd dro a thro yn y cerddi brud neu ddarogan, a chwaraeodd ran mewn dwyn i fod y fuddugoliaeth y maent hwy eu hunain yn ei haddo. Oddi ar y Diwygiad Protestannaidd fersiwn Gildas fu piau hi, a gellid yn weddol rwydd ddangos ei dylanwad dros nifer o genedlaethau ar feddyliau olyniaeth o awduron ac arweinwyr meddwl[8]; M.D. Jones ac Emrys ap Iwan yw'r rhai cyntaf yn y cyfnod Protestannaidd i ymwrthod yn bendant â'i rhagdybiau hi. I'r graddau mai Cymru yw eu gofal a'u diddordeb, ac mai rhyddhad y Cymry yng Nghymru yw'r hyn y maent yn ei geisio, y maent yn gwahaniaethu hefyd oddi wrth draddodiad Nennius, yr hen draddodiad o genedlgarwch seciwlar, gyda'i bwyslais ar adennill yr Ynys Brydain fythaidd. Eto tybed nad caniatáu rhyw un consesiwn bach i'r traddodiad hwnnw y mae Emrys wrth ddatgan yn ddiamwys, fel y gwna ar o leiaf un achlysur, ei gred mewn Cymru Fwy. 'Cymru hyd at ei hen derfynau, sef Cymru hyd at Hafren' a fynnai ef, fel Owain Glyndŵr o'i flaen, ac yn wahanol i bob cenedlaetholwr Cymreig ar ei ôl.

Yn gynnil ac wrth fynd heibio y bydd Emrys yn datgan ei annibyniaeth ar rai o draddodiadau hanesyddiaeth Brotestannaidd, ond nid oes modd camgymryd ei bendantrwydd. Llyfr y mae ef yn ei osod yn ddiogel ymhlith y clasuron Cymraeg ar gyfrif ei arddull yw *Hanes y Ffydd*, gwaith Charles Edwards. Ond yn yr ysgrif 'Plicio Gwallt yr Hanner Cymry' barna fod hwn 'mor anwireddus, yn ôl ei faint, a *Hanes y Merthyron* gan Fox'. Dyna ladd dau ag un ergyd yn y fan yna; ac ychydig linellau ynghynt yr oedd Gweirydd ap Rhys wedi ei chael hi am annhegwch ei farn ar gynnyrch llenyddol yr oesoedd Catholig. Syniad a fu'n hoff gan y Dyneiddwyr Protestannaidd Cymraeg, a chan olyniaeth o haneswyr ar eu hôl, yw y bu gan yr hen Frytaniaid gynt eu heglwys eu hunain, yn annibynnol ar Rufain a heb ei llygru gan arferion a chredoau Pabaidd, ac mai ailsefydlu hon a wnaed pan drodd teyrnas Loegr yn Brotestannaidd – 'y Ddamcaniaeth Eglwysig Brotestannaidd' – fel y labelwyd hi yn yr ugeinfed ganrif. Rhyw raddol gilio o gof a chalon a wnaeth y ddamcaniaeth hon ymhlith y Cymry fel y darfu ei defnyddioldeb, yn gyntaf i Anglicaniaid ac wedyn i Ymneilltuwyr. Tybed nad Emrys oedd y llenor Protestannaidd Cymraeg cyntaf i'w diarddel yn ffurfiol? Unwaith eto mae'n gynnil ond yn bendant. Trafod *Deffyniad Ffydd Eglwys Loegr*, trosiad Maurice Kyffin o waith yr Esgob Jewel, y mae, yn ei ysgrif ar 'Lenyddiaeth Grefyddol y Cymry Gynt':

> Er mai amddiffyn Eglwys Loegr yn erbyn edliwiadau Eglwys Rufain y mae Jewel, eto y mae ei waith, erbyn hyn, yn hytrach yn amddiffyniad i Ymneilltuaeth nag i'r Eglwysyddiaeth uchel sydd yn awr mewn bri. Y mae *hen* amddiffynwyr Eglwys Loegr yn dangos un peth yn amlwg iawn, sef nad diwygio'r Eglwys Gatholig a wnaeth y Diwygwyr Protestannaidd, eithr ymwahanu oddi wrthi, mor wirioneddol ag yr ymwahanodd yr Ymneilltuwyr oddi wrth Eglwys Loegr; a chyfiawnhau'r ymwahaniad neu'r ymadawiad hwn y *mae* prif amddiffynnwr Eglwys Loegr yn ei lyfr. Yn wir, dyfyniadau o'r Deffyniad fyddai'r rhesymau cryfaf yn erbyn y rhai sydd yn haeru nad yw Eglwys Loegr yn ddim amgen na pharhad di-fwlch o'r hen Eglwys Frytanaidd.

Fel yna y gwelwn Emrys ap Iwan y Protestant pybyr – a dyna oedd, na fydded unrhyw amheuaeth – yn ei ddatgysylltu ei hun oddi wrth y dehongliad Protestannaidd traddodiadol o hanes Cymru. Ef, yn ei oes, oedd lladmerydd croywaf y meddwl newydd am natur cenedligrwydd y Cymry ac am berthynas cenedligrwydd â chrefydd yn gyffredinol. Cafodd y meddwl hwnnw, maes o law, fynegiant ymarferol yng nghenedlaetholdeb yr ugeinfed ganrif; ond nid yw eto wedi llwyr ennill y dydd hyd yn oed ymhlith pobl y Pethe.

Nid un am siarad ar ei gyfer oedd Emrys ap Iwan. Y mae ymhlygiadau i bopeth y mae'n ei ddweud. Dilyner yr ymhlygiadau i'r pen ac fe geir bod defnydd gwrthdaro rhwng rhai ohonynt a'i gilydd. Gwêl ei wrthwynebwyr 'anghysonderau' ym meddwl pob dysgawdwr, a'i gefnogwyr, hwyrach, yn fwy parod i weld 'paradocsau'. Galwn hwy y peth a fynnom, gadewch inni nodi rhyw dri.

(i) Fe gyffredinolodd Emrys braidd ar y mwyaf am nodweddion cenhedlig: 'Pa mor chwannog bynnag a fo'r cyfryw un i ddyrchafu ei genedl ei hun, fe gollai ymddiried pob dyn diragfarn pe taerai fod y Cymry mor eirwir â'r Saeson, mor ddiwair â'r Gwyddyl, mor onest â'r Ellmyn, mor sobr â'r Ffreingc, ac mor foneddigaidd â'r Spaeniaid...' ac fel yna ymlaen, droeon. Eto onid y casgliad y mae ei resymeg ef yn ein harwain ato yw nad oes i unrhyw genedl 'gymeriad' neu 'anian' yn yr ystyr o briodoleddau cyson, digyfnewid? 'Un gwaed' sydd. Y mae'n gonfensiwn ac yn hwylustod digon cyfreithlon sôn am 'seicoleg cenedl' fel am 'seicoleg' unrhyw gymdeithas neu grŵp dynol arall. 'Mae yma rywbeth seicolegol' meddem, pan welwn genhedlaeth gyfan o drigolion plwy gwledig yn dewis gwerthu eu tai a'u tiroedd i Saeson; neu pan welwn eu hwyrion deunaw oed yn penderfynu mai yng ngholegau Lloegr y maent am dderbyn gweddill eu haddysg; neu pan ddygwn i gof Ŵyl Ddewi 1979. A digon teg yw'r defnydd o'r gair. Serch hyn, ar gyfeiliorn yr awn onid ydym yn deall mai rhywbeth wedi ei wreiddio yn ei chymdeithaseg hi yw seicoleg cenedl. Yr oedd Emrys ap Iwan yn deall hynny. Pan yw'n sôn am y genedl fel 'person moesol' defnyddio ffigur y mae, un traddodiadol iawn ac un dealladwy. Daethom ninnau'n gyfarwydd â'r sôn am 'achub enaid y genedl', ymadrodd hoff gan Saunders Lewis, D.J. Williams, Lewis Valentine a'u cenhedlaeth. Ffigur oedd hwnnw hefyd, a barhaodd yn ystyrlon ac a fu'n ddylanwad am gryn dri chwarter canrif. Bellach mae fel petai wedi diflannu o eirfa cenedlaetholdeb. Oddi ar ddechrau'r 1970au bu'r seciwlareiddio mor garlamus fel bod y syniad crefyddol y tu ôl iddo, a alluogai ei ddeall fel trosiad, yn cilio o amgyffred pobl. Do fe gyfrannodd Emrys ap Iwan at ddod â'r ffigur hwn i gylchrediad; ar yr un pryd, ac yn baradocsaidd fe ddichon, y mae popeth a ysgrifennodd ef am gyflwr a phroblemau Cymru yn cynrychioli newid arwyddocaol oddi wrth yr hen ddealltwriaeth 'seicolegol' o genedligrwydd at ddealltwriaeth newydd, gymdeithasegol yn ei hanfod. Yn ei feddwl ef, a meddwl y traddodiad a'i dilynodd, rhyw law-fer yw 'nodweddion' cenedl am yr arferion meddwl a gweithred a bennir gan ei hamgylchiadau hi. Nid oes nodweddion na phriodoleddau na chymeriad sy'n annibynnol ar sefydliadau. Drwy sefydliadau y mae cenedl yn bodoli. Ac un sefydliad mawr hanesyddol y Cymry yw eu hiaith.

(ii) Y mae ei amgylchiadau yn gosod terfynau ar yr hyn sy'n bosibl i unrhyw grŵp o bobl. Fe allai dealltwriaeth Emrys ap Iwan o'r gwirionedd hwn ddod i wrthdrawiad â'i bwyslais ar ryddid, ar gyfrifoldeb unigolyn a chymdeithas, ac â'r gred honno yng ngrym ewyllys a phenderfyniad a ddatganodd droeon yn nannedd tueddbennaeth rhai o wrthwynebwyr y Gymraeg a gwangalondid rhai o'i charedigion. I'r gwrthdrawiad posibl hwn mae'n siŵr y byddai ganddo ei ateb ei hun, fel y byddai gan y Marxydd ei ateb yntau.

(iii) Dysgai Emrys ap Iwan nad drwy ddamweiniau hanes, na thrwy benderfyniadau dynion, y daeth cenhedloedd i fod. Credai mai mynegiant o ewyllys ddwyfol yw bodolaeth cenedl ac amrywiaeth cenhedloedd. Serch hyn oll – ac 'rwy'n ceisio geirio'n ofalus – yn ei ysgrifeniadau ef yr amlygir gliriaf y newid meddwl hwnnw ynghylch cenedligrwydd a wnaeth yn bosibl genedlaetholdeb seciwlar modern yng Nghymru. Rhyngom bawb a derbyn neu wrthod ei esboniad diwinyddol ef ar *darddiad* cenedl; y mae ei syniad am *natur* cenedl yn un y gall y meddwl seciwlar hefyd ei dderbyn. 'Yr wyf i yn Gymro yn ogystal ag yn Fethodist, ac ni fynnwn addaw dim oll fel Methodist a'm rhwystrai i deimlo a siarad fel Cymro.' Dyna'i eiriau, fel yr adroddir hwy yn y *Cofiant*, wrth Gymdeithasfa Llanidloes adeg yr helynt ynghylch ei ordeinio ym 1881. Y mae eu hymhlygiadau yn gyrhaeddbell. 'Yr wyf i yn Gymro *yn ogystal* ag yn Fethodist'; nid *trwy* fod yn Fethodist. Dyma wrthod yn y fan y syniad mai yn unig trwy ei sefydliadau crefydd yr oedd yn bosibl neu'n briodol i Gymru fyw. Bu raid iddo ddatgan yr un peth wedyn ymhen dwy flynedd pan ddaeth ei achos gerbron Cymdeithasfa Llanfyllin, a phan ofynnwyd iddo'n benodol gan y Dr. Owen Thomas 'addaw nad ysgrifennai ef eto y pethau yr oedd yn ymddangos ei fod wedi eu hysgrifennu.' Atebodd Emrys '... ei fod ef yn ysgrifennu ar bwnc gwladol, y tu allan i'r cylch crefyddol. Teimlai ef yn hynod wresog fel Cymro, a chredai nad oedd ei ddyledswydd fel Cymro yn myned yn erbyn ei ddyledswydd fel crefyddwr a Methodist, ond yr oedd yn tueddu i feddwl fod y Cyfundeb yn gormesu ar deimlad dyn fel gwladwr.' Dyma ganiatáu annibyniaeth i'r cylch 'gwladol', h.y. seciwlar, mewn modd nas gwnaethai yr un Protestant o Gymro o'r blaen.

Cymwynas, a cham gwir angenrheidiol, fu rhyddhau'r meddwl am Gymru o gloffrwym yr hen ddehongliad diwinyddol. Wedi i hynny ddigwydd, nid yw hyd yn oed yr hen ymdeimlad Prydeinig neu Frytanaidd yn ddrwg i gyd; datgysyllter hwnnw oddi wrth y syniad o euogrwydd a chosb, a'r holl gysêt sy'n deillio o hynny, ac fe'i rhyddheir i weithio o'n plaid, nid yn ein herbyn. Y mae'n gred gen i bod hynny'n beth a ddylai ddigwydd, fel rhan o'r ailfeddwl a orfodir arnom gan amgylchiadau alaethus Cymru heddiw. Ac y mae bod hynny'n digwydd yn gyfystyr ag ailddiffinio nod cyfansoddiadol cenedlaetholdeb Cymreig. Wrth awgrymu'r fath beth, a ydym yn golygu bwrw heibio bopeth y ceisiwyd ei ddiffinio fel 'traddodiad Emrys ap Iwan'? Nac ydym, yn fy marn i, ddim o gwbl.

Fel cenedlaetholwr, ni cheisiodd Emrys ddweud popeth. Beirniad ydoedd, yn adweithio i rai o dueddiadau ei oes, ac yn ceisio gosod traed ei gyd-Gymry ar y llwybr tuag at achubiaeth wleidyddol. Nid oedd ganddo na breuddwyd am y gorffennol na rhaglen fanwl at y dyfodol. Yn wahanol i rai o'i ddisgyblion enwocaf nid oedd yn ganoloeswr, ac ni leolai ei 'oes aur' mewn unrhyw gyfnod mwy na'i gilydd. Fel beirniad llenyddol fe osododd derfynau yr hyn y credai ef ei fod yn gyfnod clasurol mewn llenyddiaeth, ond nid aeth rhagddo – fel yr aeth Saunders Lewis – i ddadlau fod gwerthoedd cymdeithasol y cyfnod hwnnw i'w hedmygu'n arbennig nac i'w hatgyfodi. *Breuddwyd Pabydd Wrth Ei Ewyllys* a rydd y syniad gorau o rai o'r pethau y carai ef eu gweld yn digwydd yng Nghymru'r dyfodol, ac nid gweledigaeth Iwtopaidd a gyflwynir yno; gweledigaeth yn hytrach o Gymru wedi callio'n ddirfawr mewn rhai pethau, ond wedi gorfod talu pris hefyd am na bai wedi callio ynghynt. Wedi'r cyfan y mae Cymru'r *Breuddwyd* wedi ymado â'i chrefydd Brotestannaidd, ac nid heb ystumio mawr ar ei syniadau y gellir dal mai dyna a hoffai Emrys ei weld yn digwydd. Ar yr ochr gadarnhaol y mae hi hefyd, rywfodd neu'i gilydd, wedi diogelu ei hiaith, wedi adennill ei rhyddid gwleidyddol, ac wedi bwrw heibio'i chysêt; y mae ei phobl 'yn gallu gwneud yr hyn nad all y rhan fwyaf o Gymry yr oes hon mo'i wneud: sef anghofio'u hunain am awr neu ddwy'. Y tu hwnt i hynny, ni fanylir. Un o'r pethau nas ceir ganddo yw dysgeidiaeth bendant ynghylch y drefniadaeth gyfansoddiadol orau er sicrhau parhad y Cymry. Ychydig a fu ganddo i'w ddweud ar y pwnc. Eto fe dâl craffu ar yr ychydig hwnnw:

> Os dywed rhywun mai cenedl gydraddol ydym â'r Saeson ac nid un ddarostyngedig iddynt, yna paham na bai gennym senedd Gymreig? Neu, yn niffyg senedd Dywysogaethol, paham na bai nifer ein cynrychiolwyr yn y Senedd Ymerodrol yn gystal â nifer cynrychiolwyr y Saeson? Lle bynnag y bo '*predominant partner*', nid oes yno gydraddoldeb. Nid yw '*predominant partner*' yn ddim amgen nag enw mwyn ar orthrechwr – *tyrant*.

Mewn un lle y mae Emrys yn gwahaniaethu'n ofalus rhwng 'taetheg' a 'stradeg' (tacteg a strategaeth, ddywedem ni). Peth i'n cael ein hunain allan o dwll yw'r cyntaf; ond golyga'r ail gyfres o symudiadau cyrhaeddbell gyda llygad o hyd ar yr amcan sy'n cyfiawnhau'r cyfan. Nid yn 'daethegol' ond yn 'stradegol' y dylem ninnau fod yn meddwl yng nghanol yr argyfwng sydd arnom. Nod ac anghenraid y stradegydd, meddai Emrys, yw 'awen', a diffinia hynny fel 'y gallu i weld yr anweledig'. I bawb ohonom sydd, fel yntau, yn eiddigus dros barhad, dros fodolaeth, hen genedl y Cymry, mae hi'n adeg i ailfeddwl, i adfyddino, i ymosod o gyfeiriad newydd. Gellir gwneud hynny heb ollwng dros gof yr un o wersi Emrys ap Iwan.

NODIADAU

1. Bill Wynne-Woodhouse, 'The Ancestry and Early Childhood of Emrys ap Iwan (Robert Ambrose Jones): a Test of Tradition', *Hel Achau* 21 (Gwanwyn 1987), t.15. Am grynodeb yn Gymraeg o rai o gasgliadau'r erthygl hon, gweler bellach *Taliesin* 60 (Nadolig 1987), t. 74.

2. *Ym Mhob Pen* (1948), t.26.

3. Yn y gyfrol *Seiliau Hanesyddol Cenedlaetholdeb Cymru* (1950), t. 114.

4. E.e. mewn llythyr a ddyfynnir yn y *Cofiant*, t. 129.

5. *Cofiant*, t.160.

6. *Yr Apêl at Hanes* (1931), t. 168.

7. Efallai mai'r datganiad huotlaf ganddo o'r safbwynt hwn yw'r un yn yr ysgrif 'Llenorion a Lleygwyr', a ymddangosodd gyntaf yn *Yr Efrydydd* (Mawrth 1928) ac a geir bellach yn *Meistri a'u Crefft* (1981), t. 164.

8. R. Tudur Jones, *Ffydd Emrys ap Iwan*: Cymdeithas Emrys ap Iwan, Abergele, y Ddarlith Flynyddol, Cyfrol 3-4 (1984).

[Darlith Flynyddol Cymdeithas Emrys ap Iwan, Abergele, 1987]

GWLAD Y BRUTIAU

Brytaen orau o'r Ynysedd, *yr hon a elwid yr Ynys Wen*, yr hon y sydd osodedig yn yr eigiawn gorllewinawl y rhwng Ffrainc ac Iwerddon. Ac y sef yw hyd yr ynys hon wyth cant milltir, a dau cant yw i lled, a phob peth o'r y sydd raid i ddyniawl arfer ohonaw, ynddi i hun y'i ceffir o anniffygedigiaeth ffrwythlonder. Aml yw ynddi pob cenedl o'r mwyn *aur ac ariant ac efydd ac ystaen* [= tun] *a phlwm a haearn*. Ac i gyd â hynny meysydd llydan aml ac eang y sydd ynddi, a brynnau eglur goruchel, addas i ffrwythau trwy amrafael amser. Ac i gyd â hynny coedydd a fforestau y sydd ynddi yn gyflawn o amrafaelion genhedloedd anifeiliaid, a gwenyn yn ehedeg ar flodau ac yn gwneuthur eu mêl o aneirif amlder. Ac i gyd â hynny ffynhoniau y sydd ynddi a ffrydiau yn cerdded o naddynt [= ohonynt] yn gloew ac yn araf, y rhai a fag cerdd a hun i'r a gysgo ar eu glannau. Ac i gyd â hynny llyniau ac afonoedd aml y sydd ynddi yn gyflawn o amrafaelion genhedloedd o bysgawd. Ac i gyd â hynny, eithr y môr y darymredir ohoni i Ffrainc, tair afon bonheddig y sydd ynddi, nid amgen, Temys, a Hafren, a Humyr. A'r tair prif afon hynny y sydd megis tri braich yn ymestynnu ar draws yr ynys, ar hyd y rhai y daw y llongau i arwain amrafaelion gyfnewidiau o'r gwladoedd yn i chylch. Ac i gyd â hynny cyn [= gynt] ydd oedd deg ac ardderchawg o wyth dinas ar ugaint o prif dinasoedd, a rhai o hynny y sydd heddiw yn diffaith, gwedi eu gwasgaru ac eu distryw a gadu gwall arnaddynt. Eraill etwan [= eto] y sydd yn sefyll yn gyfan ac yn gywair o furoedd cadarn goruchel ardderchawg, yn y rhai y maent amrafaelion genfeinioedd [= tyrfaoedd] gwŷr a gwragedd yn talu gofunedawl wasanaeth i'r creawdwr yn herwydd ffyddlawn Gristonogaeth. Ac o'r diwedd pump cenedl y sydd yn i chyfanheddu, nid amgen, Norddmaniaid, a Brytaniaid, a

Saeson, a Gwyddyl Ffichti [= Pictiaid], ac Ysgotiaid [= Gwyddelod]. *Ac o'r rhai hynny nid dylyedawg neb arnei* [= nid oes gan neb hawl arni] *namyn y Brytaniaid*, canys wynt a'i cyfanheddasant o'r môr bwy gilydd cyn dyfod neb o'r cenedl-oedd eraill *yn ormes arnaddynt*. A hynny i ddial eu camwedd ac eu syberwyd arnaddynt y rhoddes Duw y Saeson a'r Gwyddyl Ffichti yn ormes arnaddynt. Megis y doethant hagen, ac y goresgynasant yr ynys arnaddynt, ni a'i damllewychwn [= goleuwn, dangoswn] yn y llyfyr rhag llaw.[1]

BYDD RHAI OHONOCH, llawer ohonoch efallai, yn adnabod y darn fel paragraff agoriadol testun a olygwyd gan yr Athro Henry Lewis a'i gyhoeddi ym 1942, ac sydd wedi ei fodio'n bur drwm gan efrydwyr y Gymraeg yn ystod yr hanner canrif, bron â bod, sydd rhyngom ni a hynny, *Brut Dingestow* wrth ei enw. Mae gen i gof am byslo uwchben y teitl yna, yn hogyn yn dechrau 'gwlychu 'nhraed yn y Pethe', ys dywedir. Brut...? Dingestow...? Agor y llyfr, a chael ynddo y peth y byddem ni'n ei alw'n 'rhyw Gymraeg digri'. A'i gau. Ac ni waeth imi ddweud wrthych fod un arall o lyfrau tra derbyniol a defnyddiol Abertawe a'i deitl yn gryn benbleth imi yn yr un cyfnod, *Ystorya de Carolo Magno*! Beth oedd peth fel'na, Cymraeg? Lladin? Esperanto? A'r 'Cymraeg digri' y tu mewn eto. Wel, fe ddaeth goleuni ymhen amser. Cymraeg Canol, erbyn deall, oedd y Cymraeg digri. Mi ddois i ddeall mai enw lle yw Dingestow, Llanddingad yn Gymraeg, ac mai yng Nghwrt Dingestow, ger Trefynwy yng ngwlad Gwent, y doed o hyd i'r llawysgrif. Ac mi ddysgais mai 'Brut' oedd enw'r hen Gymry ar lyfr hanes, a'i fod yn tarddu o enw rhyw Brutus o Gaerdroea, yr honnid ac y credid iddo sefydlu brenhiniaeth a llywodraeth y Brytaniaid yn yr Ynys hon. Ac yn nes ymlaen eto mi ddois i wybod bod yna ddau Frut, Brut y Brenhinedd a Brut y Tywysogion, ac i ddysgu tipyn amdanynt.

Dysgu, ymhlith pethau eraill, eu bod yn ddau Frut gwahanol iawn i'w gilydd. Fe fydd llawer ohonoch yn gwybod gwahanol ym mha bethau. Ond gadewch inni grynhoi'r prif nodweddion. Bydd tri phen yn ddefnyddiol.

Yn gyntaf, maent yn wahanol o ran dull eu cyfansoddi. Fel y gwyddys, cyfieithiad yw Brut y Brenhinedd (y mae Brut Dingestow yn un fersiwn arno), o'r llyfr tra enwog a phoblogaidd a dylanwadol *Historia Regum Britanniae*, a ollyngwyd oddeutu 1136-8 o law ei awdur, Sieffre o Fynwy. Y mae hwn yn gyfansoddiad ac arno gynllun pendant, ac argraff dychymyg un dyn. Peth gwahanol yw Brut y Tywysogion, cyfres o flwyddnodion neu *annales* (yniales, fel y byddai'r hen Gymry weithiau'n eu galw), wedi eu hel at ei gilydd yng nghwrs y cenedlaethau, ac o bosib eu lled-olygu gan rywun yn ddiweddar yn y drydedd ganrif ar ddeg.

Yn ail, maent yn gwahaniaethu yn eu graddau o eirwiredd. A thorri'r stori'n fyr, ffug-hanes yw Brut y Brenhinedd, hanes gwir yw Brut y Tywysogion.

Yn drydydd, mae gwahaniaeth o ran llwyfan neu leoliad. Ym Mrut y Tywysogion fe allwn adnabod Cymru ynghyd â'i hamrywiaeth o wledydd mewnol, ei thaleithiau tywysogol, a chantref a chwmwd oddi mewn i'r rheini. Lleoliad go iawn ar gyfer hanes gwir. Llwyfan Brut y Brenhinedd yw rhyw wlad o'r enw Ynys Brydain, ac fe'i gwelir hi gan amlaf drwy ryw wawl. Dechreuad ei hanes yw ei meddiannu a'i gwladychu gan fintai o alltudion o hen ddinas Caerdroea, o dan arweiniad tywysog ifanc o linach frenhinol y ddinas, Brutus. Yn ôl yr ysgolheigion, nid Sieffre oedd yr unig un o awduron chwedlau tarddiad pobloedd Ewrop a'i helpodd ei hun yn hael o stori fawr Aeneid Fersyl am sefydlu gwlad newydd gan weddill pobl Tro. Y mae Brutus hefyd yn ffoadur, a hen ddarogan wedi ei gwireddu yn ei gylch, y byddai'n lladd ei fam a'i dad; bu farw'r fam ar enedigaeth, a lladdodd Brutus ei dad ar ddamwain wrth hela. Nid ef yw'r unig un o sefydlwyr pobloedd i fod yn euog o ryw gamwedd, bwriadol neu arall, yn erbyn câr iddo. Cyn erioed ddod i Ynys Brydain y mae Brutus wedi ei gweld mewn gwelediigaeth; fe gafodd y weledigaeth honno drwy ei osod ei hun yn ddefodol i gysgu ar groen ewig wen gerbron allor y dduwies Diana. Y dduwies ei hun sy'n llefaru wrtho: 'Brutus... y mae ynys y parth hwnt i Ffrainc yn gadwedig o'r môr o bob tu iddi, a fu gewri gynt yn i chyfanheddu, ac yr awr hon diffaith yw ac addas i'th genedl di.

Cyrch honno. Hi a fydd tragywyddawl eisteddfa it, ac a fydd ail Tro i'th lin di. Yno y genir brenhinedd o'th lin ti, y rhai y bydd darystyngedig amgylch y daer.' Wedi hanes meddiannu'r ynys gan Brutus a'i bobl, drwy ddisodli'r ychydig gewri a oedd ar ôl, fe ddilyn bron ugain canrif o hanes gwladychiad y Brytaniaid ym Mhrydain, eu cynnydd a'u cwymp, ynghyd â gorymdaith fawr o gan brenin namyn un. Yr olaf oll o'r rhain yw Cadwaladr Fendigaid. Gan ystumio llawer ar y gwirionedd, fe greodd Sieffre ddiweddglo sy'n ateb y dechreuad ac yn cwblhau cylch. Yn ateb dyfodiad Brutus o Gaerdroea, fe geir ymadawiad Cadwaladr, am Lydaw i ddechrau ac yna am Rufain, a meddiant y Brytaniaid ar eu hynys bellach ar ben, eu tir wedi ei gymryd gan y Saeson a'u niferoedd wedi eu lleihau yn ddirfawr gan bla. Mae araith ymadawol Cadwaladr yn werth ei dyfynnu o hyd, gan ei bod yn crynhoi themâu sydd yn ganolog i'n pwnc:

'Arglwydd hollgyfoethawg [= hollalluog], brenin nef a daear, ti a'n rhoddaist megis defaid yn fwyd bleiddau, ac a'n gwasgeraist ym mhlith y cenhedloedd... Gwae ni pechaduriaid am an [= ein] amrafalion pechodau trwy y rhai y coddasam [= digiasom] yr Hollgyfoethawg Dduw, can ni chymerasam penyd tra gawsam ysbaid i penydiaw ac i ymwneuthur â Duw. Wrth hynny heddiw y mae Duw yn dial arnam ninnau hynny, ac yn an [= ein] diwreiddiaw ac yn an dihol oc yn ganedig ddaear. Can ni allws gwŷr Rhufain gynt an dihol, na'r Ysgotiaid na'r Ffichtaid na'r bradwyr Saeson twyllwyr. Wedi hynny... efo y sydd yn wir frawdwr [= barnwr] ac yn an gweled ni heb peidiaw ac an pechodau... a anfones y dial yn trwm ac yn tost arnam ni, megis y mae rhaid in yn torfoedd adaw an priawd wlad a thref an tad. Ac wrth hynny ymchweled gwŷr Rhufain, ymchweled yr Ysgotiaid a'r Ffichtaid, ymchweled y bradwyr twyllwyr Saeson. Llyma Ynys Prydain yn diffaith uddunt hwy, gwedi ry ddiffeithaw o fâr Duw, yr hon ni allasant hwy ac eu holl gedernid i ddiffeithaw.'

Mae neges i Gadwaladr hefyd, nid gan dduwies baganaidd y tro hwn ond gan angel o'r Nefoedd. Wrth iddo baratoi ei lynges yn Llydaw ar fwriad ceisio adfeddiannu Ynys Brydain, '... doeth llef o nef ar Gadwaladr i erchi iddaw peidiaw â'i ddarpar, can ni mynnai Duw gwledychu o'r Brytaniaid ar ynys Prydain hwy no hynny, yny delai yr amser tyngedfennawl a daroganws Myrddin rhag bron Arthur. Ac erchi a wnaeth y llef i Gadwaladr myned hyd yn Rhufain... ac yno, gwedi darffai iddaw i benyd, ef a rifid y rhwng y rhai gwynfydedig. Ac i gyd â hynny y dywawd yr angel wrthaw y mae trwy efyrllid [= haeddiant] i ffydd ef y caffai y Brytaniaid yn y diwedd llywodraeth ynys Prydain pan darffai ailenwi yr amser tyngedfennawl. Ac ni byddai gynt hynny ynteu nag yny geffid esgyrn Cadwaladr Fendigaid o Rufain, ac eu dwyn hyd yn ynys Prydain... A phan gaffer yr esgyrn hynny y caiff y Brytaniaid eu harglwyddiaeth ar ynys Prydain ac eu hen teilyngdawd.'

Dyma lle mae Brut y Brenhinedd yn cloi, gydag ymadawiad Cadwaladr Fendigaid, yr olaf (fe honnir) o frenhinoedd y Brytaniaid i ddal meddiant ar yr Ynys, a chydag addewid yr angel yr adferir y meddiant hwnnw ryw ddydd. Dyma hefyd, ac 'rwy'n nesu yn awr at graidd yr hyn sydd gen i i'w ddweud, lle mae Brut y Tywysogion yn dechrau. Nid yw'r gwir hanes yn gwadu'r ffug-hanes. I'r gwrthwyneb, y mae'n ei gymryd yn fan cychwyn ac yn ei asio'i hun wrtho. Fe gawsom gan Sieffre hanes y brenhinoedd, o'r cyntaf hyd yr olaf; bydd y Brut arall yn rhoi inni hanes y tywysogion, hyd yr olaf eto, a'i rychwant yn chwe chanrif daclus o 681 hyd 1282. Dyma'i agoriad:

> Pedwar ugain mlynedd a chwechant ac un oedd oed Crist pan fu farwolaeth fawr yn ynys Brydain. Yn y flwyddyn honno ydd aeth Cadwaladr fab Cadwallawn, y brenin dwaethaf a fu ar y Brytaniaid, i Rufain ac yno y bu farw y deuddegfed dydd o Galan Mai. Ac o hynny allan y colles y Brytaniaid goron teyrnas ac y cafas y Saeson hi, megis y proffwydasai Fyrddin wrth Wrtheyrn Wrthenau. Ac yn ôl Cadwaladr y dynesahawdd [= dilynodd] Ifor fab Alan frenin Llydaw, nid megis brenin namyn

megis tywysawg, a hwnnw a gynhelis penaduriaeth ar y
Brytaniaid wyth mlynedd a deugaint ac yna y bu farw.[2]

'Colli coron teyrnas', dyna sy'n brifo o hyd. Mae'r hanes gwir yn cymryd
ei giw oddi wrth yr hanes apocryffaidd; a thu ôl i'r Gymru wirioneddol
sy'n llwyfan Brut y Tywysogion, ac yn ei hamgylchu a'i hamgáu megis, y
mae'r Ynys Brydain led-fythaidd y bu Sieffre, ac olyniaeth o haneswyr o'i
flaen yntau, Gildas, Beda, Nennius, bob un â'i bwyslais ei hun, yn trafod
ei thynged. 'Rwy'n credu bod hyn yn cyfiawnhau teitl y ddarlith, 'Gwlad
y Brutiau'; oherwydd 'does dim osgoi ar Ynys Brydain yn yr un o'r ddau
Frut.

O ddechrau eu hanes, fe goleddodd y Cymry ryw syniad am Ynys
Brydain fel eu gwir a'u priod wlad, ac amdanynt eu hunain fel gweddill
pobl a gollodd eu meddiant arni oherwydd rhyw wendid neu wall neu
fethiant ar eu rhan. Cyn cyfansoddi'n llenyddiaeth gynharaf, cyn bod yr
iaith Gymraeg wedi ei llawn ffurfio, cyn bod y Cymry'n uniaethu â'r
diriogaeth a adwaenwn ni fel Cymru, mae'n bosib fod stori ar led fod
rhyw bobl o'r enw y *Britanni* wedi colli eu gwlad, Ynys Brydain, a hynny
oherwydd eu pechodau. Fe gymerodd y Cymry, yn gam neu'n gymwys,
mai hwy oedd y *Britanni* hyn; a bu'r syniad o golli'r Ynys, weithiau gyda
phwyslais mawr ar y pechodau, weithiau a'r pwyslais yn fwy ar
gamgymeriad gwleidyddol, yn bresenoldeb diosgoi yn ein llenyddiaeth
am faith ganrifoedd. Mae hanes datblygiad a gweddnewidiadau'r 'syniad o
Brydain' ym meddwl y Cymry yn destun mawr, a'i ymhlygiadau o hyd,
am eu bod yn rhai ymarferol, yn rhai cynhyrfus. Pe bai rhywun yn
cwmpasu'r pwnc yn gyfan, fe welid bod swm y defnyddiau yn fawr; golygai
gadw mewn cof bron y cyfan o'r traddodiad barddol, o Daliesin ac Aneirin
drwy Feirdd y Tywysogion a Beirdd yr Uchelwyr ac ymlaen wedyn; golygai
ystyried tystiolaeth y Mabinogi, a chwedlau eraill megis Breuddwyd
Macsen, Lludd a Llefelys, Culhwch ac Olwen a Breuddwyd Rhonabwy;
y Cyfreithiau a'r Bucheddau; tystiolaeth gynnil ond tra awgrymog y
Trioedd; ysgrifeniadau gwŷr y Dadeni Dysg; olyniaeth o ysgolheigion,

hynafiaethwyr, ie geiriadurwyr hefyd, ar eu hôl hwythau; yr ambell anterliwt hanesyddol; ambell gerdd rydd a baled hyd at ddiwedd y ddeunawfed ganrif; barddoniaeth y ddeunawfed ganrif a'r bedwaredd ar bymtheg, dyweder o Ieuan Fardd ymlaen, gyda sylw arbennig i rai beirdd fel Dewi Wyn, Eben Fardd a Cheiriog; holl ddefnydd cylchgronol a newyddiadurol oes Victoria, a'r holl ysgrifennu gwleidyddol o Gomer a Morgan John Rhys hyd at J.R.Jones. Hynyna oll ym mhen y llyfrau hanes. Ochr yn ochr â thystiolaeth y Cymry, byddai raid ystyried cryn swm o lenyddiaeth y Saeson; ni ellid osgoi Beda a Milton, Malory a Spenser, Blake ac Arnold, ac enwi dim ond y rhai amlycaf. Rhwng pawb a phopeth, maes go helaeth.

Gadewch i ni ddethol, a chyfyngu'r sylw am dipyn i olyniaeth yr haneswyr hyd at Sieffre o Fynwy. Mae pedwar ohonynt, Gildas, Beda, Nennius a Sieffre ei hun; maent wedi eu gwasgaru dros chwe chanrif, a thros y cyfnod hir hwnnw mae cysondeb rhai themâu, ynghyd â gweddnewidiad rhai themâu eraill, yn ddiddorol iawn.

Hyd y gallwn ni ddweud (a rhaid pwysleisio hynny), mae'r cyfan yn cychwyn gyda'r hen lyfr a adwaenir yn Gymraeg wrth y teitl *Coll Prydain*, sef trosiad-dalfyriad o'i deitl Lladin gwreiddiol *De Excidio et Conquestu Britanniae*. Yn ôl y farn gyffredin, er nad barn unfryd chwaith, dyma waith Gildas, mynach neu sant, yn byw ar draws canol y chweched ganrif.[3] Fe awn ni heibio'n slei i'r cwestiynau cymhleth sydd wedi eu codi ynghylch awduraeth a dull cyfansoddi'r llyfr hwn. Ei stori a'i neges, a'u crynhoi hyd at yr hanfod, yw fod Duw, i gosbi'r *Britanni*, wedi eu difreinio ac wedi trosglwyddo rhan helaethaf a ffrwythlonaf eu gwlad i ddwylo cenedl arall, sef y Saeson. Fel proffwyd i'w oes yr oedd Gildas yn ei weld ei hun, ac ar ei feddwl a'i ieithwedd fe welir yn eglur ddelw rhai o broffwydi'r Hen Destament, Eseia a Jeremeia'n arbennig. Ond, yn wahanol i lyfr Eseia, nid yw llyfr Gildas yn mynd yn ei flaen i gyhoeddi 'Dywedwch wrth fodd calon Jerwsalem, llefwch wrthi hi, gyflawni ei milwriaeth, ddileu ei hanwiredd: oherwydd derbyniodd o law yr Arglwydd yn ddauddyblyg am ei holl bechodau'. Yn ôl Gildas yr oedd y *Britanni*, oherwydd eu pechod, wedi colli'r dydd a dyna'i diwedd hi. Fel yr oedd yn rhaid i broffwyd, yr oedd yn dal i annog edifeirwch a diwygio buchedd; ond 'doedd ganddo ddim addewid nac awgrym o dro ar fyd.

Fe ddaeth stori Gildas, ac o bosib y llyfr *Coll Prydain* ei hun, i law Beda, 'Tad Hanes Lloegr' yn nhraddodiad ei bobl ei hun, 'Beda Ddoeth' fel y cyfeiria Brut y Tywysogion ato, yn barchusach nag y cyfeiriodd ef erioed at unrhyw Gymro. Yn llyfr Beda, *Historia Ecclesiastica Gentis Anglorum* (Hanes Eglwysig Cenedl y Saeson), a gwblhawyd, fe gredir, yn 731, fe ailadroddir stori coll Prydain gan ei helaethu a'i pharhau. Ac fe newidir y pwyslais. Y modd y collodd y *Britanni* eu braint oedd stori Gildas; y modd yr enillodd y Saeson fraint yw stori Beda, y modd y profasant, drwy gymryd yn serchog at y wir ffydd, eu bod yn gymwys a theilwng i dderbyn meddiant yr Ynys.

Tua'r flwyddyn 800, yn ôl y rhai sy'n gwybod, fe roed ynghyd y llyfr a elwir *Historia Brittonum* (Hanes y Brytaniaid). 'Rydym yn ei alw o hyd yn waith Nennius, er ei bod yn debygol mai cywaith, neu gasgliad o amrywiol ddogfennau, ydyw. Nennius (fe gadwn ni at y llaw-fer) sy'n adrodd gyntaf mai Brutus o Gaerdroea a arweiniodd y Brytaniaid i'r Ynys hon. Mae'n ei groesddweud ei hun yn syth â darn o ryw chwedl darddiad arall. Ond dyma gychwyn rhywbeth. Nennius, ar ryw ystyr, yw'r brutiwr cyntaf. O blith nifer o lyfrau dysgedig sy'n rhoi goleuni inni ar feddyliau'r hen haneswyr, yr wyf am gydnabod dyled i un yn arbennig, am y modd clir y mae'n dangos y gwahaniaeth rhwng Nennius a Gildas; llyfr rhagorol R.W.Hanning, *The Vision of History in Early Britain*,[4] ydyw hwnnw. Unwaith y mae Hanning wedi ei ddweud, y mae mor eglur â'r dydd: lle gwelodd Gildas bechodau, rhyw wrthryfel yn erbyn Duw gan y bobl yn gyffredinol a chan eu harweinwyr, fe welodd Nennius glamp o gamgymeriad gwleidyddol, sef camgymeriad Gwrtheyrn yn rhoi troedle i Hors a Hengist yn Ynys Brydain. Digon carbwl yw adroddiad yr *Historia Brittonum* mewn mannau, ac mae yna gydnabod hynny ar ei ddechrau. Eto, wrth sefyll bellter bach oddi wrtho, a'i ddal yn y goleuni iawn, fe welwn rai amlinellau clir. Mae'r brenin annoeth a'r bachgen-broffwyd yn sefyll ar ben craig yn Eryri ac yn gwylio'r dreigiau'n ymladd, y wen fel petai'n cael y gorau am dipyn, ond y goch yn troi ac yn ymosod yn rymus ac yn y diwedd yn gyrru'r wen ar ffo. Yma y mae ergyd yr *Historia Brittonum*, yma y gwelwn ni'r chwedl, y myth, yn cymryd cyfeiriad newydd. Fe ddaw tro ar fyd eto, a bydd y bobl yn goroesi eu brenin ffôl. 'Does yma mo'r ocheneidiau na'r hunangyhuddo sydd yn Gildas. 'Rydym wedi colli rownd, ond 'dyw'r ornest ddim ar ben; a 'dyw'r ffaith ein bod ni wedi colli ddim yn golygu ein bod ddim gwaeth, na dim gwell, na neb arall. Y mae'r syniad o genedl etholedig, ac o farn arbennig Duw ar y Brytaniaid, wedi gwanhau. Fe ddaw hwnnw'n ei ôl ymhen amser, gwaetha'r modd yn fy marn i, oherwydd mae pwyslais Nennius yn iachach na phwyslais Gildas. A thorri ar beth a allai fynd yn bregeth hir, cyfraniad Nennius, ie, bron na ddywedwn ei gymwynas, fu seciwlareiddio, i raddau beth bynnag, y 'myth Brytanaidd' a ddaeth i'w law. Yn ychwanegol at hynny fe gyfunodd, gyda'r cof am a fu, obaith am a ddaw; brut a brud, nid oes ysgar arnynt bellach.

Tair canrif dda eto, a dyma Sieffre o Fynwy'n etifeddu'r cyfuniad. Mae'n ailadrodd stori ymryson y dreigiau, gan newid ambell fanylyn, ac yn ei gwneud yn gyfle ac achlysur i Fyrddin ddewin lefaru cyfres hir o ddaroganau tywyll, yr ymborthodd brudwyr eraill arnynt am ganrifoedd wedyn. Fe gyhoeddir y darogan eto, yn y darn a ddyfynnais ichwi o tua diwedd yr *Historia*, neges yr angel i Gadwaladr Fendigaid. Ond rywsut mae'r cywair yn wahanol erbyn hyn; fe leferir ac fe wrandewir y darogan mewn awyrgylch o flinder, digalondid a diflastod. Ar y ffordd i lawr y mae'r Brytaniaid yn y cyfnod hwn o'u ffug-hanes, ac ymhell bell yn niwloedd y dyfodol y mae gobaith ymadnewyddiad. 'Gobaith a oeder a wanha y galon,' medd yr adnod. Amwys yw Sieffre bob amser; ond at ei gilydd y mae llai o galondid i'r Cymry nag i'w gwrthwynebwyr yn nhudalennau olaf Brut y Brenhinedd. Yn ogystal ag etifeddu'r cyfuniad o frut a brud, hanes a darogan, fe wnaeth Sieffre gyfuniad arall, sef rhyw gawdel o ddamcaniaeth y pechod a damcaniaeth y camgymeriad gwleidyddol, i esbonio coll Prydain. Mae dehongliad gwleidyddol Nennius yma, a hen bregeth Gildas hefyd; ei helpu ei hun i unrhyw beth a oedd ar gael a wnâi Sieffre, heb boeni'n ormodol am gysoni safbwyntiau croes. Seciwlar oedd ei fryd ef yn bennaf, ond gallai wneud sŵn duwiol pan fyddai angen. Efallai fod Sieffre, i'w foddhad ei hun, yn cysoni rhai pethau, a hynny mewn dwy ffordd: (i) drwy ddweud mai cosb gan Dduw am bechod oedd yr annoethineb gwleidyddol,[5] a (ii) drwy fynnu bod y Brytaniaid yn euog o un prif bechod, sef anundeb neu ymraniad. Drwy gydol y canrifoedd wedyn bu'r Cymry'n ailadrodd y cyhuddiad hwn fel tiwn gron yn eu herbyn eu hunain; cambwyslais dybryd, yn fy marn i, yn anwybyddu rhan fawr o realiti gwleidyddiaeth, sef mai gwladwriaeth, gydag eithriad, sy'n rhoi undod i bobl. Chware teg i Frut y Tywysogion. Mae yntau'n adrodd wrthym enghraifft ar ôl enghraifft o frad Cymro yn erbyn Cymro, ac o gynnen a cham a dial rhwng taleithiau ac o fewn tylwythau. Prin y gallai beidio. Ond, wrth gofnodi'r pethau diosgoi hyn, y mae'n ein harbed yn aml iawn rhag y bregeth hunangyhuddol. Yr oedd y digwyddiadau hyn yn bod, ac yn sicr yn achos gofid; ond gan mwyaf oll fe ymgedwir rhag yr awgrym mai amlygiad o ryw wendid arbennig 'Gymreig' ydynt; gadewir y ffordd yn rhydd inni eu deall yn gymdeithasegol, hynny yw fel pethau sy'n dueddol o ddigwydd dan fath arbennig o drefniadaeth gymdeithasol (neu'r diffyg trefniadaeth, a welodd Gerallt Gymro), nid fel nodweddion 'cenhedlig', chwaethach nodweddion sy'n ganlyniad barn Duw ar genedl neilltuol.

Pe bai rhywun yn benderfynol o fynd ar war Sieffre ymhellach am ei anghysondeb, fe ellid cwyno bod un cwestiwn arall heb ei setlo ganddo, fel gan lawer o haneswyr yr Oesoedd Canol, sef pwy neu beth, yn y pen-draw, sy'n rheoli tynged pobloedd. Ai Rhagluniaeth ddwyfol, ai Ffawd a'i holwyn fawr? Mewn darluniau o ddiwedd yr Oesoedd Canol ac o gyfnod y Dadeni fe ddangosir Arglwyddes Ffawd, a mwgwd am ei llygaid, yn eistedd ger ei holwyn, a rhes o fawrion byd yn disgwyl eu tro i gael eu codi ganddi i'r entrych cyn eu bwrw i lawr wedyn. Ond mae rhwymyn am wddf Ffawd hithau, a llaw o'r cwmwl yn dal yn ei ben; llaw Duw yw honno, i'n hatgoffa bod meistr ar Feistres Ffortun hithau. 'Roedd y lluniau hynny, fel Sieffre yn ei ffordd, yn ceisio cysoni dau syniad nad oes cysoni arnynt yn y diwedd, un yn ysgrythurol a'r llall yn baganaidd.

Rhagluniaeth medd un, Ffawd medd y llall, y ddau medd llawer. Pa fersiwn bynnag a goeliwn, mae'r canlyniad yr un: fod rhyw law yn rheoli cwrs hanes, a bod felly batrwm i'w weld yn helyntion dynion. Nid yw rhagdybio patrwm o angenrheidrwydd yr un peth â rhagdybio diben; mae *patrwm* i'w weld yn yr olwg 'gylchol' ar hanes, y syniad bod cwymp bob amser yn dilyn cynnydd, ac y daw rhyw gynnydd eto ymhen rhyw hyn-a-hyn o amser, hir neu fyr, ar ôl y cwymp. Ond 'does dim *pwrpas* i'w ganfod yma, o raid; oherwydd fe ellir ailadrodd y patrwm hyd ddiwedd amser. Ar y llaw arall, os edrychir ar hanes fel proses unffordd, fe ellir credu bod y cyfan ohono'n cyrchu at un diben neu nod. Pa symudiad bynnag y dewisir ei weld, y cylchol neu'r unffordd, y mae ar waith y peth a alwyd yn dueddbennaeth hanesyddol neu hanesgrediniaeth neu historigiaeth, y peth a gondemniwyd fel un o ofergoelion mawr yr oesau gan un o athronwyr ein hoes ni, K.R. Popper yn ei lyfr *The Poverty of Historicism*.

Wrth ddarllen yr hen lyfrau hanes, fe allwn ni ffurfio dau amgyffrediad gwahanol o goll Prydain. Gallem alw'r cyntaf yn amgyffrediad 'mythaidd': mae'r digwyddiad yn digwydd mewn amser chwedlonol, y tu allan i amser llinellol, a gall gael ei ailadrodd drosodd a thro mewn hanes.[6] Mae rhyw nodwedd felly i 'Hanes Gwrtheyrn' fel yr adroddir ef gan Nennius ac eraill: dyfodiad y tair llongaid o Saeson, yna 16 (neu 18), yna 40, yna 300, yna (yn ôl Sieffre) 300,000 o wŷr arfog; hanes Caer y Garrai, cyfarfyddiad Gwrtheyrn â Rhonwen, a Brad y Cyllyll Hirion. Chwedl i gyd efallai, neu lwyth o gelwyddau. Eto fe saif fel rhyw ddameg o beth sy'n dueddol o ddigwydd pan gyferfydd Cymro a Sais. Yn wyneb *adventus Saxonum* arall, nid yw'n rhy braf i'w ddarllen; mae ar rywun eisiau brysio ymlaen at hanes y ddwy ddraig. 'Hanesyddol' fyddai'r gair efallai am yr amgyffrediad arall; gwelir coll Prydain fel peth a ddigwyddodd unwaith, ac felly fel rhan o broses. Unwaith eto, nid yw dweud 'proses' o angenrheidrwydd yr un â dweud 'diben'. Ond diben a welodd y rhan fwyaf o awduron y traddodiad.

Tueddbenwyr fuont, heb nemor eithriad, o Gildas hyd at O.M.Edwards. A beth petawn i'n awgrymu mai tueddbennol, neu historigaidd, fu rhagdybiau haneswyr Cymru yn y cyfnod modern hefyd, hyd yn ddiweddar iawn?

Ar ôl cyrraedd y nod, neu gyflawni'r diben, beth sydd ar ôl i'w ddweud? Efallai na ddaeth eto'r dydd Iau hwnnw yr oedd yr hen Gymry i'w ddisgwyl, yn ôl un o frudiau'r Llyfr Du, yn dilyn rhyw ddydd Mercher neilltuol o drychinebus. Ond fe ddaeth dydd Llun, 22 Awst 1485. Ar Faes Bosworth, ym meddwl llawer ar y pryd, fe wireddwyd y broffwydoliaeth; fe gafwyd Cymro'n frenin ar Loegr; fe adferwyd y sofraniaeth goll. Beth oedd i'w ddweud wedyn? Un posibilrwydd oedd troi at y ddamcaniaeth gylchol drachefn, gan dderbyn y byddai cyfnod o ddirywiad eto'n dilyn yr uchafbwynt hwn. Ond dyma ddewis nas cymerwyd gan neb, hyd y gwn i. Dewis arall oedd anghofio, mewn amser, ein bod ni i fod wedi ennill, a mynd yn ôl at gwyno'r hen golled. Dyna a wnaeth rhai, weithiau gan chwilio am ryw un cysur, megis ein bod o leiaf wedi cadw'n hiaith 'os nid yn berffaith gwbl, eto yn burach nag un genedl arall yn y byd'. Theophilus Evans biau'r geiriau. Ac efallai y cofiwch frawddegau agoriadol ei *Ddrych y Prif Oesoedd* (argraffiad 1740):

> Gwaith mawr, ond gwaith salw a chwith, yw adrodd helynt y Cymry; eu haflwydd a'u trafferthion byd, ym mhob oes a gwlad y buont yn preswylio ynddi, er pan gymysgwyd yr iaith yn Nhŵr Babel. Canys onid peth galarus a blin yw adrodd mor anniolchgar oeddent i Dduw, mor chwannog i wrthryfela yn ei erbyn, ac mor barod i syrthio i brofedigaeth y byd, y cnawd a'r cythraul, yr hyn a barodd eu bod mor anffodiog, ac mor aflwyddiannus.

Dyna ichi agoriad i ysbrydoli! Dyna ichi'r genedl a oedd, meddid, wedi adennill ei braint ar Faes Bosworth! Ond trwy fod Theophilus yn duchanwr mor iach, ac yn wfftiwr mor hwyliog, mae pob tudalen o'r hen *Ddrych* yn werth ei darllen drwy'r cwbl. Neu dyma ichi Mathew Owen o Langar (b.f. 1679) yn agor ei gân 'Hanes y Cymry ar y mesur elwir Prince Rupert':

> Rhowch gennad y Cymry heb gynnwr na llid,
> Yn ffyddlon ymadroddion rhowch osteg i gyd,
> Fel yr aethon – Duw yn ein rhan -
> Ar y gwaetha ymhob man
> A'n plaid wedi mynd yn wan. On'd truan yw ein taith?
> Gofid, cystudd, artaith, llid cynhwynol helaeth,
> Gelyniaeth fu'r gwaith:
> Aeth rhyngom ni yr awran
> Lloeger goch faith.[7]

Dyma ddechrau arni yn reit hyderus, lle bu'r traddodiad yn arfer dechrau:

> Mi fuom ni'r Cymry gynt yn byw yn llon
> Mewn dinas yn Asia, Caer Droia ydoedd hon.
> Dyma yr achos, dweuda' i yn hy,
> A ddechreuodd gynnen gry
> Rhyngom ni a'r Groegiaid fry –
> O'u trechu ni bu haws:
> Un Paris ŵr oedd erwin,
> Gwiw Droea mab i frenin,
> A ddygodd ar draws
> Un Helen oleuwen oedd wraig Menelaws.

Ac ymlaen am dri phennill ar ddeg, nes cyrraedd Brad y Cyllyll. O'r fan honno 'does gan Mathew ddim calon i adrodd mwy o'r hanes, dim ond dyblu a threblu cwynfan Cymro nes torri i lawr yn y deunawfed pennill a rhoi'r gorau iddi dan bwys y digalondid:

> Chi glywsoch ddisdrowiad Caer Droia wiwlon wych,
> A'n curo ni hefyd allan o Loegr dawel wych,
> A'n gyrru i Gymru yn ddigon gwael,
> Wedi bod yn fawr ein mael.

Parch oedd gan bawb er cael; diwael oedd hyn.
Am bechod fe'n ceryddwyd,
Am draha fe'n cystuddiwyd,
Fe haeddwyd hyn o sen.
Duw fy Arglwydd a'i drugaredd
A mendio'r byd. Amen.

Dyna un ymateb, dal i duchan, er ein bod ni i fod wedi ennill. Ymateb arall, ac un cyffredin iawn, yw'r hyn y gellid ei alw yn Ddamcaniaeth yr Ad-daliad Mawr. Fel hyn y mae'n rhedeg. Maes Bosworth neu beidio, y Saeson biau meddiant tymhorol Ynys Brydain bellach. Colli wnaethom ni, yr hen Gymry, yn wleidyddol ac yn filwrol. Ond trwy'r golled honno fe enillasom rywbeth llawer mwy ei werth, sef popeth a ddaeth trwy ac oherwydd Protestaniaeth. Yr oedd pwrpas tu ôl i bwrpas felly. Gwir amcan rhagluniaeth, wrth ddod â'r Tuduriaid i orsedd Lloegr, oedd rhyddhau'r Brytaniaid oddi wrth orthrwm Pabyddiaeth, troi'r Cymro'n Brotestant goleuedig, a Chymru'n wlad y Breintiau Mawr. Hwn fu safbwynt llywodraethol olyniaeth o haneswyr Cymru, yn Gymraeg a Saesneg, am ddwy ganrif dda, o Charles Edwards yn yr ail ganrif ar bymtheg hyd at ac yn cynnwys O.M.Edwards. Yn wir fe ellid dal mai datblygiad o'r thema hon fu prif safbwynt hanesyddiaeth Gymreig yn ystod y rhan fwyaf o'r ugeinfed ganrif. A chrynhoi'r thema at yr hanfod, yr oedd y Cymry wedi cael y Breintiau Mawr yn gyfnewid am sofraniaeth Ynys Brydain.

Gwaith mawr, ond (i mi beth bynnag) nid 'gwaith salw a chwith' yw olrhain gweddnewidiadau'r myth Brytanaidd, a'r un modd yr elfennau a barhaodd yn gyson ynddo drwy hir ganrifoedd. Choelia' i ddim fod dim pwysicach i'w ddeall. Mae allwedd ein gorffennol ynddo; ac o bosib allwedd ein dyfodol hefyd. Nid bod yn historigaidd yw dweud hyn. Dim ond cydnabod grym rhai arferion meddwl. Beth yn union sy'n creu ac yn cynnal y rheini, mae'n anodd iawn dweud. Ond maen' nhw'n bod. 'Rwyf am restru, yn yr amser sy'n weddill, rai agweddau ar yr hyn y mentraf ei alw yn 'Ynys Brydain y Traddodiad'.

1. Un ynys yw Prydain. Nid yw'n cynnwys Iwerddon, nac unrhyw ran ohoni. Fe ddatganodd coron Lloegr ei hawl ar holl dir Iwerddon yn naw degau'r unfed ganrif ar ddeg, a daliodd at yr honiad hyd 1921. Ond drwy'r holl gyfnod hir yma, yn y traddodiad hanes, nid yw Iwerddon, ac ni bu, yn rhan o Brydain; ym mhob cangen ohono fe fu'r gwahaniaeth rhwng Ynys y Cedyrn ac Iwerddon mor glir ac mor fawr ag ydyw yng nghhainc Branwen. Wrth astudio'r gainc honno fe sylwodd ysgolheigion fod rhai pethau ynglŷn â chyrch Bendigeidfran i Iwerddon fel petaent yn adleisiau o gyrch Arthur yn erbyn yr arallfyd yn y gerdd ryfedd 'Preiddiau Annwfn'. Byd arall yw Iwerddon. Mae priodasau dynastig yn bwysig iawn yn yr hen chwedlau. Gallwn feddwl am bedair ohonynt yn awr lle mae un ai'r gŵr neu'r wraig yn cynrychioli hunaniaeth Prydain, a'r pedair yn wahanol yn eu canlyniadau. Llefelys a merch brenin Ffrainc, llwyddiant hyd y gwyddys. Elen a Macsen, llwyddiant mawr. Gwrtheyrn a Rhonwen baganes, trychineb. Branwen a Matholwch, methiant trasig. Beth wnewch chi o'r dehongliad sy'n gweld Efnisien, y dyn a geisiodd rwystro'r briodas, ac a ddinistriodd wedyn blentyn y briodas, fel gwir arwr stori Branwen, amddiffynnydd y sofraniaeth sydd wedi ei chorffori, nid yn Bendigeidfran ei hun na'r un o'i blant, ond yn hytrach yn ei chwaer? Yn ôl awgrym diweddar, yr hyn y mae Efnisien yn ei wneud, yn ei ffordd ddidrugaredd ei hun, yw rhwystro i Ynys y Cedyrn golli ei llinach frenhinol.[8]

2. Mae'r drychfeddwl o hunaniaeth neu sofraniaeth y gellir ei chorffori mewn un gŵr neu wraig yn rhagdybio hefyd ymdeimlad o undod. Ac mae pwyslais cryf yn y traddodiad ar undod llywodraeth yr Ynys, ac na ellir caniatáu mwy nag un brenin cydradd ynddi. Sieffre o Fynwy sy'n gweud môr a mynydd o hyn, mewn darn yn agos at ddiwedd ei Frut (tt. 193 ymlaen yn *Brut Dingestow*). Fe fagwyd Edwin, tywysog Northumbria, a Chadwallon ap Cadfan, brenin o Gymro, gyda'i gilydd fel brodyr maeth, yn dilyn buddugoliaeth fawr gan Gadfan, tad Cadwallon, a'i gwnaeth ef yn frenin Prydain oll, 'ac yn eiddo coron Llundain', gan adael i Edelffled

(Ethelfrid) y wlad y tu uchaf i afon Humyr. Edwin, yn enw'r cyfeillgarwch sydd rhyngddynt, sy'n gofyn caniatâd Cadwallon i wisgo coron ar ei ben y tu draw i Humyr, ac i gynnal gwyliau arbennig yn ninasoedd y Gogledd. Mae Cadwallon ar fin cydsynio, pan berswadir ef gan apêl daer a rhybudd difrifol cynghorwr iddo, Braint Hir. Cymer di'r ofal, meddai Braint, na wnei di ddim o'r fath beth; ac mae'n atodi catalog o gamweddau'r Saeson o oes i oes, a'r uchafbwynt, fel arfer, ym Mrad y Cyllyll Hirion. Ac yn y diwedd ateb Cadwallon i Edwin yw na all ganiatáu coron arall yn Ynys Brydain. 'Canys gosodedig oedd o gynnefawd er dechrau cynnydd Ynys Brydain na bai ynddi namyn un coron brenhiniaeth, ac na ellid cynhwysaw dau frenin ynteu ar osymdaith un.' Yma, mewn rhyw seithfed ganrif bur ddychmygol, dadl y 'llethr llithrig' a orfu, fel ar Ŵyl Ddewi 1979: dull y Cymro o amddiffyn undod yr Ynys, pan ofynnwyd ei farn y diwrnod hwnnw, oedd gwrthod unrhyw newid yn ei statws ei hun; ei ddull yn stori Sieffre yw gwrthod i'r Saeson statws cyfartal.

3. Ar yr un pryd, mae gwahanol wledydd ym Mhrydain. Yn ôl Sieffre eto, yr oedd gan Brutus o Gaerdroea dri mab, Camber, Albanactus a Locrinus. Fe rannodd Brutus y deyrnas rhyngddynt gan greu Cymru, yr Alban a Lloegr. Locrinus oedd y mab hynaf, felly mae i Loegr flaenoriaeth ymhlith y tair gwlad. Enwau gwneud, mae'n amlwg, yw enwau'r tri mab, ac efallai nad yw'r stori ddim cynharach na Brut Sieffre; ond hyd yn oed wedyn mae'n hen, a bu'n ddylanwadol: y syniad fod yna deyrnas Frytanaidd Lloegr, a oedd yno ymhell cyn bod Saeson yn unman ar y cyfyl. 'Doedd derbyn blaenoriaeth Lloegr, gan hynny, ddim o angenrheidrwydd yr un peth ag ymostwng i'r Saeson. Nid tan yr ugeinfed ganrif yr aeth yr egwyddor hon yn un ddieithr; fe gadwyd ati dros ganrifoedd gan y traddodiad hanes, a chan y llenorion hefyd, a synnwn i ddim nad oes ynddi dipyn o feddwl y Cymro cyffredin o hyd. Bu iddi fwy nag un canlyniad. (i) Fe roddodd ryw fath o warant ar beth oedd yn bod, *de facto*, byth oddi ar wrogaeth rhai brenhinoedd Cymreig i frenhinoedd o Saeson yn y nawfed ganrif a'r ddegfed, gwrogaeth Anarawd i Alfred (neu Aelfryd,

fel y byddai'r hen Gymry'n ei alw) a gwrogaeth Hywel Dda i Athelstan, er enghraifft. Fe'i gwnaeth hi'n haws i'r Cymry dderbyn y syniad o bartneriaeth anghyfartal â choron Lloegr, ac fe wyddys mai o fewn fframwaith rhyw bartneriaeth felly yr oedd rhai o'n tywysogion galluocaf a chraffaf yn gobeithio adeiladu rhyw fath o wladwriaeth Gymreig; ond allai hi byth fod yn ddigon anghyfartal i blesio'r brenhinoedd Normanaidd, dyna'r aflwydd. (ii) Fe'i gwnaeth hi'n bosibl i'r syniad o adennill coron Lloegr gan Gymro ddod yn nod ac yn freuddwyd yn y brudiau, a dod i gymryd lle'r syniad cynharach a mwy amrwd, sef hel y Saeson i gyd bendramwnwgl i'r môr, syniad 'Armes Prydain' fel y gallem ei alw. (iii) Fe'i gwnaeth hi'n haws i'r Saeson dderbyn y myth Brytanaidd fel eiddo iddynt hwythau, fel nad oedd Hors a Hengest ddim bob amser mor estron ag yr honna'r bardd 'i frud Groeg ac i Ford Gron'. Y llenor allweddol yn hyn o beth, mae'n bur sicr, yw Layamon, a gyfaddasodd Frut Sieffre yn gerdd epig Saesneg, gydag esiampl y cyfaddaswr Ffrangeg Wace o'i flaen hefyd. Fe weithiodd Layamon ryw gast hud, ac mae'n anodd goblyn dilyn symudiad ei law. Mae yr un mor llawdrwm ar y Sacsonaid ag ydoedd Sieffre, a'r un mor llawdrwm ag ydoedd Wace yntau; ond fel un o bobl Lloegr fe all ymfalchïo yn nhraddodiad honedig Frytanaidd Lloegr, a throsglwyddo'r traddodiad hwnnw, yn cynnwys Arthur a phopeth sydd i'w ganlyn, yn gynhysgaeth i bobl Lloegr, sydd *erbyn hyn* yn Saesneg eu hiaith. Gwrthwyneb neu du arall yr un ffaith, megis, yw ei bod hi'n bosibl i Iolo Goch ganu moliant y brenin Edward III yn yr un termau ag y byddai'n moli arglwydd o Gymro. Y cyfuniad o'r un goron a'r tair gwlad, sut y dylid ei weld? Fel dyfais a gafodd ddylanwad cyfrwys a phellgyrhaeddol? Yntau fel ymgais lwyddiannus i roi mynegiant ffurfiol a gwarant i arferion meddwl a oedd yn bod eisoes?

4. Eto (ac 'rwy'n fy nghael fy hun yn dweud 'eto' yn aml, oherwydd mae rhywbeth hanfodol baradocsaidd a symudliw yn yr hen draddodiad hanes, fel yn y traddodiad ehangach sy'n ei gynnwys), fframwaith ffurfiol yn unig yw'r tair gwlad, Lloegr, Cymru a'r Alban. Fe leddir Albanactus

mewn brwydr yn gynnar ar stori Sieffre, ac fe feddiennir ei deyrnas drachefn gan y brawd hynaf, Locrinus; cynsail y byddai'r brenhinoedd Normanaidd, ffrindiau a noddwyr Sieffre, yn craffu arno mae'n ddiamau. Diflannu'n dawel o'r hanes y mae Camber yntau a'i ddisgynyddion. I bob diben ymarferol, hanes disgynyddion ac olynwyr Locrinus yw Brut y Brenhinedd, gydag ambell doriad go bwysig yn y llinach, megis pryd y daw Dyfnwal Moelmud i mewn o Gernyw a chipio awenau'r llywodraeth. Yn ymarferol, mae Cernyw yn wlad neu uned weddol bwysig yn y Brut, byth oddi ar ei neilltuo gan Frutus ar gyfer ei gyfaill a'i berthynas, Corineus. Mae afon Humyr hefyd yn ffin o beth pwys, ac mae hunaniaeth o fath i'r wlad i'r gogledd ohoni; dyma eto, mae'n debyg, gydnabod ffaith: gall Brut y Tywysogion sôn am 'y Gogleddwyr' fel rhyw frîd gwahanol o Saeson, a sonia'r cywyddau'n aml am 'wŷr Nordd'. Yr oedd traddodiad o geisio dealltwriaeth â'r rhain, fel y gwnaeth Llywelyn Fawr ac Owain Glyndŵr. Cystal i ni'r Cymry eu cael o'n plaid, os oes modd gwneud hynny heb golli anrhydedd; fe wyddom am y difrod a wnaethant i Fesur yr Alban a Chymru (y 'Mesur Datganoli' cyntaf), ryw noson yn Chwefror 1977. Mae tri rhanbarth yn weithredol bwysig ym Mrut y Brenhinedd, ac nid y tair gwlad a restrir yn ffurfiol mohonynt. Dyma hwy, yn hytrach: (i) Cymru a rhan ddeheuol Lloegr, yn un uned; (ii) Gogledd Lloegr, y tu uchaf i Humyr; (iii) Cernyw.[9] Yn weithredol, nid yw Cymru ei hun o fawr bwys ym Mrut Sieffre. Diolch am Frut y Tywysogion i gytbwyso'r darlun.

5. Ond y mae i dir Cymru bwysigrwydd o fath arbennig hefyd, os ystyrir y traddodiad cyfan nad yw'r Brutiau ond rhan ohono. Yn ôl cainc Branwen yr oedd Bendigeidfran fab Llŷr yn 'frenin coronawg ar yr ynys hon, ac arddyrchawg o goron Lundain'. Nid oes dim gwrthwynebiad, mae'n ymddangos, iddo fod wedi ei goroni felly ac eto lywodraethu Ynys y Cedyrn o'i lysoedd yng Ngwynedd – Harlech, Caer Saint ac Aberffraw. Llundain a Gwynedd, os rhown ni goel ar rai rhannau o'r traddodiad, yw pegynau grym yr Ynys. Yng Nghaer Ludd y teyrnasodd Lludd (gan newid ei henw o 'Droea Newydd'), ac yng nghanol Eryri y claddodd y dreigiau,

ar ôl eu datgladdu yn Rhydychen, canol honedig y deyrnas. Yr oedd pen Bendigeidfran wedi ei gladdu yn y Gwynfryn yn Llundain (hyd nes i Arthur ei ddatgladdu mewn un o'r Tri Anfad Ddatgudd); ac yr oedd corff ei chwaer wedi ei gladdu yng Nglan Alaw ym Môn. Yr oedd gan Frân hefyd fab, Caradog, na bu'n llwyddiannus iawn fel amddiffynnydd yr Ynys. Fe'i disodlwyd gan Gaswallon fab Beli, perthynas iddo. Yn amser Caswallon, meddai Brut y Brenhinedd, y daeth y Rhufeiniaid i Brydain, a chael troedle yn y diwedd drwy ymyrraeth gŵr o'r enw Afarwy, yntau'n berthynas i Gaswallon. Fe gytunwyd, fel rhyw gyfaddawd rhwng cefndyr o linach Troea, fod y Brytaniaid i dalu treth i Rufain. Ond yn wir i chi, fe ailymddengys y wir sofraniaeth ymhen rhyw bedair cenhedlaeth eto, a hynny yng Nghaer Saint yn Arfon. Merch Eudaf ap Caradog *ap Brân*, yn ôl rhai o'r achau, oedd yr Elen a alldaflodd ei llun a'i delw i ddal bryd Macsen Ymerawdwr Rhufain, a'i dynnu yma i'w phriodi. Ac ar ei ffordd i Wynedd i gwrdd â'i wraig, medd stori Breuddwyd Macsen, fe oresgynnodd Macsen Ynys Brydain oddi ar Beli fab Manogan a'i feibion. Nid yw'r gronoleg yn sgwario ag eiddo Sieffre na chainc Branwen; ond mae gwrthdaro'r ddau deulu, teulu Llŷr a theulu Beli, yn drawiadol. A phan gollodd Macsen lawryf Rhufain oherwydd ei absenoldeb, brodyr Elen, yr hogia o dre Caernarfon, a'i henillodd yn ôl iddo. Yn y modd hwn y profodd y Brytaniaid eu hunain, yn y diwedd, yn drech na'u cefndyr, y Rhufeiniaid. Yn ôl un gangen o'r traddodiad, mae meddiant Brython yn eang.

6. Ond yr ie a'r nage o hyd. Y mae'r Brytaniaid hefyd wedi eu cyfyngu a'u gwasgu. Fe'u gwesgir nhw yn fertigol, megis, rhwng dwy genedl arall, un yn pwyso ar eu gwarrau a'r llall yn 'codi dani' ys dywedir: y Saeson, a ddaeth yma ar eu holau; a'r Coraniaid, a gwrddwn yn chwedl Lludd a Llefelys, ac y gellir o bosib eu deall fel hil o fodau a oedd yma o'u blaenau, ac a ddisodlwyd ganddynt.[10] Rhestrir y ddwy fel 'gormesoedd' yn un o Drioedd Ynys Brydain, gyda'r Gwyddyl Ffichti (y Pictiaid) i wneud trydedd. Ac yna fe wesgir y Brytaniaid yn llorweddol, megis, rhwng dau

fewnlifiad, un i'r dwyrain ac un i'r gorllewin, Saeson yn y naill achos, dŵr yn y llall. Llyfr Gildas sy'n sôn am y *Britanni*, mewn apêl daer am gymorth Rhufain, yn cwyno fel y mae'r barbariaid yn eu gwthio at y môr o un ochr, a'r môr yn eu gwthio at y barbariaid yr ochr arall. Diweddar yw stori Cantre'r Gwaelod fel y mae'n gyfarwydd i ni, a rhai fel Lewis Morris a Robert Vaughan â llaw ynddi mae'n debyg; ond tyst o gerdd y Llyfr Du fod yna ryw hen chwedl am foddi Maes Gwyddno.[11] Yr oedd yna ryw golled ar du'r gorllewin, i ateb y golled ar du'r dwyrain, a'r ddwy'n digwydd tua'r un adeg, ar galendr amser chwedl. Ac yn y canol, y Cymry, fel rhyw bobl wedi eu gadael ar gefnen. Methiant rhyw un neilltuol oedd yn gyfrifol y ddau dro, yn unol ag arfer traddodiad o gywasgu tueddiadau hir a graddol yn benderfyniadau neu weithredoedd, cywir neu wallus, unigolion ar adegau tyngedfennol. Ac yn y ddau achos, fe ddaethpwyd i weld rhyw gysylltiad ag alcohol.

7. Un ynys, meddem. Ynteu darn o ynys? A ydyw'r Alban (Prydyn) yn rhan o Ynys Brydain fel y gwelir hi gan y traddodiad? 'Ydyw a nac ydyw' yw'r ateb unwaith yn rhagor. Mae'r 800–900 milltir o Bengwaedd yng Nghernyw i Ben Blathaon ym Mhrydyn yn fesur digon realistig o hyd yr Ynys ddaearyddol. Ond os yw Rhydychen yn ganol yr Ynys, fel yr honnir weithiau, nid yw'r Alban yn y cyfrif. Yr oedd Nennius yn rhestru fel 'tair rhagynys Ynys Brydain' Wyth, Manaw ac Orch; ond erbyn y down at y Trioedd mae Orch yn cael ei disodli gan Fôn. Yng Nghymru a Lloegr y mae'r Tair Prif Archesgobod, Caerefrog, Caergaint a Mynyw, gyda'r olaf yn tueddu i gael ei disodli gan Gaerllion. O'r 28 o Brif Ddinasoedd nid oes ond un yn yr Alban; Caer Alclud yw honno. O ran hynny nid oes ond un yng Nghymru chwaith, sef Caerfyrddin. Sonia Gildas, ac eraill ar ei ôl, am y Pictiaid yn ymosod ar yr Ynys, fel pe na bai tir y Pictiaid yn rhan o'r Ynys;[12] fe'n harweinir i feddwl, droeon yng nghwrs y traddodiad, fod y ddau fur Rhufeinig, Mur Antwn a Mur Hadrian, yn derfynau allanol a mewnol ar ogledd yr Ynys, ac felly'n ei diffinio fel y dalaith Rufeinig. Pwnc mawr yw hwn, beth yw'r Ynys mewn gwirionedd, ai'r dalaith ynteu'r Ynys ddaearyddol? Weithiau un, weithiau'r llall yw'r

ateb byr. Tua'r gogledd mynd yn niwlog y mae'r darlun; mae Prydyn yna yn rhywle, ond fe ellir anghofio amdani am hydau go hir. Fe fu'r Hen Ogledd yn bwysig i'r Cymro, ac fe fu Ynys Brydain yn bwysig; eto ar y gorau rhyw orgyffwrdd, dim mwy, y mae'r ddau â'i gilydd. Fe allodd yr hen Gymry fawrygu'r ddau fyd yma ochr yn ochr, gan symud o'r naill i'r llall yn ddigon rhwydd i bob golwg: ar y naill law yr Hen Ogledd, ar y llaw arall yr Ynys Brydain anfanwl, bengoll. Dwy o wledydd y dychymyg ydynt, y bu'r Cymry fyw ynddynt yn yr ysbryd lawn cymaint ag yng Nghymru ei hun.[13]

Wrth agor, fe ddyfynnais i brolog *Brut Dingestow*. Disgrifiad o Ynys Brydain ydoedd, fe gofiwch. Mae hanes maith i'r disgrifiad hwn, a rhai o'i fanylion, a'i ymadroddion hefyd, yn cael eu hailadrodd am gryn ddeg canrif. Dyma fan cychwyn yr hen haneswyr i gyd – Gildas, Beda, Nennius, Sieffre a llawer ar eu holau; efallai mai *Britannia* Camden yw'r datblygiad eithaf ohono. Cynrychiolir cam yn ei dwf gan y ddogfen 'Disgrifiad Ynys Brydain' sydd wedi ei chadw mewn nifer o lawysgrifau o'r bymthegfed ganrif ymlaen, darn o ryddiaith digon diddorol yn ei hawl ei hun.[14] Wrth imi ddyfynnu'r paragraff ar y dechrau, hwyrach ichwi sylwi ar ddwy elfen wahanol o'i fewn. Galwn un yn elfen ffeithiol neu ystadegol, y rhestru ar fesuriadau'r Ynys, ei thair prif afon, ei gwahanol bobloedd, rhoi rhif ei phrif ddinasoedd ac yn y blaen. Galwn yr ail yn elfen delynegol neu berlesmeiriol. Mae'r disgrifiad yn fformiwlaig o'r cychwyn, fel petai'n dilyn rhyw ddull safonol o ddisgrifio man dymunol (*locus amoenus* ys dywedai'r hen awduron). Ar y dechrau un, sef yn llyfr Gildas, fe wneir hynny er mwyn cynnig cyferbyniad, rhwng gwlad braf a phobl ddrwg anufudd. Mewn oesoedd i ddod, fe â canmol y wlad yn ganmol y bobl hefyd; dyma sylfaen sawl molawd Ynys Brydain, yn amrywio o ddarn araith byr, cofiadwy a roir gan Shakespeare yng ngenau John of Gaunt,[15] i awdl go faith ac anghofiadwy gan Ddewi Wyn o Eifion. Mewn breuddwyd y gwelwyd yr Ynys gyntaf ym Mrut Sieffre, ac fe barhaodd y gwawl o'i chwmpas:

It is not any common earth,
Water or wood or air,
But Merlin's isle of grammarye
Where you and I shall fare.

Pennill Kipling ydyw, ac yr oedd yn werth ei gyfansoddi petai ond er mwyn y gair 'grammarye'.

Gadewch inni ofyn cwpl o gwestiynau ar ffurf eithafol! A fu erioed Ynys Brydain mewn gwirionedd? Ac ai pobl ydyw'r Cymry wedi eu clymu oddi ar ddechrau eu hanes mewn ymryson symbolaidd am sofraniaeth dybiedig gwlad ddychmygol? Ac, a hithau'n adeg eto o ymysgwyd cenhedloedd ac o ailddatgan hunaniaethau hanner-cladd yn Ewrop, onid yw'n hwyr bryd rhoi'r traddodiad hwn o'n cefnau ac ailgychwyn oddi ar ryw sylfaen arall? Nid mor hawdd. Mae gormod o Fater Prydain o gwmpas. Mae'r ysgolhaig wedi hen ddygymod â byw ymhlith ei phobl a'i thrugareddau hi, Pen Teyrnedd yr Ynys Hon, Mechdeyrn Prydain, Post Prydain (gwall, hwyrach, am 'Post Prydyn'), y Cordd Prydain a gwrddwn yn fyr yn chwedl Breuddwyd Rhonabwy, a'r Priawd Prydain y cyfeirir ato yn aml gan Feirdd y Tywysogion; ei Hunbennaeth, ei Gormesoedd, ei Harmes, ei Rhyfeddodau (y *Mirabilia* a restrir gan Nennius ac eraill ar ei ôl), ei Thri Thlws ar Ddeg, ei Thri Chof, a'i Thrioedd eraill lawer. I'r efrydydd llenyddiaeth, mae'r rheina oll yn gwmni byw ac nid annerbyniol. Ond fel Cymro yn ogystal, fel dinesydd, fel trethdalwr, mae'n rhaid imi ofyn beth a wnaf ag Ynys Brydain a'i gwaddol. Mae rhywun yn cael ei dynnu ddwy ffordd, rhwng dau o dylwyth y Jonesiaid: David o Lundain, a'i werthfawrogiad cynnes o'r iaith Gymraeg, a llên a thraddodiad y Cymry, fel 'pethau gwaelodol yr ynys hon' ('the foundational things of this island'); a J.R. o Abertawe, a'i ddadansoddiad didrugaredd o'r rhith genedligrwydd Prydeinig sydd bron wedi bod yn angau i'r Cymro. Ond yn y diwedd, efallai nad yw'r ddau mor groes i'w gilydd.

Wel, mae llawer pren teg briglydan
Yn cysgodi bwystfilod aflan;
Ac adar drwg yn nythu ynddo fry:
Nid all e ddim wrth hynny ei hunan.

Twm o'r Nant biau'r geiriau. Rywsut fel yna y byddaf i'n teimlo ynghylch yr hen ymdeimlad Brytanaidd ymhlith y Cymry. Mae'n rhan ohonom. Mae'n balchder ni rywfodd ynghlwm wrtho. Os ceisiwn ei wadu, fe'i defnyddir yn ein herbyn. Fe ddylid, ac fe ellir, peri iddo weithio o'n plaid.

'Rwy'n ei chyfrif hi'n anrhydedd arbennig iawn bod â rhan yn y gyfres hon o darlithoedd sy'n cydnabod a choffáu llafur ysgolheigaidd yr Athro Henry Lewis. 'Rwyf am ddiolch i Bwyllgor y Gronfa Goffa am estyn y gwahoddiad imi; hefyd i'r Athro Hywel Teifi Edwards ac aelodau Adran y Gymraeg yng Ngholeg Abertawe, ac i'n cadeirydd heno, yr Is-brifathro Dewi Z. Phillips, am gynhesrwydd eu croeso. Yma yn Abertawe y mae imi gyfeillion yr wyf wedi gosod pris uchel ar eu cyfeillgarwch ers llawer blwyddyn, a rhai y gallwn eich cadw'n hir yn sôn am fy nyled bersonol iddynt. Braf eu gweld yma heno. A'r un mor braf gweld y rhai ohonoch nad wyf yn eu hadnabod; oherwydd mae hynny bob amser yn rhoi i ddyn y teimlad derbyniol bod yna fwy ohonom ni nag yr oedd wedi meddwl, ni yr hen Frytaniaid.

[Darlith Goffa Henry Lewis, Prifysgol Cymru, Abertawe, 1991]

NODIADAU

1. *Brut Dingestow*, golygwyd gan Henry Lewis (Caerdydd, 1942), t. 2. Am hanes y testun a manylion amdano, gw. y Rhagymadrodd; hefyd Brynley F. Roberts, 'Fersiwn Dingestow o *Brut y Brenhinedd*', *BBCS* XXVII (1976-8), tt. 331-61. Diweddarais beth ar yr orgraff yn y dyfyniad. Ychwanegiadau'r cyfieithydd Cymraeg yw'r darnau a italeiddiwyd.

2. Dyfynnir o *Brut y Tywysogyon. Peniarth Ms. 20*, copïwyd a golygwyd gyda Rhagymadrodd gan Thomas Jones (Caerdydd, 1941), t. 1.

3. Am farn wahanol, bod *De Excidio Britanniae*, fel y daeth i'n dwylo ni, yn waith dau awdur, a chryn ganrif a hanner rhyngddynt, gweler ymdriniaethau A.W.Wade-Evans, yn arbennig: *Welsh Christian Origins* (Rhydychen, 1934); *The Emergence of England and Wales* (ail arg., Caergrawnt, 1959); 'Rhagarweiniad i Hanes Cynnar Cymru', *Seiliau Hanesyddol Cenedlaetholdeb Cymru*, gol. D.Myrddin Lloyd (Caerdydd, 1950), tt. 1-42. Gw. hefyd H.D.Emmanuel, 'The Rev. A.W.Wade-Evans: an Appreciation of his Contribution to the Study of Early Welsh History', *Trafodion Anrhydeddus Gymdeithas y Cymmrodorion* (1965), tt. 257-71. Prif gasgliad Wade-Evans yw na ddigwyddodd erioed y golled diriogaethol y mae holl draddodiad hanes y Cymry yn cwyno o'i phlegid. Penderfynais na allwn, yn y ddarlith hon, ymdrin dim â'r ymresymiad a arweiniodd at y casgliad hwn, nac â dim o'i ymhlygiadau ymarferol. Ond bob tro y byddwn ni'n sôn am 'goll Prydain', doeth yw inni o leiaf ganiatáu'r posibilrwydd mai dychymyg yw'r cyfan. Gwiw ar yr un pryd gofio bod yr hyn y *credir* iddo ddigwydd yn llunio ymarweddiad pobl, gymaint o leiaf â'r hyn a ddigwyddodd mewn gwirionedd.

4. (Columbia U.P., 1966).

5. E.e. *Brut Dingestow*, tt. 188-9.

6. Pa sawl gwaith y cwympodd y Cymry? Gw. John Davies, *Hanes Cymru* (Llundain, 1990), t. 661.

7. Ceir y gerdd yn *Llawysgrif Richard Morris o Gerddi*, gol. T.H.Parry-Williams (Caerdydd, 1931), tt. 120-6. Ar Mathew Owen, gweler y *Bywgraffiadur*, ac E.D. Jones, 'Ymddiddan â'r Lleuad', *Y Genhinen* XX, t. 22.

8. Gw. Caitlín Matthews, *Mabon and the Mysteries of Britain* (Llundain, 1987), tt. 44-5. Y mae'r imprint 'Arkana' yn un i beri i ysgolheigion bengamu yn y fan, ac yn arbennig efallai ysgolheigion Cymraeg, sy'n Sentars go sychion at ei gilydd. Ond na chamfarned neb: nid Timothy Lewis sydd yma, ac nid Robert Graves chwaith. Mae'r llyfr hwn, a'r un modd ei gymar *Arthur and the Sovereignty of Britain* (Llundain, 1989) yn cynnig dehongliadau gwir ddiddorol o'r chwedlau Cymraeg, a llawer o awgrymiadau ffrwythlon.

9. Cymh. Rachel Bromwich, gol., *Trioedd Ynys Prydein* (Caerdydd, 1961), tt. 228-37. Argreffir yma (Appendix I) y ddogfen 'Enwau Ynys Brydain', ar sail Llyfr Gwyn Rhydderch a Peniarth 50. Rhestra P.50 (eitem 6) 'Lloegr a Chymru a'r Alban' fel 'Tair Ynys Brydain', ac 'ynys' y tro hwn yn golygu 'teyrnas', fel y gall wneud (ceir 'tair ynys Brydain' yn

Culhwch ac Olwen). Tyn Mrs. Bromwich sylw at anghysondeb rhwng yr eitem hon ac eitem 4 (Ll.Gwyn): 'Sef y dylyir y daly wrthi: Coron a Their Taleith. Ac yn Llundein gvisgav y Goron, ac ym Penryn Rionyt yn y Gogled vn o'r Taleithieu, ac yn Aberfra(w) yr eil, ac yg Kerniw y dryded.' Dyma raniad gwahanol eto, nes os rhywbeth at y 'rhaniad gweithredol' y sylwyd arno ym Mrut Sieffre nag at y 'rhaniad ffurfiol'; rhaid mai Cymru a Lloegr, neu Gymru a rhan o Loegr, yw'r ail o wledydd y 'taleithiau' yma, ac wele hi a'i phriflys yn Aberffraw.

10. Y mae gallu'r Coraniaid i glywed popeth, a'r tebygrwydd rhwng eu henw a'r Llydaweg *Korriganed*, yn awgrymu rhyw hil o fodau cyfatebol i Dylwyth Teg, a yrrwyd 'dan ddaear' gan bobl a ddaeth yma ar eu holau. Ar y llaw arall sonia Triawd 36 am eu dyfod i'r Ynys yn oes Caswallon fab Beli. Gw. Ifor Williams, *Cyfranc Lludd a Llevelys* (Bangor, 1922); Rachel Bromwich, *TYP*, t. 84–7; Brynley F.Roberts, *Cyfranc Lludd a Llefelys* (Dulyn, 1975), tt. xix, xxxii–xxxiii.

11. Gw. F.J.North, *Sunken Cities* (Caerdydd, 1957), tt. 147–80.

12. Am ymgais deg i ateb y cwestiwn 'O ble y gwêl y *De Excidio* y Pictiaid yn dod?', gw. Neil Wright, 'Gildas's Geographical Perspective: Some Problems', yn M.Lapidge a D.Dumville, goln., *Gildas: New Approaches* (The Boydell Press, 1984), tt. 85–105. Meddai Eben Fardd wrth ddathlu buddugoliaeth Bosworth yn ei awdl iddi:

> Brydain nid oedd wobr heidwyr,
> Drawsient i mewn dros y mur.

Dyma oroesiad go hwyr o'r drychfeddwl o Brydain fel gwlad â mur yn derfyn iddi.

13. Noda Dr. Bromwich, *TYP*, t. cxxxii, mai 'y Tri Thlws ar Ddeg a oedd yn y Gogledd' yw'r enw yn y llsgr. hynaf (P.51) ar y rhestr y daethpwyd yn ddiweddarach i'w galw yn 'Tri Thlws ar Ddeg Ynys Prydain', ac mai Gwŷr y Gogledd oedd piau'r rhan fwyaf o'r tlysau. Enghraifft, o bosib, o Ynys Brydain yn dod i gymryd lle'r Gogledd fel un o wledydd y galon.

14. Yr wyf yn ddiolchgar iawn i Richard Owen, a wnaeth ymchwil gwerthfawr ar y ddogfen hon, am gael benthyg a darllen copi golygedig ohoni.

15. Drwy: (a) nodi fod deddf seneddol ers dros hanner canrif yn datgan fod Tywysogaeth Cymru yn rhan o Deyrnas Loegr, a (b) ragdybio nad oedd yr Alban yn rhan o Ynys Brydain, fe ellid dal fod y Bardd yn gywir wrth sôn am 'this earth, this realm, this England'. Ond pe bai wedi meddwl y peth allan mor fanwl â hynny, nid William Shakespeare a fyddai.

CYFRINACH YNYS BRYDAIN

BUAN IAWN, wrth astudio hen lenyddiaeth Cymru, y caiff dyn ei hun yn crwydro mewn gwlad arall. Ynys Brydain yw ei henw hi, gwlad yr oedd yr hen Gymry'n hoffi meddwl iddynt unwaith ei meddiannu o gwr i gwr, mewn rhyw gyfnod nad oedd yn hollol oddi fewn i hanes nac yn llwyr oddi allan. Gallai Bendigeidfran ei llywodraethu o'i lysoedd yng Ngwynedd (Harlech, Aberffraw, Caer Saint); gallai Lludd fab Beli ei llywodraethu o Gaerludd, a enwid gynt Troea Newydd. I ganol Eryri y daeth Lludd i gladdu'r ddwy ddraig ymladdgar, ar ôl eu datgladdu gyntaf yn Rhydychen, 'canol yr Ynys' yn ôl y chwedl. I ateb hynny, yn y Gwynfryn yn Llundain y claddwyd pen Bendigeidfran; ond gan adael corff ei chwaer, cofiwn, yng Nglan Alaw ym Môn. Llundain, Gwynedd: pegynau grym yr Ynys fel y syniai traddodiad amdani. Gallai tywysog o Gymro yn y drydedd ganrif ar ddeg, hyd yn oed ar adeg pan oedd afon Clwyd, neu hyd yn oed Gonwy, yn derfyn ei awdurdod, ddal i ymhoffi mewn teitl fel 'draig Prydain', 'penadur Prydain', neu 'briawd Prydain'. Nid diystyr chwaith mo'r termau.

Ar sail chwedlau, cerddi, trioedd a brutiau fel ellid llunio cwis digon difyr am bobl a phethau'r Ynys Brydain draddodiadol. Pwy oedd brenin cynta'r Brytaniaid? Brutus yr alltud o Gaerdroea, gor-ŵyr i'r arwr clasurol enwog Aeneas. Eu brenin olaf, cyn i goron y deyrnas fynd yn eiddo'r Saeson? Cadwaladr Fendigaid. Pwy a roddodd ei chyfreithiau i'r Ynys? Dyfnwal Moelmud. Pwy a adeiladodd y ffyrdd, o gwr i gwr? Un ai Elen Luyddog, neu Brân a Beli, meibion Dyfnwal; mae inni ddewis yn y fan yna. Faint o brif ddinasoedd sydd iddi? 28, ffigur a newidiwyd ryw dro o 32. Sawl rhagynys sydd iddi? Tair. A thair prif afon eto. Ar ôl pwy yr enwyd afon Hafren? Ar ôl merch o'r enw Hafren, a foddwyd ynddi. Pwy a sefydlodd y ddinas a'r ddinas? Efrog Gadarn a sefydlodd Gaerefrog, Llion a sefydlodd Gaerllion, Gloyw, Gaerloyw; ac felly ymlaen. Pwy ddaeth â Christnogaeth gyntaf i'r Ynys hon? Lles fab Coel. Pwy a gollodd, neu a losgodd, y llyfrau? Ysgolan Ysgolhaig. Pwy a wnaeth gamgymeriad canolog hanes Prydain? Pwy ond yr hen Wrtheyrn?

Ymhlith y pethau cyson hyn un o'r rhai mwyaf diysgog oedd y goel fod y Cymry, y Brytaniaid[1] fel yr oeddent yn dal i'w galw'u hunain, wedi colli'r Ynys un ai oherwydd eu pechodau neu oherwydd cyfuniad o gamgymeriadau gwleidyddol a dichell gelynion. Fe ellir olrhain twf a gweddnewidiadau'r goel drwy olyniaeth o bedwar llyfr hanes, yn ymestyn o'r chweched ganrif hyd y ddeuddegfed: llyfr blin Gildas, sy'n dweud fel y bu i ragluniaeth, i gosbi pobl o'r enw y *Britanni* am eu hannheilyngdod, ganiatáu ymosodiadau ffyrnig y Gwyddyl a'r Pictiaid arnynt, ac yna ddyfodiad ac ymsefydliad y Saeson; llyfr rhagfarnllyd Beda Ddoeth, sy'n ategu popeth a ddywed Gildas am y *Britanni* fel pobl ddiffaith, ac sydd hefyd (yn wahanol i Gildas) yn llongyfarch rhagluniaeth ar ei dewis o bobl i gymryd eu lle; llyfr gwlatgar Nennius, sy'n rhagweld y bydd y Brytaniaid ryw ddydd yn adennill eu meddiant ar yr Ynys, ac yn rhoi inni lun gweladwy o'r gobaith yn ymryson enwog y ddwy ddraig, y goch a'r wen; a llyfr celwyddog Sieffre o Fynwy, a wnaeth yr hen stori yn fydenwog, gan chwyddo fel ei gilydd ogoniant cynnar y Brytaniaid a thruenusrwydd eu cwymp.

Ochr yn ochr â'r pendantrwydd, mae yna gadw rhyw bethau dan gêl, neu ddweud llai na'r cyfan amdanynt. Mae yna ryw gudd, rhyw ddatgudd, a rhyw guddio wedyn mewn man arall. 'Anoeth byd, bedd i Arthur', medd llinell yn un o Englynion y Beddau; dyna'r enwocaf, ond odid, o'r Anoethau, y pethau hynny yn llên a chwedl yr Ynys sy'n para'n her i bob datgelwr. 'Ac ni ddywaid y llyfr amdano a fo diheuach na hyspysach no hynny,' meddai Sieffre o Fynwy, ar ôl gosodiad hynod o amwys am beth a ddigwyddodd i Arthur Frenin wedi'r frwydr olaf. Cryno-ddisgiau yw Trioedd Ynys Brydain, yn storïo'r traddodiad a'i ystyron; ond wnân' nhw ddim canu i bawb. Mae'r beirdd darogan yn siarad ar ddamhegion, gan honni eu bod yn gwybod rhyw bethau ond yn dewis dweud rhai ohonynt yn unig. Pa un yw'r cryfaf, y rhwystredigaeth o sylweddoli, unwaith yn rhagor, cyn lleied yn maen' nhw, y lleill yna, yn medru ei ddeall? ynteu'r boddhad o fedru honni mai gennym ni, a neb ond y ni, y mae'r wir wybodaeth?[2] Fe brofodd y Cymry beth o'r ddau. Fe enillodd ac fe ddaliodd Sieffre o Fynwy ei gynulleidfa drwy honni iddo dderbyn, drwy ryw 'hen hen lyfr yn yr iaith Frytanaidd', wybodaeth yr oedd a wnelo â chymeriad yr Ynys ac â'i thynged. Nid annhebyg fu llwyddiant Iolo Morganwg ymhen chwe chanrif.

Peth fel yna yw'r traddodiad am Ynys Brydain, gyda'i bethau sicr a'i bethau ansicr. Mae'n cynnwys hefyd un amwysedd cwbl bendant, sef yr amwysedd ynghylch sut y diffinir yr Ynys. A yw Ynys Brydain yn cynnwys yr Alban? Pan gymerir Pen Blathaon ym Mhrydyn a Thrwyn Pengwaedd yng Nghernyw yn eithafion yr Ynys, a mesur wyth gan milltir rhyngddynt, mae'n ymddangos ei bod. Pan honnir mai Rhydychen yw canol yr Ynys, neu mai Môn, Manaw ac Wyth yw tair gorynys Ynys Brydain, mae'n ymddangos nad yw hi ddim. Arfer mynychaf y traddodiad yw cydnabod yn dawel fodolaeth yr Alban, ac yna'i rhoi hi o'r naill du, gan adael Cymru a Lloegr, neu beth sy'n cyfateb fwy neu lai i Brydain Rufeinig, yn faes yr anturiaethau ac yn llwyfan ymryson y mae sofraniaeth yr Ynys annaearyddol hon yn wobr ar ei ddiwedd. Gan mwyaf, fe safodd yr Alban draw oddi wrth yr ymgystadlu hwn, gan ei gweld a'i hadnabod ei hun yn hanfodol fel cenedl, cymundod a unid gan lywodraeth yn ogystal â chan diriogaeth ddiffiniedig a threftadaeth gyffredin. Yn y cyfamser fe ymddug y Cymry gan amlaf fel hil. Nid hil mohonynt, debyg iawn, mewn unrhyw ystyr dechnegol. Ond am resymau y gellir eu holrhain ymhell iawn yn ôl, fel hil y maent wedi eu dychmygu eu hunain, mewn ymryson parhaol â hil dybiedig arall, y Saeson, am feddiant gwlad y gellir dal na fodolodd oddi ar oes y Rhufeiniaid. Derbyniwyd yr un rhagdyb yn wastad gan y Saeson hwythau. Nid cwyno yr ydwyf wrth ddweud hyn, dim ond nodi ffaith sydd o'r pwys ymarferol mwyaf. Fe ffurfiwyd Cymru, ac fe ffurfiwyd yr Alban, mewn dulliau gwahanol; ar hyd ffyrdd gwahanol ac ar delerau gwahanol yr aeth y naill a'r llall ohonynt yn un â Lloegr. Anodd meddwl mai yn yr un ffordd â'i gilydd y bydd iddynt ddatod yr uniad hwnnw, neu newid natur yr undeb. Y ffaith hon yw gwir broblem Ynys Brydain.

Y mae'r darogan yr enillir yr Ynys yn ôl ryw ddydd yn rhywbeth a all ddod ar warthaf y darllenydd heb iddo ddisgwyl. Mae 'Yr Awdl Fraith' i'w chael mewn cryn drigain o lawysgrifau. 'Braith', tybed, am ei bod yn patrymu lliwiau – du, gwyn a choch? Ynteu am ei bod hi'n glytwaith o ddarnau diberthynas ar yr olwg gyntaf? Mae'n dechrau â rhyw adroddiad hynod anysgrythurol (cyn-ysgrythurol, oedd awgrym un sylwedydd) am greu Adda ac Efa, a'u cwymp. O sôn am ddechreuad tyfu cnydau, mae'n symud yn syfrdanol i sôn am greu corff Crist o'r bara a'r gwin, a chysegru'r ddwy elfen gan eiriau'r Drindod. O sôn am gynhaliaeth faterol dyn, try i sôn am lyfrau doethineb a ymddiriedodd Duw i ddyn drwy Adda, ac am allweddau gwybodaeth a gafodd Moses a Solomon. Yna honiad y bardd amdano'i hun:

> Mawr gefais innau
> Yn fy mardd-lyfrau
> Holl gelfyddydau
> Gwlad Ewropa.[3]

Darn wedi dod o ryw gerdd arall, barna rhai. Digon posib, ond dim gwahaniaeth! Â'r wybodaeth fawr yma sydd ganddo, beth a wna'r bardd? O, adrodd y pethau a fu, ac a fydd, i'r Brytaniaid:

> Och Dduw, mor druan
> Y daw'r ddarogan
> Drwy ddirfawr gwynfan
> I lin Troea.

> Sarffes gadwynawg,
> Falch anhrugarawg,
> A'i hesgyll arfawg
> O Sermania:

Hon a oresgyn
Holl Loegr a Phrydyn
O lan Môr Llychlyn
Hyd Sabrina.

Yna bydd Brython
Yn garcharorion
Ym mraint alltudion
O Saxonia.

Eu nêr a folant
A'u hiaith a gadwant,
Eu tir a gollant,
Ond gwyllt Walia.

Dyna'r pennill a gofir ac a ddyfynnir. Yn hwn mae rhywbeth i blesio Cymru grefyddol, rhywbeth i apelio at y meddwl rhamantaidd, a rhywbeth i fodloni cenedlaetholdeb modern. Dyna'r pennill a gorfforodd Waldo Williams yn gyfan, ac yn bwrpasol iawn, mewn cân o'i waith ei hun. Ond mae'r 'Awdl Fraith' yn mynd yn ei blaen:

Oni ddêl rhyw fyd
Yn ôl hir benyd
Pan fo gogyhyd
Y ddau draha.

Yno caiff Brython
Eu tir a'u coron
A'r bobl estronion
A ddiflanna.

Geiriau yr angel
Am hedd a rhyfel
A fydd diogel
I Brytania.

> Mi wn eu cerdded
> A'u twng a'u tynged
> A'u tro a'u trwydded
> Hyd ultima.

> O'r haul i'r ddaear, o ddwfn i orchudd,
> Ond mi Taliesin nid oes cyfarwydd.

Mae rhywun bron â'i goelio!

Fe goeliwyd llawer ar bethau cyffelyb, ddyddiau a fu. Fe chwaraeodd cerddi darogan y bymthegfed ganrif, mae'n bur sicr, ran mewn dwyn i fod y tro ar fyd a'r diweddglo y buont hwy eu hunain yn eu dyfal addo, glaniad Harri Tudur ger Aberdaugleddau, ei fuddugoliaeth ar Faes Bosworth a'i esgyniad i orsedd Lloegr. Fe welwyd hyn ar y pryd, ac am hir amser wedyn, fel cyflawniad yr addewid a fuasai'n ymhlyg mewn traddodiad tueddbennaidd a oedd bron cyn hyned â'r Cymry eu hunain. Dyma'r hyn yr oedd hanes i fod i'w ddarparu. Nid hawdd oedd i Gymry synied y gallai fod yn wahanol. Yr oedd Dafydd Llwyd o Fathafarn, y mwyaf egnïol o'r daroganwyr, wedi cyfarch Harri, y Mab Darogan, gydag adlais o fytholeg yr arwr a gyfyd o gwsg hir:

> Hwn yw fo ar ôl hun faith
> A wna'n hynys yn uniaith.

Beth oedd y bardd yn ei olygu? Nid cynnal wlpan ac ysgolion meithrin i ddysgu Cymraeg i bawb yn yr Ynys. Llaw-fer oedd 'iaith' yn bur aml am 'y bobl sy'n siarad yr iaith'; yr hyn a olygai Dafydd Llwyd oedd adfeddiannu'r Ynys gan un bobl, sef ei bobl ei hun. Tebyg mai rhywbeth braidd yn wahanol a olygai Harri VIII a'i weinidogion pan aethant hwythau ati i wneud yr Ynys yn uniaith. Fe gychwynnwyd y broses, fel y gwyddys, gan Ddeddf Seneddol ym 1536, yn datgan fod Tywysogaeth Cymru yn gorfforedig yn Nheyrnas Loegr a bod y Cymry a'r Saeson o'r pryd hwnnw yn gyfartal yng ngolwg y gyfraith. Wrth ddwyn ynghyd dan yn un llywodraeth ddwy bobl (fe'u galwn ni nhw yn A a B) a chyhoeddi eu bod yn gydradd, fe fynnodd y Ddeddf honno fod yn rhaid i B ddysgu iaith A er mwyn cyfranogi o'r cydraddoldeb; ond nad oedd raid i A feddwl am ddysgu iaith B. Dyma gydraddoldeb yn golygu anghydraddoldeb.

'Doedd bosib fod pawb yn fodlon ar y canlyniadau. Ond pan ddôi hi'n fater o feirniadu'r trefniant Tuduraidd yn agored ac uniongyrchol, fe'u dangosai'r Cymry eu hunain nid yn unig yn amharod ond hefyd cystal â bod yn analluog. Yr hyn a gafwyd yn hytrach oedd ailadrodd dros nifer o genedlaethau y gamp acrobatig o (a) gwyno'n enbyd yn erbyn yr hyn a welid fel cyflwr darostyngedig y Cymro, a (b) dal i ganmol y trefniant gwleidyddol yr oedd y Cymro'n gorfod byw o dano. Rhof un enghraifft fach yn unig. Ni fu erioed gwynwr mwy hwyliog yn erbyn darostyngiad y Cymry na William Williams, Llandygái, yn ei lyfr *Prydnawngwaith y Cymry* (1822), na cholbiwr mwy ymroddedig ar genedl y Saeson. Eto, clywch ei gasgliad yn agos at ddiwedd ei astudiaeth, a'i gyngor i Gymry ei oes ei hun: 'Ni a welwn yn ol yr hyn a ragfynegwyd, ein bod ni y Cymry, unig weddillion yr hên Fruttaniaid gynt, wedi ein corphori a'n gwneuthur yn un genedl a'r Saeson, hiliogaeth gelynion ein tadau gynt; ac i Dduw bo'r glod – mae genym yr un hawliau a breintiau a hwythau, fel na ddichon y mwyaf rhwysgfawr o honynt wneuthur a ni y camwri lleiaf; mae genym yr un gyfraith a hwythau yn amddiffynfa i ni; gan hynny nid oes i ni ond cnoi ein tamaid, a dal ein tafod, a gochel bod yn gynhenus er dim.'

Dyna inni lais yr hen draddodiad gwladgarol, peth gwahanol i genedlaetholdeb modern, a pheth nad yw bob amser yn hawdd i'r cenedlaetholwr modern ei ddeall. Mae'n Brydeinig, mae'n wrth-Seisnig. Mae euogrwydd a balchder, ymffrost a thaeogrwydd, oll yn gymysg o'i fewn. Cymysg hefyd fu ei ffrwythau. Ym 1751, yn ninas Caerludd (neu Droea Newydd) fe sefydlodd nifer o Gymry Llundeinig, gyda chymorth ac anogaeth rhai o'r Cymry gartref, y gymdeithas ffurfiol gyntaf erioed er astudio llên a hynafiaethau Cymru, hyrwyddo'r celfyddydau a'r gwyddorau ymhlith y Cymry ac ysgogi balchder Cymro yn ei dreftadaeth. I goffáu

neu gorffori tybiaeth ganolog y myth, sef mai'r Cymry oedd ac yw y gwir
Frytaniaid, poblogaeth wreiddiol ac unig wir berchenogion yr Ynys, fe'i
galwyd hi y Cymmrodorion, sef y Cyn-frodorion. Dyma gychwyn ail-
greu bywyd diwylliannol sefydliadol ymhlith pobl a fuasai'n amddifad o
bopeth o'r fath. Gwyddom fel y dilynwyd y Cymmrodorion gan
gymdeithasau eraill tebyg, yn Llundain i ddechrau, wedyn yng Nghymru;
ac fel y bu nawdd y cymdeithasau hynny yn foddion i'r Eisteddfod dyfu'n
sefydliad cenedlaethol a phoblogaidd, ac yn ei thro yn ysgogydd sefydliadau
eraill ac yn fan cyfarfod mudiadau. Prin y mae dim byd yn y bywyd
diwylliannol, seciwlar Cymraeg heddiw na ellir olrhain ei gychwyniad i
ryw drafodaeth neu benderfyniad ar faes Gŵyl y Pebyll. Yna, ym 1792, fe
welodd yr hen Gaerludd rywbeth arall, sef lansio ar Fryn y Briallu sioe
gyhoeddus a ddaeth yn y man yn un liwgar ac yn wrthrych sylw'r miloedd,
yn ogystal â bod yn sefydliad sy'n dal, ie heddiw, i anesmwytho'r math o
feddwl nad yw'n caru gweld y Cymry ar gerdded. Yr oedd ynddi elfennau
ffug, fel popeth a ddaeth o benglog Iolo; ond yr oedd iddi hefyd ddibenion
gyda'r mwyaf cadarnhaol y gellid eu cael, datgan bodolaeth y Cymry a
dathlu parhad eu traddodiad llenyddol. Gorsedd Beirdd Ynys Brydain yw
ei henw o hyd.

Rhydd inni ofidio, os felly y credwn, na bai'r sefydliadau hyn, a'r lleill
a ddeilliodd ohonynt, wedi dod ynghynt, neu mewn rhyw ffyrdd gwahanol,
ac na baent yn amgenach o ran y peth yma neu'r peth arall. Ond dyna sut
y daethant. Mewn rhyw ystyr y mae holl rwydwaith bywyd diwylliannol
trefnedig modern y Cymry Cymraeg i'w olrhain i'r hen ymdeimlad a'r
hen honiad Brytanaidd.

Wrth gwrs, fe ddeilliodd pethau eraill ohono, rhyw barlys ewyllys a
fu'n llethol iawn, a rhyw gamwelediad a fu agos â'n difa. Cwbl
angenrheidiol ac iachusol fu beirniadaeth cenedlaetholdeb modern ar y
myth Brytanaidd ac ar ei effeithiau fel y gwelwyd hwy ar waith. Byddai
arolwg cyflawn o'r feirniadaeth honno yn rhwym o ystyried dychan brathog
Emrys ap Iwan ar syniad y Gymru Brotestannaidd amdani ei hun fel math
neilltuol o 'genedl etholedig', wedi derbyn ei chyfleusterau a'i breintiau

a'i chyfran arbennig o rinwedd yn ad-daliad am golli sofraniaeth wleidyddol. Byddai'r un arolwg yn sicr o ystyried y ddadl a gyflwynwyd â dycnwch mawr gan yr ysgolhaig A.W.Wade-Evans, na ddigwyddodd erioed mo'r golled diriogaethol y cwynodd y Cymry amdani oddi ar yn gynnar iawn, ac y tyfodd y daroganau fel ateb iddi; mai anwiredd, canlyniad camddarllen y testunau cynharaf oll, a pheth gwyrdroi bwriadol, yw stori coll Prydain.[4] O fewn yr un arolwg eto, byddai lle i gyferbyniad rhwng dau sylwedydd gwreiddiol a allai ymddangos i ddechrau fel petaent yn cynrychioli dau begwn anghymodadwy yn eu dehongliad o'r mater; cyfeirio'r wyf at yr arlunydd a'r bardd David Jones, a'r athronydd J.R. Jones.

Yr oedd David Jones yn un o'r ychydig rai erioed a allai ddweud 'Ynof, mae Prydain yn un', a'i feddwl. Hanner Cymro, hanner Llundeiniwr ydoedd, wedi treulio'r rhan fwyaf o'i oes yn yr hen Gaerludd; rhaid bod miloedd yr un fath ag ef yn hynny o beth, ond heb erioed deimlo'r hyn a deimlodd ef am natur Prydain, ei hundod a'i hamrywiaeth. Yn filwr yn y Rhyfel Mawr fe'i cafodd ei hun yn aelod o gatrawd gymysg o Gymry a Llundeinwyr. 'Allai dim dau griw fod yn fwy gwahanol i'w gilydd,' meddai. Eto 'roeddynt yn un, 'yn dwyn yn eu cyrff draddodiad gwirioneddol Ynys Brydain'. O'r holl rai a oedd gydag ef yn yr heldrin hwnnw ac a oroesodd, tybed a fu un arall a welodd ac a deimlodd y pethau a fynegodd *In Parenthesis*? Gweledigaeth unigryw oedd gweledigaeth David Jones ar Brydain; dyna'r unig beth sydd o'i le arni. Mewn sgwrs a ddarlledwyd ar achlysur coroni'r Frenhines ym 1953 gallai sôn yn werthfawrogol am y traddodiad a'r symbolaeth sy'n amgylchynu'r frenhiniaeth Seisnig, a sôn yr un pryd â theimlad dwys am farwolaeth Llywelyn ap Gruffydd, ac â dicter am gymal iaith Deddf Uno 1536. Oes, y mae yna'r fath beth ag undod Prydain, yn ôl David Jones, a bu'r undod hwnnw'n beth mawr yng ngolwg y Cymry. Ond undod o gymhlethdod a chymysgwch ydyw, haen ar ben haen o 'ddyddodion', dyna'i air (*deposits*). Yn chwedl a barddoniaeth gynnar y Cymry, fe ddown i gwrdd ag un o'r haenau mwyaf sylfaenol; ac y mae Cymru ei hunan, y syniad o undod a hunaniaeth Gymreig, yn barhad di-dor o'r Brydain a ffurfiwyd dan Ymerodraeth

Rufain, yn amalgam o bethau Rhufeinig a Cheltaidd. Felly fe ddylai gofal ynghylch traddodiad y Cymry, 'traddodiad byw hynaf Prydain', fod yn rhan o feddwl 'pawb sy'n honni parchu pethau gwaelodol yr Ynys hon' (*the foundational things of this Island*).

Casgliad y gallem gael ein harwain ato gan ymresymiad David Jones, er efallai nad yw ef yn ei ddweud mewn cynifer â hynny o eiriau, yw y dylai pob gwir Sais, os yw yn ei ystyried ei hun yn wir Frytaniad yn ogystal, ddysgu Cymraeg. Di-fai rheol yn wir. Ond tybed na allwn ni fforddio bod dipyn bach yn fwy cynhwysol – petai ond er mwyn cynnwys David Jones ei hun, a gyffesai â gofid mai annigonol oedd ei Gymraeg? Beth petaem ni'n setlo ar y canlynol? Mai'r gwir Frytaniaid, heddiw fel erioed, yw'r ddau gategori gorgyffyrddol yma: (a) y siaradwyr Cymraeg; (b) y rhai sy'n gwybod cyfrinach Ynys Brydain. Dau gategori sy'n gorgyffwrdd ydynt, oherwydd 'dyw pob Cymro Cymraeg, er ei fod drwy ddamwain wedi etifeddu'r iaith sy'n allwedd i'r cyfan, ddim yn gwybod y gyfrinach o bell ffordd. Ar y llaw arall mae mwyafrif mawr y siaradwyr Cymraeg nad ydynt yn Gymry o fagwraeth yn ei gwybod.

Yn ei lyfr *Prydeindod* (1966), troes J.R. Jones reswm athronydd at gwestiwn natur cenedligrwydd yn yr Ynys hon. Yn draddodiadol iawn, fe roddodd yntau yr Alban o'r naill du yn dawel; y cwlwm sy'n dal Cymru mewn undod gwleidyddol â Lloegr yw'r hyn y mae'n ei archwilio. Casgliad J.R. Jones yw mai dim ond un wir genedl sydd o fewn y Brydain draddodiadol hon, ac mai cenedl y Saeson yw honno. Pobl yw'r Cymry, nid cenedl; ond pobl ac ynddynt drwy'r canrifoedd ddichonoldeb cenedl. Heb wireddu'r dichonoldeb hwnnw a dod yn wladwriaeth, fe ddiflannant o fod fel pobl hefyd. Y rhwystr mawr ar wireddu'r dichonoldeb yw'r rhith genedligrwydd Prydeinig y mae cynifer o'r Cymry yn credu y gallant gyfranogi ynddo, yr ideoleg y rhoes ef arni yr enw Prydeindod.

'Pobl, ac ynddynt ddichonoldeb cenedl.' Ie, diffiniad go gywir. Nid er mwyn ceisio mwy o gysur y mentrwn i yma heno awgrymu dau ddiffiniad arall sydd o fewn trwch blewyn i fod yr un peth. (1) A fyddem ni'n gywir, yn fwy cywir, yn dweud 'pobl yn cynnwys cenedl'? Y genedl yw'r nifer hwnnw o fewn y bobl sy'n gallu gweld y dichonolrwydd cenedl yn y bobl; neu, ac edrych arni o'r cyfeiriad arall, presenoldeb y nifer hwnnw yw'r dichonolrwydd. Mae'r bobl Seisnig yn un â'r genedl Seisnig; ond sawl tro fe welsom y bobl Gymreig yn gwrthod y genedl yn ddiamynedd. A pham? Yn ôl J.R. Jones, oherwydd dygn gredu y gallant gyfranogi mewn cenedligrwydd arall. Ond rhith genedligrwydd yw hwnnw, gan nad oes iddo unrhyw sylwedd gwahanol i genedligrwydd Seisnig. I ateb pam y maent yn credu fel hyn, rhaid fyddai dychwelyd eto oddi wrth athroniaeth at hanes, neu gwell fyth at ffug-hanes. (2) Pobl yn gwrthod cenedl, ynteu cenedl yn ei gwrthod ei hun? At bwrpas ein hail ddiffiniad yr ydym yn derbyn fod y bobl yn gyfan yn cyfranogi mewn cenedligrwydd Cymreig; ond derbyniwn yr un pryd fod hwnnw'n genedligrwydd braidd yn annodweddiadol, wedi dod i fod mewn sefyllfa hanesyddol na cheir ei thebyg yn aml, sefyllfa a greodd ansicrwydd neu amwysedd sylfaenol ynghylch y diriogaeth a honnir i'r genedl. Canlyniad hyn yw cenedl a all weithiau droi'r teimladau a'r egnïon hynny sydd fel rheol yn perthyn i genedl yn ei herbyn ei hun. Cenedl y tu ôl ymlaen. Ni fyddwn damaid elwach â dweud y drefn, amdani nac wrthi; ond byddwn dipyn elwach o ofyn pam. Yn ôl â ni at hanes a ffug-hanes.

Gwelodd David Jones un peth, a gwelodd J.R. Jones beth gwahanol. Yn y diwedd nid ydynt yn groes. Y mae unigrywiaeth gweledigaeth David Jones, a'r ffaith fod cyn lleied o bobl yn medru ei rhannu, yn bethau y gellid eu dyfynnu o blaid dadl J.R. Jones: nad oes yna'r fath beth â chenedligrwydd Prydeinig y gall holl bobl Prydain gyfranogi ynddo ac sydd hefyd yn wahanol i genedligrwydd Seisnig. A'i roi fel arall, nid cenedl mo Prydain. A dyna hi, wrth gwrs, y gyfrinach. Deil yn gyfrinach, nid yn yr ystyr fod rhai am ei chelu, ond yn yr ystyr fod llawer na allant ei deall; dirgelwch, yn wir, i rai i'w ddeall ac i eraill i'w watwar. I'r rhai sy'n ei deall, mae hi'n gymaint o ystrydeb fel mai disgynneb yw ei chyhoeddi o gwbl.

Fe aeth J.R. Jones ati i astudio Prydeindod mewn ymateb i her gan Alwyn D. Rees mewn ysgrif allweddol yn y cylchgrawn *Barn*, fis Mawrth

1965. 'Y Cymro, adnebydd dy Brydeindod' oedd brawddeg ola'r ysgrif honno. Yn ôl at yr anogaeth honno y mae'n rhaid i ninnau fynd. Ni ddylai fod dim gwrthwynebiad i'r gair 'Prydeindod' gadw, bellach, yr ystyr a roddodd J.R. Jones iddo, sef ymlyniad wrth ideoleg yr un genedl, gyda holl ymhlygiadau hynny, yn cynnwys gwadu bodolaeth cenedligrwydd Cymreig. Efallai fod angen gair arall am y peth hanesyddol sydd y tu ôl i Brydeindod, argyhoeddiad traddodiadol y Cymro mai ef piau Ynys Brydain. A fyddai rhywbeth fel 'Brytaniaeth' yn ei gyfleu? Dros bont Brytaniaeth y cerddodd y Cymro i mewn i garchar tywyll Prydeindod. Sut y gall gerdded allan i olau dydd ac eithrio dros yr un bont? Mae ein hymdeimlad Brytanaidd yn rhan ohonom ni Gymry. Bu iddo ganlyniadau da a drwg yng nghwrs y canrifoedd; fe'i defnyddiwyd yn ein herbyn, ac fe ellir, 'does dim amheuaeth, ei ddefnyddio i'n gorffen ni. Ond fe ellir ei ddefnyddio o'n plaid. Sut?

Fe ddylai creu senedd a llywodraeth Gymreig olygu ar yr un pryd, a pha beth bynnag arall a olyga, gryfhau, a hynny'n ddirfawr, lais a rhan pobl Cymru yn llywodraeth Ynys Brydain. Fe ddylai'r ffurf ar ymreolaeth yr amcenir ati fod yn gyfryw fel bod hynny'n ddichonoldeb ynddi o'r cychwyn. Dyna a fyn greddf Cymro.

Dyna hefyd a fyn y cyfwng yr ydym ynddo. Bu hanes anrhydeddus yn yr ugeinfed ganrif i weithredu amddiffynnol o wahanol fathau ymhlaid hunaniaeth y Cymry. Hyn, mi gredaf, sy'n ffaith: heb y gweithredu a ddilynodd y ddarlith a draddodwyd yn y gyfres hon ddeng mlynedd ar hugain union yn ôl, darlith *Tynged yr Iaith*, byddai wedi darfod arnom ni y Cymry Cymraeg, rai blynyddoedd cyn hyn. Ond yn ychwanegol at y gweithredu amddiffynnol hwn, llawer ohono, nid o ddewis ond o raid, yn weithredu 'uniongyrchol', neu 'anghyfansoddiadol' ys dywedir, mae'n cyflwr a'n sefyllfa heddiw yn gofyn hefyd strategaeth ymosodol iawn yng nghyswllt Ynys Brydain ac o fewn fframwaith cyfansoddiadol.

Mae pob sôn a fu am 'ddatganoli', a phob cynllun ffederal neu led-ffederal a awgrymwyd oddi ar yr Ail Ryfel Byd, wedi rhagdybio math ar senedd yng Nghymru, a'r un modd yn yr Alban, a fyddai'n israddol ac yn atebol i Dŷ'r Cyffredin. Sonnir am 'fwy o lais yn ein materion ein hunain'. Faint ydyw 'mwy'? Pa fath fater sy'n 'fater i ni'n hunain'? Rhaid ateb fel hyn: yr un faint o lais ag sydd gan Loegr yn ei 'materion ei hun'; mater 'i Gymru ei hun', a'r un modd i'r Alban, fyddai mater cyfatebol i ba fater bynnag a ystyriai Lloegr yn eiddo iddi ei hun.

A rhyw dipyn o sôn yn yr awyr unwaith eto am gwestiwn ymreolaeth, mae dau beth a ddylai fod yn achos anfodlonrwydd a phryder mawr i bawb sy'n dymuno gweld yr hunaniaeth Gymreig yn goroesi dros drothwy canrif newydd. (i) Gynted ag y sonnir am greu rhyw lun o gynulliad neu is-senedd un ai i'r Alban neu i Gymru, fe gyfyd lleisiau yn dweud: 'Wrth gwrs, fe fyddid wedyn yn lleihau'r gynrychiolaeth Albanaidd/Gymreig yn Nhŷ'r Cyffredin.' Gochelwn rhag bodloni i hyn. Lleihaer y gynrychiolaeth Gymreig, ie hyd at ddim, yn Nhŷ'r Cyffredin, y dydd y cynyddir y gynrychiolaeth Gymreig, ie hyd at gydraddoldeb, mewn tŷ gwir ffederal, a fyddai'n goruwchreoli Tŷ'r Cyffredin i'r un graddau yn union ag y byddai'n goruwchreoli seneddau Cymru a'r Alban. (ii) Mae yna ragdybio parod mewn rhai cylchoedd na fyddai creu cynulliadau neu seneddau o ryw fath yn yr Alban a Chymru yn ddim ond y cam cyntaf tuag at system lle byddai Cymru a'r Alban yn gyfartal â rhanbarthau o Loegr, cyfartal ag East Anglia, neu â rhyw Mercia atgyfodedig, neu â rhyw North East Midlands wedi ei chreu drwy dynnu llinell ar fap ac adio rhyw ychydig o ffigurau poblogaeth. Hwn fyddai'r gwadiad terfynol o'n cenedligrwydd. Pe bai Lloegr ryw dro yn dewis datganoli o'i mewn ei hun a chreu is-seneddau rhanbarthol, mater iddi hi fyddai hynny. Ni allai'r Alban, ac ni ddylai Cymru, fodloni ar fod yn gydradd â rhanbarthau o'r fath. Nid rhanbartholdeb yw sail dim o'r ddadl dros ymreolaeth Gymreig. Unig sail ddilys galwad am ymreolaeth yw fod yma genedligrwydd, galwer ef yn genedligrwydd dichonol os mynnir.

Beth petaem ni'n cynnig rhyw gynllun fel hyn?

'Rhag bod yn rhy Jacobinaidd, rhag bod yn rhy ddibris o draddodiad ac arfer, cadwer Tŷ'r Cyffredin, boed mor anniwygiadwy ag y bo. Mae'n un o greiriau Ynys Brydain. Mae iddo'i apêl o hyd fel clwb i ryw chwechant o aelodau, ac mae ei arferion yn annwyl iawn i bron bawb o'r rhai a fu â rhan ynddynt. Gyda'i 'olygfeydd dicllon', gyda'i chwifio papurau trefn, gyda'i frefu defodol, gyda'i ofergoelion ynghylch ynganu'r gair yma neu gyffwrdd y gwrthrych arall, gyda'i oriau gwaith amhosibl, gyda'i system anhygoel drwsgl o bleidleisio, gyda'i ddulliau cywrain o wastraffu amser, ie gyda'i we gymhleth o ddyfeisiadau i ofalu nad oes dim byd yn newid yn sylfaenol, cadwer ef yn senedd i Loegr. Yn senedd i Brydain, crëer tŷ newydd, modern a diwastraff ei ddulliau o weithredu, tŷ â lle i bob aelod eistedd ynddo, yn un peth; ac yn anad dim, tŷ gwir ffederal o dair cenedl, ac unig dair cenedl, yr Ynys hon – Lloegr, yr Alban a Chymru, y tair yn gyfartal eu cynrychiolaeth, a'u seneddau eu hunain yn ddarostyngedig i'r tŷ canolog i'r un graddau yn deg â'i gilydd. Dyna a fyddai'n iawn. Oherwydd nid eu maint, nid eu poblogaeth, nid eu cyfoeth a roddai iddynt yr hawl i gynrychiolaeth, ond yn unig ffaith eu cenedligrwydd, boed hwnnw ddichonol neu arall.'

Petai rhywun yn cynnig rhywbeth fel yna, byddai o leiaf yn cynnig rhywbeth sy'n unol â greddf Cymro. Byddai rhywun yn sicr o'n hatgoffa wedyn fod gan Brydain Fawr eisoes ei hail dŷ. 'Dim ond Tŷ'r Arglwyddi ydi hwnnw,' meddai'r Jacobiniad, gan gychwyn i chwilio am y fwyell lle bynnag y gadawodd Lloyd George hi. Ond fe awn ni rhagom yn bwyllog, yn yr un ysbryd ag o'r blaen:

'Cadwer yr Arglwyddi y mae rhyw swyddogaeth iddynt, sef yr Arglwyddi Cyfraith, a chadwer Tŷ'r Arglwyddi fel prif Lys Apêl y Deyrnas. Terfyner pob gweithgarwch arall o'i eiddo. Rhodder y gorau i greu rhagor o Arglwyddi, ond symuder y gwaharddiad ar i Arglwyddi fod yn ymgeiswyr seneddol. Yna cymerer lle Tŷ'r Arglwyddi fel tŷ llywodraeth gan siambr ffederal etholedig, o bosib dan gadeiryddiaeth yr Arglwydd Ganghellor eto, siambr a fyddai'n corffori'r ffaith mai gwladwriaeth o dair cenedl yw'r wladwriaeth Brydeinig. Byddai siambr o'r fath yn corffori cyfrinach Ynys Brydain. A byddai'r gyfrinach yn llai o gyfrinach.'

I ni Gymry, y cam cyntaf tuag at y nod hwn fyddai agor ein senedd ein hunain. Ei hagor. Nid deisebu amdani, nid mesur y galw amdani drwy gynnal refferendwm, ac nid gofyn i Ysgrifennydd Cymru a yw'n teimlo ar ei galon, ar ôl noson arall o gwsg, yr hoffai weld ei sefydlu. Sicrhaer lle neu leoedd iddi gyfarfod, dyfeisier cyfansoddiad iddi, ymoroler am gyllid iddi, gwahodder ymgeiswyr am seddau (ar y ddealltwriaeth y byddai'n rhaid iddynt wasanaethu'n wirfoddol), cynhalier etholiad, agorer hi. Pwy a wnâi hyn? Corff wedi ei greu i'r pwrpas, a chorff y dylai ei aelodaeth fod yn agored i rai o bob plaid. Ni ddylai'r ysbaid rhwng sefydlu'r corff ac agor y senedd fod yn rhy hir.

Mae dwy ragdybiaeth wedi gweithredu ochr yn ochr drwy'r blynyddoedd gan dywyllu cyngor ar fater ymreolaeth: (i) na all ond llywodraeth San Steffan greu senedd i Gymru; (ii) bod creu senedd o angenrheidrwydd yn golygu creu llywodraeth, hynny yw na ddaw senedd a llywodraeth ond yr un diwrnod â'i gilydd. Nid llywodraeth yw pob senedd. Nid llywodraeth yw dim un senedd, a dweud y gwir. Corff yw senedd sydd efallai'n rhan o lywodraeth, neu (yn fanylach) yn gorgyffwrdd â llywodraeth. A defnyddio un diffiniad clasurol, 'y senedd yw'r corff lle mae'r bobl a'r llywodraeth yn cwrdd'. Mae digon o seneddau heb awdurdod, a ninnau'n cyfrannu at eu cynnal. Senedd Ewrop, dyna un; a pheth digon tebyg yw Cymanfa Gyffredinol y Cenhedloedd Unedig. Yr ydym yn derbyn bod i bob un o'r rhain ryw werth fel fforwm, trafodfa, cyfrwng i gynrychioli a chrynhoi barn. Byddai cyfiawnhad i senedd Gymreig pe bai hi'n ddim ond hynny, cyn belled â'i bod hi wedi ei hethol yn uniongyrchol.

Unwaith, fodd bynnag, y byddai hi wedi cychwyn ar ei gwaith o drafod, fe gâi yn anochel mai'r prif beth a fyddai iddi i'w drafod fyddai sut i ennill iddi ei hun alluoedd llywodraeth, a beth fyddai ei pherthynas â seneddau eraill o fewn y Deyrnas. Hi ei hun fyddai piau penderfynu (a) pa bwerau i'w ceisio, a (b) pa fath bwysau i'w greu, er mwyn sicrhau'r pwerau hynny. Yn y cyfamser ni byddai dim, cyfansoddiadol nac arall, yn gomedd iddi fynd ymlaen â'r gwaith o lunio deddfau, sef gwaith pwysicaf unrhyw senedd. Ni byddai ganddi ddim awdurod i'w gorfodi. Ond ar gyfer y dydd y byddai ganddi awdurdod, fe allai, o drefnu ei hamser yn gall, dreulio blwyddyn, dwy, tair adeiladol iawn, yn gweithio'n dawel ar gorff o ddeddfau wedi eu cynllunio i gwrdd â rhai o brif broblemau Cymru fel gwlad a chymdeithas. Gallai roi iddynt un darlleniad, efallai ddau (beth bynnag a farnai hi'n briodol), fel ag i sefydlu cynsail ac egwyddor, ac fel y gellid eu mabwysiadu'n gyflym iawn, gydag un darlleniad bob un, o fewn ychydig wythnosau wedi iddi gael neu gymryd awdurdod.

Beth fyddai ffurf senedd Gymreig yn y pen-draw, a beth fyddai ei dulliau gweithredu, ni all neb ddweud; nac ychwaith beth fyddai ei pherthynas â chyrff deddfwriaethol eraill yn yr Ynys hon ac yn Ewrop. Gweithgarwch y mae'n rhaid inni ei adael i Daliesin y daroganwr yw darllen y dyfodol. Y cyfan y gallwn ni ei wneud yw pennu cyfeiriad; ac os ydym yn ddoeth byddwn yn pennu cyfeiriad yn unol â'n harferion meddwl ein hunain fel pobl.

Fe gafodd tylwyth Dic Siôn Dafydd barti gwych yn '79, a rhai ohonynt, mae'n siŵr, wedi cadw'u hetiau papur i gofio. Mae'n hen bryd i ddilynwyr Glyndŵr gael rhywbeth i'w ddathlu. Darllenwn yn y wasg am ffatri yn Abertawe yn gweithio oriau hwyr yn cynhyrchu baneri ar gyfer yr hen genhedloedd sy'n ailymddangos yn ein byd heddiw. O ddal yr yr awr a'r cyfle, a threfnu'r gwaith yn iawn, siawns na welid y tro hwn, nid yn unig y ceid hwyl *ar* ei wneud, ond y ceid tipyn o hwyl *wrth* ei wneud yn ogystal. Ac mae hynny cystal rheswm â dim un dros ddymuno'i wneud o gwbl.

Iechyd da i bob gwir Frytaniad!

[Darlith Radio Flynyddol BBC Cymru, 1992]

NODIADAU

1. Yr oedd 'Brytaniad' a 'Brython' weithiau'n gyfnewidiadwy, ond nid bob amser. 'Briton' yw'r ddau yn Saesneg. 'Brythoniaid', i ni, yw hynafiaid y Cymry, ar yr adeg yr oeddent yn siarad Brythoneg, cyn i honno droi'n Gymraeg. 'Brytaniaid' oedd enw'r Cymry arnynt eu hunain fel pobl fytholegol, etifeddion Brutus o Droea. Yn ddiwedar mewn hanes y pallodd yr arfer o'u galw'u hunain wrth yr enw hwn, ac o alw'r Gymraeg 'y Frytaniaith' neu 'yr iaith Frytanaidd'. Er bod hen deimlad da i'r enw 'Brython', llawn cystal bellach gyfyngu hwnnw i'r ystyr hanesyddol a thechnegol. Erys defnyddioldeb yr enw 'Brytaniaid', am yr hyn y credai'r Cymry eu bod. Ond rhaid caniatáu ei amwysedd wrth gwrs. Y mae hefyd yn golygu 'pobl o Brydain' neu 'ddeiliaid Prydeinig', ac yn hynny o beth y mae 'Prydeinwyr' yn gyfystyr ag ef. Bellach, fel y crybwyllir yng nghorff y ddarlith, fe fagodd 'Prydeiniwr' yn ei dro ystyr newydd, un wleidyddol a hytrach yn ddifrïol.

2. Weithiau y mae'r honiad yn gwbl annheg!

> Llyfr eto yn llaw Frytwn,
> Llin Hors ni ddarllenai hwn,

meddai Guto'r Glyn am lyfr y Greal. 'Does bosib fod mwy na deng mlynedd rhwng llunio'r cwpled a'r pryd y rhoddodd Malory yn llaw Caxton ei lyfr mawr am anturiaethau'r Ford Gron!

3. Dyfynnais 'Yr Awdl Fraith' o'r *Myvyrian Archaiology of Wales*. Bellach y mae nifer o destunau o 'anthem genedlaethol yr hen Frytaniaid' wedi eu golygu, ynghyd â thrafodaeth lawn, yn nhraethawd doethurol Gruffydd Fôn Gruffydd, 'Barddoniaeth Taliesin Ben Beirdd y Gorllewin' (Ph.D. Cymru, 1997).

4. Dyma brif fannau dadl Wade-Evans: nid un llyfr mo'r *De Excidio et Conquestu Britanniae* a ystyrir yn draddodiadol yn waith Gildas. Ychwanegiad yw'r crynodeb o hanes Prydain sy'n adrodd am y 'golled' honedig, gwaith rhyw awdur arall, wedi ei sgrifennu gryn ganrif a hanner yn ddiweddarach na phrif gorff y llyfr, sef gwaith dilys Gildas. Y mae cymryd y ddau waith fel un, fel y gwnaed, mae'n wir, oddi ar ddechrau'r wythfed ganrif, wedi creu camargraff ddybryd o gwrs pethau yn y cyfnod y daeth Lloegr a Chymru i fodolaeth fel gwledydd. (b) Nid Brythoniaid, sef hynafiaid y Cymry, yw ystyr y gair *Britanni*, a bobl sy'n cwyno'u colled yn y rhan hanesyddol o *Coll Prydain*. Y gair rheolaidd am 'Brythoniaid' yn y cyfnod hwnnw fyddai *Brittones*. Ystyr *Britanni* yw'r gymysgedd o ddinasyddion Rhufeinig ym Mhrydain, yn cynnwys Brythoniaid, Rhufeiniaid, ie Saeson hefyd, ac amrywiol bobl ddŵad o wahanol barthau'r Ymerodraeth. Y rheini a deimlai'r wasgfa. (c) o gamliwio a chamamseru digwyddiad cymharol fychan, glaniad mintai o Sacsoniaid yng nghyffiniau Ynys Wyth, y tyfodd y stori fawr am laniad Hors a Hengist, mewnlifiad trefnedig degau o filoedd yn rhagor i'w canlyn, a ffoedigaeth bendramwnwgl y Brytaniaid i'r rhanbarthau gorllewinol. Gweler *Welsh Christian Origins* (Rhydychen, 1934), *The Emergence of England and Wales* (ail arg., Caergrawnt, 1959) a *Coll Prydain* (Lerpwl, 1950).

THOMAS WILLIAMS
YR ANTERLIWTIWR

M AE HANESWYR llenyddiaeth Gymraeg ers llawer blwyddyn wedi cydnabod y cyfraniad allweddol ac arloesol a wnaed yn eu dydd gan lenorion gwlad y ddeunawfed ganrif. Y rhain, yn anad neb, a greodd ac a feithrinodd gynulleidfa i lyfrau Cymraeg ym mlynyddoedd canol y ganrif honno, ac a wnaeth yn bosibl weithgarwch mawr y ganrif a ddilynodd. Wrth eu gwaith, crefftwyr oedd y rhan fwyaf ohonynt: seiri coed a maen, gwehyddion, cryddion, cyfrwywyr, gofaint, cowperiaid, teilwriaid. Wrth eu pleser (a'r pleser hwnnw'n dwyn ychydig o elw weithiau) hwy oedd gwŷr yr anterliwtiau, y baledi, y carolau a'r almanaciau. Hwy hefyd oedd arloeswyr cyhoeddi seciwlar Cymraeg: y ddau enwocaf yn hyn o beth oedd Dafydd Jones o Drefriw a Huw Jones o Langwm. Eu tad hwy oll oedd Thomas Jones yr Almanaciwr, a fu mor weithgar oddeutu tro'r ganrif; yn ôl y sôn, teiliwr oedd yntau'n wreiddiol. Mae pob astudiaeth o'r cyfnod bron yn sicr o gyfeirio'n ogystal at yr agwedd ffroenuchel ac oriog a ddangosid tuag at y dosbarth yma o lenorion gan wŷr mwy dysgedig na hwy, sef yn arbennig Morrisiaid Môn a'u ffrindiau. Fe gofir nad oedd Goronwy Owen yn brin o enwau difrïol i'w hyrddio tuag atynt: y beirdd bol clawdd, y mân glytwyr dyrïau, y rhymynwyr melltigedig, ac yn y blaen. 'Ffŵl' oedd Dafydd Jones, ar dro; 'chwiwgi' a 'dylluan ddol' oedd Huw Jones. Ond ni chafodd neb mohoni'n waeth na gwrthrych yr ysgrif hon.

Ym mhlwy Llanllechid yn Arfon y trigai Thomas Williams (1689-1763). Teiliwr oedd o ran crefft: 'Merchant Taylor' fel y mae ef yn gofalu cofnodi bob amser. Fel hyn y mae'n ei gyflwyno'i hun ym mhrolog *Mynegiad yr Hen Oesoedd*:

Os mynnwch Addusg wuddor
Am Swudd y Gwr drwy'r Fordor;
Fe alwe'r Bonedd hoewedd hynt
Ef gynt y *Marshant-Taylor*.

Mae Papell y Bardd egwan
Wrth ystlus afon *Ogwan*;
Tal-y-Bont yw henw'r fan,
Sy nesa i *Fangor* fwynen.

Dan enw Thomas Williams fe ymddangosodd pedwar o deitlau. Efallai bump. I roddi cyfrif ohonynt mae eisiau cryn ofal.

1. Ar gyfer 1758 rhestra *Llyfryddiaeth y Cymry*, Gwilym Lleyn:

Hanesion yr hen oesoedd, sef, I Dechreuad y Byd; II. Ymddiddanion o'r Cynfyd; III. Rhwng Duw ac Adda; IV. Rhwng Satan, y Sarph ac Efa; V. Rhwng Duw a Noah. O waith Thomas Williams, Merchant Taylor, o Dal y Bont, yn agos i fangor. Rhif. 1.
      Printiedig yn Llundain.

Nid oes dim copi o gwbl o'r llyfr hwn wedi ei gadw.

2. Mewn llythyr ar 5 Hydref 1758 y mae John Owen, nai'r Morrisiaid, yn cyfeirio'n ddifrïol iawn at lyfr o waith Thomas Williams dan yr enw *Hanesion o'r hen oesoedd*, ac yn dyfynnu peth ohono. Cyhoeddwyd hwn eto yn Llundain. Sylwer ar y gwahaniaeth bychan yn y teitl, 'o'r' yn lle 'yr'.

3. *Agoriadau Datguddiad Creadigath y Nefoedd*. Cyhoeddwyd hwn ym Modedern, ym 1760 yn ôl ei dudalen deitl. Ond rhydd cyfeiriadau mewnol le i gredu na chwblhawyd mo'r argraffu hyd 1761. Dywed y dudalen deitl

hefyd mai dyma'r 'trydydd sgrifeniad o waith yr awdwr', a rhydd hyn ragor o le i feddwl mai dau gyhoeddiad gwahanol oedd 1 a 2 uchod.

4. *Mynegiad yr Hen Oesoedd* (Llundain, 1761).

5. *Hanesion o'r Hen Oesoedd* (Llundain, 1762). Er gwaethaf ei deitl, nid yw'n ymddangos fod hwn yr un â rhif 2 uchod: dyfynna John Owen ddigon i awgrymu hynny. Nid yw yr un â rhif 1 chwaith. Ond y mae yr un peth â rhif 4, *Mynegiad yr Hen Oesoedd*, ac eithrio'r newid teitl a'r ffaith ei fod yn cynnwys chwe englyn annerch i'r llyfr gan Huw Jones o Langwm nas ceir yn y *Mynegiad*.

Dyna werthu go dda mewn pedair blynedd. Am yr ystyriaethau o blaid credu fod pum gwahanol deitl, a hefyd am hanes gwasg John Rowland ym Modedern, cyfeiriaf y darllenydd at drafodaeth fanwl Dafydd Wyn Wiliam mewn rhifyn o Gylchgrawn y Gymdeithas Lyfryddol.[1]

★ ★ ★

Soniwn am *Agoriadau Datguddiad* yn gyntaf, gan ei fod yn sefyll ar wahân i'r gweithiau eraill, boed y rheini'n dri neu'n bedwar. Dyma'i deitl:

AGORIADAU / DATGUDDIAD / CREADIGATH Y NEFOEDD GEN.I. VIII. V / AR ANGYLION Y CERU- / BIAID A'R SERAFFIAID / LX. 37. 7. 8. 9. V EIAY. 37. 16. Gen. I. i. g / Ysbryd Duw yn ymsymud ar y / Dyfroedd Ordinhad yr haul ar Lleuad / y ser ar goleuni ar Tywyllwch y Trydydd / sgrifeniad o waith yr Awdwr Argraphwyd / [?ym] Modedern yn y Flwyddyn 1760. Ac ar werth yn amryw o (?)fannau Ynghymru a Lloeger...

'[A]... remarkable production, owing to the combined bungling of printer and author,' oedd sylw John Humphreys Davies ar y gwaith hwn. Anodd yn wir yw anghytuno. Cyfraniad John Rowland, yr argraffwr o Fodedern, yw cysodi gwallus a mympwyol, gydag ail dudaleniad o 44 tt. yn dechrau'n ddirybudd, mewn teip gwahanol, wedi tudalen 212. Cyfraniad yr awdur yw ymgais dra charbwl ar yr hyn a alwai rhai o wŷr yr oes yn *histoire universelle*. Dechreuir yn y dechreuad, gyda chreu'r nefoedd a'r ddaear; a deuir i ben yn nheyrnasiad 'George Augustus III yr hwn Duw ai llwyddo ac ai cadwo rhag i holl Elynion ar dirodd ac ar Forodd'. Cedwir yr hen Frytaniaid yng nghanol y darlun wrth gwrs.

Agorir â chrynodeb cyflym o'r Creu a'r Cwymp, ac yna hanes disgynyddion Adda hyd at Noa a'i feibion. Llyfr Genesis yw'r brif sail, ond arddelir peth help o ddau le arall. Un ohonynt yw'r hyn a eilw Thomas Williams yn 'News mans Interpreters, Page'. Anodd dod i lyfr o'r enw hwn gan unrhyw Page. Ond fe geid *The Gazetteer's or Newsman's Interpreter* gan Lawrence Eachard neu Echard, gwyddoniadur daearyddol bychan â nifer o argraffiadau ohono o 1692 ymlaen. Y ffynhonnell arall yw 'llyfr Due Bartes'r hwn a gyfieithodd Sulfester Sais or Hebrew ar Groeg ir Saesneg'. Cerdd ysgrythurol hir a gyhoeddwyd ym 1578 yw *La semaine ou la Création du Monde* gan Guillaume de Salluste, Seigneur du Bartas; fe'i troswyd i'r Saesneg – o'r Ffrangeg wrth gwrs, nid 'or Hebrew ar Groeg' – gan Joshua Sylvester, a'i chyhoeddi ym 1608 dan yr enw *Divine Weeks and Works*. Mae'n beth mawr gan Thomas Williams ei fod 'wedi casglu o amryw lyfra': ond anaml y mae eu teitlau'n ddibynadwy ganddo.

Dechreua adran newydd gyda meibion Noa'n dod allan o'r Arch. Dibynnir yma ar y stori bur hen, ond anysgrythurol, am rannu'r ddaear rhwng y tri mab, Ewrop i Iaffeth, Asia i Sem, ac Affrica (y fargen waelaf) i Ham am iddo ef wawdio noethni ei dad. Canolbwyntia Thomas Williams ar epil Iaffeth yn gwladychu Ewrop, gan mai cangen o'r teulu hwn oedd y Gomeriaid, hynafiaid yr hen Gymry. Rhaid yn awr arwain, rywsut neu'i gilydd, at sefydlu dinas a'i galw'n Troya 'yn ol henw y Brenin [Troas] ac hefyd am fod cimin o Droya gwalia oi hamgulch sef saith gaer a chwe thro o'i chwmpas.' Ond gryn amser cyn i wŷr Troea dan arweiniad Brutus ddod i Ynys Brydain, fe wladychwyd yr Ynys hon gan gangen arall o blant Jaffeth, sef teulu Mesech, a drigiannodd gyntaf ym Mesechofia neu Musgofia. Dechreuodd Samoth ap Mesech ap Iaffeth deyrnasu ym Mhrydain yn y flwyddyn 1947 o oed y byd. Dilynwyd ef gan ei fab Magus Gowran (h.y. Gywrain), 'ef oedd dechreuad y Mageens doethion'. Ei fab yntau oedd Saron. 'Deiliaid y Brenin hwnnw a alwyd yn Sarasans ac fe aeth llawer o honyn i wledydd pell fel angristnogion, medd History Syr Beavis Earl o Southampton'. (Tebyg mai'r ffynhonnell yma yw *The Famous and Renowned History of Sir Bevis of Southampton*, trosiad gan 'S.J.' o'r stori boblogaidd ganoloesol, y cyhoeddwyd pum argraffiad ohono rhwng 1689 a'r pryd yr oedd Thomas Williams yn ysgrifennu.) Mab Saron oedd Druis, a ddaeth i ynys a'i galw yn Bona, ac yna galw'r rhan bellaf ohoni yn 'Mona Bona ne eitha man y Tir'. Druis, yn ôl y traddodiad ffug-hanes, oedd sylfaenydd y Derwyddon neu'r Druidion. A darllenwn amdano: 'Ar ol chwilio'r ynys fel hyn Dewisodd Druis le Gole i wneud i drigfa Megis ynddi Embud rhag llewod Arthod a bleiddiad a galwodd i Ddinas yn Dre y Druw.' Dyma ni ar ein pennau yng nghanol y math o hanesyddiaeth a draethwyd gan John Bale yn ei *Scriptorum Illustrium Maioris Brytanniae... Catalogus* (1557) a'i ailadrodd wedyn am ddwy ganrif dda gan olyniaeth o ffug-haneswyr, hyd at Henry Rowlands, awdur *Mona Antiqua Restaurata* (1723), neu y 'llyfr Anticgitti Mona', fel y mae Thomas Williams yn ei alw wrth nodi un arall o'i ddyledion. Digon yw dweud fod gosodiadau Thomas Williams yn gwbl deilwng o'r olyniaeth hon o goeg-ysgolheigion, ac ambell un yn rhagori hyd yn oed ar ehediadau mwyaf awenyddol ei ragflaenwyr. Ceir hen hwyl ar enwau lleoedd fel Bodlew, Bodychain a Bodorgan. Cyflwynir 'Meylir ap gwachmai' [*sic*] fel perthynas i Bardus fab Druis ac olynydd iddo, ryw ddwy fil a hanner o flynyddoedd Cyn Crist. Ac wrth esbonio'r enw Nant Ffrancon, mater bach yw rhoi dau a dau ynghyd i wneud pump:

> Ac mae henwa tirodd a llyn pysgota sef Llyn Idwal Ymlaen nant fawr a Elwir nant Ffronckon yn ol henw rhyfelwr oedd yn gwersylly yno wrth rhyfela yn erbyn y Twysog llywelyn ar Cymry ac mae Henw y fan lle Gwersylla Llywelyn yn Garnedd Llywelyn, ac Adams Ffranckon oedd henw y rhyfelwr.

O'r pryd y daw gwŷr Caerdroea dan arweiniad Brutus i Ynys Brydain, gan ddisodli'r cewri a oedd yma o'u blaen, y sail am rai canrifoedd yw Brut Sieffre o Fynwy, neu ryw ailadroddiad ohono. Gyda help hwnnw cyrhaeddir at Gadwaladr Fendigaid. Yna rhyw bytiau pur ddi-drefn o hanes Tywysogion y Cymry hyd at y Llyw Olaf ac Owain Lawgoch. Fesul herc, cam a naid wedyn hyd at 'y fulain gin Richard 3' a dyfodiad Harri Tudur. 'Dyna ddiwedd Llywodraeth y Saeson. Ac Ail-ddechreuad Llywodraeth y Cymry.' Oedir wedyn gydag ambell uchafbwynt, megis gwaith 'Harri Tudor'r wythfed' ('Efe a orphenodd rhydd-hau y Cymry or Caethiwed twyllodrus oedd y Saeson wedi osod arnynt. Ac fe Dynodd Deurngad yr rhufain oddi ar frydan'); a gwaith y Frenhines Anne, a 'Fedrodd gael gan Benaethiaid yr Albion sef Scotland Gud uno mewn Erthyglau fel gweithredoedd sownd di gefnewid… am i Scotland fod or flwyddyn hono rhag llaw yn un frenhiniath a lloigar a Chymry'.

Yn nhudalennau olaf y llyfr cynhwysir rhyw bymtheg cerdd o waith Thomas Williams; bydd deg o'r rhain yn ymddangos eto mewn dau o'i lyfrau eraill.

Pam trafferthu crynhoi'r fath gawdel o gwbl? Fe saif ar ganol priffordd hanesyddiaeth Gymreig fel y'i gwelir rhwng yr unfed ganrif ar bymtheg a'r bedwaredd ar bymtheg. Mae nodau'r traddodiad yma i gyd: y cyndynrwydd i ollwng gafael ar ffug-hanes Sieffre o Fynwy; yr ymhoffi brwd mewn chwedlau a choelion ychwanegol am hen draddodiadau dysg a doethineb a wreiddiodd yn Ynys Brydain, a chadarnaf oll yn Ynys Môn, oddi ar ddyfodiad disgynyddion Noa; yr ymffrost yn hynafiaeth y Gymraeg a'i 'phurdeb'; mawrygu ymdrech y Tywysogion hyd at gwymp Llywelyn, er gan ailadrodd yn eu herbyn yr hen gyhuddiad o anundeb; llawenhau yn adferiad 'llywodraeth y Cymry' drwy fuddugoliaeth Harri Tudur; a mawrygu wedyn bopeth a ddeilliodd o'r trefniant Tuduraidd, sef yn arbennig y grefydd Brotestannaidd ac undod y Deyrnas. Mae'r cyfan yma, rywle yn y pentwr: Brad y Cyllyll Hirion, colli hen lyfrau'r Cymry, a fersiwn o 'stori'r llong foel' (hanes gwladychu Ynys Brydain gan 49 o ferched a alltudiwyd o wlad arall a'u rhoi ar drugaredd y tonnau am iddynt lofruddio'u gwŷr). Ni ddengys Thomas Williams gydnabyddiaeth â'r ddau glasur *Y Ffydd Ddi-ffuant* (Charles Edwards) (1667, 1671) a *Drych y Prif Oesoedd* (Theophilus Evans) (1716, 1740). Ond mae ei bwysleisiau yn sylfaenol yr un â'u rhai hwythau, ac yn sylfaenol yr un â phwysleisiau hanesyddiaeth Gymreig yn y ddwy iaith oddi ar *Historie of Cambria* (David Powel) (1584). Y pwyslais canolog o'r cyfan yw fod llywodraeth y Tuduriaid wedi adfer hen fraint y Cymry ac wedi sefydlu iawn berthynas rhwng pobloedd yr Ynys. O fewn y fframwaith meddwl hwn mae'n bosib dal i flagardio'r Saeson yn ddidrugaredd gan ddannod iddynt sawl gweithred o frad a gormes yn y gorffennol, ac eto derbyn a mawrygu'r wladwriaeth unedol Brydeinig yn ddigwestiwn. Y prawf o wytnwch y traddodiad hwn yw, nid fod Thomas Williams i'w weld yn credu'r un pethau â haneswyr llawer mwy galluog nag ef ei hun – Charles Edwards, Titus Lewis, William Williams (Llandygái), Carnhuanawc, Jane Williams (Ysgafell), Gweirydd ap Rhys, O.M. Edwards – ond eu bod hwy i gyd, yn y gwraidd, yn credu'r un ddadl â mwydrwr fel Thomas Williams. Dyma rym ideoleg, ac ni phallodd hyd heddiw ymhlith haneswyr Cymru.

A oes unrhyw beth gwerth ei ddyfynnu o *Agoriadau Datguddiad* Thomas Williams? Oes, y fersiwn gwahanol hwn o stori Macsen Wledig ac Elen:

> 90 Brenhinas fy Elan ferch Eyda pan fu ef farw Emerodwr yr rhyfan wedi marw Eydaf i thad. [Fel yna y mae'r frawddeg ac ni ellir gwneud dim yn ei chylch.] Er bod rhyfel rhwng y Ddau dad cymerodd Maxen sef mab yr Emerodwr wyr a lluaws o Longa ac wrth i freuddwidion pan fydde'n Cysgy fe fydde yn Gwelad Elan Drwy i hyn a hynny Erstair Blynedd a haner cin mordwyo i chwilio Am orllewin Ogledd Brydan. Ac roedd y Santes Elan yn breuddwidio am Dano fynta megis'r un foddion.

> Ond pan fordwyodd maxea [*sic*] ai longe i olwg afon mena fe gyfaddefodd wrth i weision fod'r afon a'r tir hwnw yr un

foddion ac a welse fe yn rhyfan ag mae ynghesel'r afon hon
ffrwd a Ffynon ar ochor Bron uwch ben'r Afon Fechan ac os
ydi y peth Felly Gobeithaf fod Elan Santes oleubryd yn disgwyl
am Danaf canys nid oes gweledigaeth yn parhau Cyd a hun O
amser ond oddi uchod, ac yno llyweddy i Longe a wnaethant ir
porthladd dymunol ar y mor godiad ac at y Cappel, a chael y
Santes ar i Glinia wrth y Ffynon Efo i Morwyn Ffabian ac Yno
cymerth yr Emprwr Ifangc fel Maxen y Santes Elan a Ffriodwyd
hwynt yn llan Beblig, ac ymaith a nhw ir rhyfan, rydoedd ef yn
Frenin brydan erbyn hyny trwy heddwch.

91 Brenin Oedd Maxen ac Elan oedd 90 rheolasant 8 a hyny a
fu'n oedran y bud 4344.

A dyma sut yr ailysgrifennir hanes; y Rhyfel Cartref sydd dan sylw:

119 Brenin oedd Charles Stiward I Rheolodd 23 yn amser
hwnw cododd cenfigen dwyllodrys a llofriddiath canys lladdwyd
yn y Werddon furdd o brodestaniad o achos Llythyra Twyll-
odrus wedi i selio a Sel fawr y Brenin.

A bu Anghytyndeb Mawr yn y Dadleudu Rhwng Dadleuwyr ar
Brenin Am Na Basa Yn Cymryd Gwell gofal hefo y Sel Fawr.

Ac yn yr Ymryson Dychrynllyd mawr hwnw cododd Olifer
Crymwel o fysg y Dadleuwyr sef or Parlament.

Ac fe aeth hyd Heolydd Dinas Llyndan gan osod rhai or Gwyr
oedd yn i Galyn iw Gyhoiddi ef yn Arglwydd ac yn
ymddiffynwr y Dernas ac ynta or blaen yn cael y Glod i fod yn
rhyfelwr gwrolwych di gyphelib.

Ac yno murdd o rai Drygionus a Gododd dan i harfa iw galun
gan ladd ac yspeilio, a gorfu ir Brenin ffoi a Llechy, ond
cyhoeddwyd mowredd o Arian am Ddal y Brenin.

Ond or Diwedd Darfy i'w Bobol i Hun sef yr Scotiad i
Gyhyddo am arian ai roi yn nwylo i Elynion. megis y gwnaeth
Judas fradwr am Jesu Grist rhoesant y Brenin yn garcharor dan
ddwylo i sglyfaethwyr a dorasant i Ben ef Gen. 9.6. v. A
Dywallto Waeud Dyn. trwy Ddyn y Tywelltir i waeud ynta
medd yr Arglwydd. Dros ddeng mlynedd y parhaodd y
Gwrthryfel ar Terfusg Mawr hwnw drwy Frydan fawr ar
Werddon.

Chware teg i Thomas Williams, yr oedd cymhelliad ei galon yr un yn
union ag eiddo goreuon y Dyneiddwyr Cymraeg a'r Diwygwyr. Dyma
ran o'i anerchiad 'At y Darllenydd':

Anwyl ddarllenydd ystyriol cywraint wedi imi lwyr flino yn
casglu Hanesion or cynfyd yn fy Isientyd [*sic*] ar amryw fesyre
cerdd ag ar draethod mewn cynghanedd drwsgwl, meddyliais yn
fy henaint am gasglu hyn o Lyfran bychan mewn ffordd iw
ddarllen, yn lle canu, gan feddwl yn fy Nattur yn ddeuddeg
Mlwydd a thrigain oedran fod Eraill fel fina yn well ganthynt
ddarllen na chanu... am fina yn gwelad henaint a gwendid yn
llithro arnaf Ac yn rhoi dyfyn beunydd imi ymbaratoi Erbyn
nghyfnewidiad, mi feddyliais Pa rodd neu arwydd adawn om
Cariad ar fy ol im Cyd frodyr anwyl sef y Cymru ac i holl
ddynol ryw a chwenycha ddysgu a darllen Cymraeg...

★ ★ ★

Rhaid mynd i'r Llyfrgell Genedlaethol i weld dau lyfr olaf Thomas
Williams, sef yr un llyfr, i bob diben, dan ddau deitl gwahanol. Ond y
mae yn llyfrgell Coleg y Gogledd gopi anghyflawn o *Mynegiad yr Hen
Oesoedd*, copi o gasgliad Bob Owen. Wedi eu rhwymo'n ddigon dechau
yn yr un gyfrol, fel y ceir weithiau, y mae darn o lawysgrif a darn o lyfr
print. Mae'n debyg i'r llyfr (232 tt. i gyd) gael ei gyhoeddi'n rhannau, ac

i un rhan fynd ar goll; i gyflenwi'r diffyg fe wniodd rhywun lawysgrif ddigon destlus o'r darn cyfatebol i mewn. Nid oes dim i ddweud llawysgrif pwy ydyw. Yn sicr nid eiddo'r awdur. Nid yw'n union yr un testun chwaith ag sydd yn y copi printiedig cyfan. Dyma gynnwys y llyfr: (i) dwy anterliwt ddi-deitl; (ii) casgliad o gerddi gan Thomas Williams; (iii) casgliad o gerddi gan amrywiol awduron, hysbys ac anhysbys (rhai yn hysbys i ni, ond nid i Thomas Williams, mae'n ymddangos, pan gasglodd hwy at ei gilydd); (iv) ychydig o gerddi gan William Roberts, argraffwr y llyfr yn Llundain, a oedd hefyd yn nai i Thomas Williams; (v) ychydig o ramadeg Cymraeg; (vi) rhai darnau defosiynol.

Cyn sôn ymhellach am gynnwys *Mynegiad yr Hen Oesoedd*, carwn grybwyll tair llawysgrif sy'n cynnwys gwaith Thomas Williams.

(1) Cynnwys llsgr. Tŷ Coch 24 yn y Llyfrgell Genedlaethol yw rhyw ddeuparth o'r anterliwt gyntaf sydd yn *Mynegiad yr Hen Oesoedd*, gyda'r dechrau a'r diwedd ar goll. Mae hwn yn ddrafft cynnar, efallai yn gopi actio, gydag altradau a chroesi allan. Mae'r llaw'n wahanol i'r un sydd wedi ei rhwymo i mewn i'r llyfr print, ond nid llaw yr awdur yw hithau chwaith.

(2) Mae llsgr. Bangor 92 yn cynnwys: (a) dryll saith tudalen o'r anterliwt brintiedig gyntaf; (b) dryll bychan bach o'r ail anterliwt brintiedig; (c) rhyw hanner cant o gerddi ac ychydig englynion, y rhan fwyaf yn yr un llaw â'r ddau ddryll anterliwt. Daw'r cerddi i dri dosbarth: (i) gwaith beirdd yr uchelwyr, diweddar gan mwyaf, gyda Thomas Prys, Edmwnd Prys, Cadwaladr Cesail a thri o Philipiaid Ardudwy (Siôn, Gruffydd a Wiliam) ymhlith y pymtheg enw a nodir; (ii) englynion a mân gerddi dienw; (iii) cwpl o gerddi, heb enw wrthynt yma, sydd i'w cael dan enw Thomas Williams yn *Mynegiad yr Hen Oesoedd*. Yn llaw Thomas Williams y mae'r rhan fwyaf o ddigon o'r llawysgrif hon.

(3) Mae llsgr. LlB Ych. 15005 yn cynnwys ychydig dros gant o gerddi, a'r rheini'n ymrannu fel hyn: (i) mymryn bach o Farddoniaeth yr Uchelwyr, rhyw gerdd yr un gan Siôn Cent a Siôn Tudur; (ii) ambell gerdd Saesneg; (iii) cerddi rhydd o'r math a geir yn yr almanaciau ac ym mlodeugerddi

Thomas Jones, Huw Jones a Dafydd Jones; rhai dan enwau awduron adnabyddus fel Siôn Rhydderch, Ellis ab Ellis, Huw Morys, Edward Morys, Edward Samuel, Robert Humphreys (Ragad) a Thomas Jones yr Almanaciwr ei hun; rhai yn ddienw; a rhai, er yn ddienw yma, y gallwn adnabod eu hawduron fel, er enghraifft, Ellis Wynne, Mathew Owen o Langar a John Williams o Drawsfynydd; (iv) dyrnaid o gerddi cysylltiedig â phlwyfi Llandygái, Llanllechid ac Aber ac â chylch y Penrhyn. Dyrnaid, 'rwy'n pwysleisio, yw'r olaf; ond maent yn rhoi arlliw arbennig ar y casgliad.

Dyna, er enghraifft, ddwy farwnad i John Edmunds, stiward ar stad y Penrhyn yn nechrau'r ddeunawfed ganrif. Mae un yn waith y bardd-forwr Robert ap Rhisiart, cymeriad y gwyddom dipyn bach amdano, ac y byddai'n dda gwybod mwy. Capten ydoedd ar y *Blessing*, un o longau llechi'r Penrhyn, ac fe'i disgrifir yn rheolaidd fel 'Robert Pritchard, poet', yng nghofnodion y stad.[2] Y mae ganddo gwpwl o gerddi eraill yn y llawysgrif hon, a rhagor hwnt ac yma mewn amrywiol lawysgrifau eraill, ac un garol hir dan yr enw 'Rhyfedd fyr olygiad yn nrych y Drindod' ym *Mlodeu-gerdd Cymry* Dafydd Jones o Drefriw. Awdur yr ail farwnad yw 'Rich^d Ed'. Gall hwn fod un ai yn fab i'r ymadawedig John Edmunds, neu ynteu yn nai iddo, mab i'w frawd.[3] Dyna wedyn gerdd ddienw 'Gŵr Ifanc yn gyrru'r golomen at ei gariad, Ag i'r Penrhun yr oedd y daith', cerdd yn esgus gofyn am law Miss Gwen Williams, cyd-etifeddes y Penrhyn. Gŵr o Ddyfnaint, Walter Yonge, a'i cafodd hi, a'r Cadfridog Hugh Warburton a gafodd law ei chwaer, Anne. Bychan o obaith a oedd gan brydydd o Gymro am y fargen hon, a thebyg mai cellwair yw'r gerdd. Cân ddifyr hefyd yw honno sy'n cwyno yn erbyn yr ecséis, ac yn erbyn gwaharddiadau ar fragu diodydd: 'Drie [h.y. Dyriau] i'r exeisman o waith Eufan [? Wiliam] o waith i fynd i Ben y Bryn, Aber, i ofyn diod ac yn [? druenus] y canodd'.

Yma ac acw hyd y llawysgrif hon mae llofnodion cryn ugain o unigolion; ac mae llofnod Thomas Williams yma ddengwaith ar hugain. Mae'n ymddangos mai ef a gopïodd y rhan helaethaf ohoni. Mae'r llaw yr un ag yn y rhan helaethaf o Fangor 92. Ym 1715 fe gopïodd, yn ei law brintio orau, farwnad Saesneg i'r Frenhines Anne, gwaith Syr William Daws, Archesgob Caerefrog, ac ysgrifennodd dan y copi: 'Llanllechid scrib'd by Thomas Williams in North Walles Carnarvon'. Yn nes ymlaen gwelwn 'Thomas Williams att Talybont'. Ymhlith yr enwau eraill sydd i'w cael ar ymylon y llawysgrif y mae Humphrey Williams a Hugh Williams; yr oedd gan Thomas Williams ddau fab Humphrey a Hugh. Mewn un lle digwydd '...lliems Shop Keeper of Tal y Bont'; mae cofnod claddu Thomas Williams yn ei ddisgrifio fel 'Thomas Williams grocer'. Llaw a llygad yr hen deiliwr ddim fel y buon nhw, mae'n debyg, a gorfod cael rhywbeth arall at fyw. Rhaid imi ddatgan ar goedd fy nyled a'm diolchgarwch i Dafydd Wyn Wiliam am dynnu fy sylw at y llawysgrif hon. Tybed a oes yna ragor yn rhywle?

Wrth edrych ar dudalen deitl *Mynegiad yr Hen Oesoedd*, cwrddwn â chymhlethdod pellach. Dyma deitl copi sydd yn y Llyfrgell Genedlaethol:

MYNEGIAD / YR / HEN OESOEDD / SEF PETH / YSPYSRWYDD / O'R / BRENHINOEDD / A fu'n teyrnasu yn yr YNUS HON / Yn fuan ar ol Dosparthiad BABEL, trwy'r Amser y bu'r BRUTANIAID yn Rheoli; / GYDA / IACHA HARRI VII / BRENIN LLOEGR, o Lin TUDOR i lawr / HYD ADAM. / Gan mwyaf mewn Dull CHWARYDDIAETH / Neu ANTERLUTE / At ba un y chwanegwyd / Amriw ENGLYNION, CAROLAU a DRIAU duwiol / O waith THO. WILLIAMS, (*Merchant-Taylor o Dal-y-Bont*, / yn agos i *Fangor fawr-Yngwynedd*) AC ERAILL / HEFYD, / Athrawiaeth i ddysgu darllen CYMRAEG a SAESNEG / LONDON: Printed by W. ROBERTS for Mr. OWEN at *Homer's* / *Head, Temple-Bar*; and Mr. *Humphreys* near St. *Antholin's Church*. / Also sold by Mr. PUGH in *Hereford-City*. / Ac a werthir yng NGHYMRU gan yr AWDUR, a *Tho. Humphreys* yng Nghrymlyn yn agos i *Fangor*, ac eraill. / 1761. [Pris 2s.]

Ond y mae teitl y copi sydd ym Mangor yn gwahaniaethu mewn dau le. Yn lle 'trwy'r amser y bu'r BRUTANIAID yn rheoli', ceir 'hyd amser CADWALED a'r Frenhines EL'SBETH'; ac yn lle 'i lawr hyd ADAM', ceir 'hyd at NOAH ac ADDA'. A fu yn wir ddau argraffiad yn ystod 1761? Ai ynteu dalennau teitl rhannau gwahanol sydd gennym? Fe ddywedir bod fersiwn 1762, *Hanesion o'r Hen Oesoedd*, yn cael ei werthu gan Huw Jones Llangwm 'a shopwyr Gwynedd a Deheubarth'. Ond ymddengys mai canolfan dosbarthu'r *Mynegiad*, 1761, oedd y Crymlyn, sydd ar ffin y ddau blwy ar y ffordd uchaf rhwng Llanllechid ac Aber. Yn ôl William Parry (Llechidon), yn *Hanes Llenyddiaeth ac Enwogion Llanllechid a Llandegai* (1868), yr oedd 'yr hen HUMPHREY CRYMLYN' yn sêrddewin mawr ei ddylanwad, ac yn adnabyddus fel ysgolhaig a rhifyddwr. Yn ôl gwybodaeth a geir yng nghyfrol 14 o Drafodion Cymdeithas Hanes Sir Gaernarfon (1953), Humphrey Roberts oedd ei enw, gwehydd wrth ei waith, ac un o Lanfor, Meirion, yn wreiddiol; fe'i ganed ym 1684.[4] Ai mab iddo ef tybed oedd Thomas Humphreys o'r Crymlyn, dosbarthwr llyfr Thomas Williams? Mae 'teulu'r Crymlyn', ynghyd â 'theulu'r Llwyn Celyn' (ac mae hwnnw yn Nhal-y-bont) ymhlith y rhai yr anfonir eu cyfarchion, yn un o gerddi Thomas Williams, gyda'r fwyalchen at 'W.R.' (yr argraffwr, mae'n debyg), yn Llundain. Cyfeillion agos, neu o bosib berthnasau, i'r awdur?

Am William Roberts, yr argraffwr, fe wyddom beth. Ef oedd argraffwr y Cymmrodorion. Mae *Libri Walliae* yn rhestru dwsin o eitemau ganddo, yn cynnwys gwaith Dafydd Jones (Trefriw), Huw Jones (Llangwm), Moses Williams, Iaco ap Dewi a Daniel Rowland. Daeth i ddiwedd trist. Fis Ebrill 1766 mae Richard Morris, mewn llythyr at Evan Evans, yn sgrifennu'n dosturiol amdano, gan daflu'r bai pennaf ar Huw Jones o Langwm:

> O'r llymgi penllwyd Llangwm! fe andwyodd yr hen W^m
> Roberts y printiwr, yr hwn a fu'n yr holl gost o brintio'r
> Diddanwch iddo [sef *Diddanwch Teuluaidd*, 1763], ac yntau a

gymerodd yr holl lyfrau i'r wlad i'w gwerthu heb dalu i'r hen
wr truan am danynt; a gorfu arno fyned i Dŷ gweithio'r plwyf
yn ei henaint a musgrellni i gael tamaid o fara, lle y bu farw,
wedi i'r chwiwleidr Llangwm ei ddifuddio o'i holl eiddo; ac yr
wyf yn deall... iddo gasglu arian hyd y wlad tuag at brintio'r
Llyfr Gw. Gyff. i'r eglwys; a bod gantho Gynygiadau printiedig
a gafodd gan yr hen brintiwr gwirion; am ba orchwyl fe haeddai
ei grogi oni ddyd yr arian yn ol i'r bobl y cafodd ganthynt, ffei
o hono, ffei o hono![5]

Ac yn ôl Richard Morris eto, flwyddyn yn ddiweddarach, yr oedd Dafydd
Wmffre, gwerthwr tobaco a drwgdalwr diarhebol, yntau 'yn nled Roberts
y printiwr druan a amdwywyd gan y Llangwm atgas'.[6]

Yn ôl llythyr gan Lewis Morris at William ei frawd (Tachwedd 1757)
yr oedd William Roberts wedi cynnig, i Richard Morris a John Owen
(nai'r Morrisiaid), gyhoeddi gwaith Goronwy Owen ar ei draul ei hun.
Yr oedd gan Lewis ddau wrthwynebiad i hyn. Y cyntaf oedd nad oedd
cerddi Goronwy eto'n barod i'w hargraffu, gan fod gofyn llunio nodiadau
dysgedig arnynt cyn eu cyflwyno i'r cyhoedd. Gwrthwynebiad i gymeriad
yr argraffwr oedd yr ail:

> No, no; Will Roberts the journeyman printer is a fool, a
> drunken, ignorant fellow of Llandygai, that wanted to print
> gwaith Twm William, taeliwr, Talybont, ei ewythr, can gwaeth
> na Sion Peri ag Owen Gronw.[7]

(Tad Goronwy Owen oedd Owen Gronw. Ni wyddys fawr ddim am
Sion Peri ond fod iddo enw fel pastynfardd ym Môn.) Dyma gyfrol
Thomas Williams wedi ei chondemnio cyn ei phrintio hyd yn oed! Ond
rhagddo yr aeth y gwaith. Erbyn Medi 1757 mae'n ymddangos fod gan
Lewis Morris ddau lyfr o waith y teiliwr i wfftio uwch eu pennau, wrth
sgrifennu at Edward Richard:[8]

Tho⁵ Wᵐˢ Performance which I sent you was spued up in London; but what I send you inclosed here comes from Mona the ancient seat of the Muses, and was carried there by one of this country [Ceredigion] a disciple of Dan. Rowlands. [John Rowland, argraffwr Bodedern, oedd hwn.] So that you are to look upon it as the excrements of a Tal y Bont man which he voided in a fit of looseness at Bod Edeyrn in Anglesey where he is now a schoolmaster to the dishonour of all Wales be it spoken.

A allwn ni gymryd mai John Rowland yr argraffwr yw'r 'he' yn y frawddeg olaf? Ynteu a oedd Thomas Williams wedi rhoi ei siswrn a'i dâp o'r neilltu a mynd yn athro ysgol gylchynol am dymor neu ddau? Mae'r frawddeg yn aneglur. Ymlaen y tarana Lewis:

You see these vermin creep into all corners through the least crevices; and even the seat of the Muses, the Temples of the Gods and the Cabinets of Princes are not exempt from them.

'*Riswm [sic] teneatis amici*', meddai Edward Richard mewn ateb, a chan droi cwestiwn gan Horas yn orchymyn – 'triwch beidio chwerthin, gyfeillion'.[9] Nid yw'n syndod yn y byd, meddai, gan gyfeirio at frawd i Thomas Williams, David, a oedd yn byw yn Ffair Rhos, a chanddo lawer o deulu yn y gymdogaeth. Ai'r brawd oedd wedi symud i Sir Aberteifi? Ynteu a oedd Thomas Williams yn un oddi yno'n wreiddiol? 'Roedd yn Llanllechid yn bur ifanc, ac yn priodi yno yn ddwy ar hugain oed. A Gwyneddwr ydoedd, a barnu wrth ei iaith. Down yn ôl, cyn y diwedd, at y cwestiwn ble yn union yr oedd gwreiddiau Thomas Williams.

Adolygwr llawdrwm arall, fel y sylwyd eisoes, yw John Owen y nai, mewn dau lythyr ym 1758.[10] At rywun a all fod yn Huw Huws y Bardd Coch, sgrifenna fel hyn:

Y mae tua Bangor yna rhyw fân, ddyn (yr wyf yn credu) saith
pellach o'i gof nag ydyw'r ynfytta ym Medlem yma; ef a
'sgrifennodd ryw oferedd, a'r gwagedd pennaf a welodd neb
erioed, mi dyngaf, ar bapur, yr hyn y mae ef yn ei alw *Hanesion
o'r hen oesoedd*: nad elwyf byth i geibio, onid yw fy nghroen yn
merwino oddeutu fy nghlustiau pan feddyliwyf am dano, ac yn
sicr feddwl fod y cyfryw serthedd bustlaidd wedi cael ei Brintio
mewn llythyren dda ac ar bapur da yma yn Llundain! Mi
glywaf fod y gwaith enwog (os enwog ansyberw ddiflasgerdd)
yn cael ei dannu yn ehelaeth yng Ngwynedd; os hynny, chi
gewch, deg i un, (os na chowsoch eisoes) ei weled.

Wedi dyfyniad neu ddau i awgrymu ansawdd y gwaith, meddai eto:

Er mwyn dynion, dienyddiwch y *Merchant Taylor*, a
chlymmwch ei lyfrau ar ei gefn, a rhowch iddo ysgwd dros
graig y mor a charreg wrth ei wddwg, rhag mawr gywilydd i
Drigolion Gwyndyd.

Ac o fewn pythefnos eto, at Evan Evans (a fu am gyfnod byr yn gurad
Llanllechid, ac a allai fod wedi taro ar Thomas Williams):

P.S. E fu agos im ac anghofio, mae yna yn eich cymdogaeth
mewn lle a elwir Tal y bont ddyn a haeddai o'r ddau waeth
cospedigaeth na'i [*sic*] *Mandrin* a wanodd frenin ffraingc dan ei
ddwyfron, ei enw yw Thos Williams, als Merchant Taylor, mi
welais yn ddiweddar ryw rigwm a wnaethai, wedi ei argraphu
yn y dref yma, yn ddigon a pheri i ddyn fynd mewn llewyg
wrth edrych arno, er mwyn dynion ac er dirfawr syberwyd i
bob cymro dihenyddwch y lleidryn, yn y man cyntaf y
gwelwch.[11]

Dyna, mae'n ymddangos, ddyfarniad bron bawb a wyddai rywbeth am
Thomas Williams a'i waith. '[L]lyfryn bychan, yr hwn sydd yn hynod o

ddiffygiol o ran trefn, cynllun ac orgraff,' meddai Llechidon. '[T]he author's poems, if such rubbish can be called poetry,' meddai J.H. Davies mewn troednodyn yn y *Morris Letters*. 'Mae wedi ceisio mydru rhyw gynghanedd ar lun englynion yn nechreu un o'i lyfrau, ond nid oedd yn deall dim ar y gwaith,' meddai Carneddog yn y *Cymru* Coch. Ac ar ddalen rwygedig o lawysgrif Bangor 92 mae rhyw berchennog, neu rywun a fu'n bodio'r gyfrol ryw dro, wedi mynd i'r drafferth o sgrifennu: 'cymmaint o waith T.W. ag a ymddangosodd i'r... nid yw werth yr Ingc chwaethach yr ams[er] a'r papur a aeth i'w 'sgrifennu.' Dyna inni saith sylwedydd unfryd yn eu collfarn. Byddai'n dda gen i, ar ôl ymddiddori yng ngwaith y Merchant Taylor am fwy nag un rheswm, allu dweud bod y rhain i gyd wedi methu ag adnabod gwir ddawn. Ysywaeth, y maent yn bur agos ati, cyn belled ag y mae ansawdd lenyddol y rhan fwyaf o'i waith yn y cwestiwn. Eto cymeriad diddorol oedd Thomas Williams, ac mae cyfeiriadau diddorol yn ei gerddi.

Ar frig *Mynegiad yr Hen Oesoedd* gosodwyd 'Deisyfiad yr Awdwr ar y Dysgedigion':

> Os gwelwch, Wyr doethion odiaethol, (Ddiffig)
> ar Athraw ansynhwyrol;
> Difeiwch yn dra ufuddol,
> Gwellhewch fy ngwaith i'r Jaith dda rôl.

Mae penillion 'At y Darllenydd' eto'n taro'r un tant:

> Attoch fwyn Ddarllenwr cywraint
> 'Rwy'n gyru hyn o Jacha henaint;
> Mae gini dystion amriw Lyfrau
> Ei fod yn wir mor grwn a'r graddau...

> Ni roddaf fawr yn hyn o bappur,
> O Lyfrau Brydan, gwaith fy mrodur;
> Ond y gasglwyf wrth fy Nattur,
> O Lyfrau hên a'r Beibil cywur.

> 'Rydwyf i'ch cynghori chwitha,
> Gwyr llythrennog yr Oes ymma;
> I gadw Hanes a Dysgeidiaeth,
> Ac adnewyddu duwiol Araith.

> Barddoniaeth annysgedig
> *Thomas Williams* unig,
> Pan oedd yn byw yn *Llandegai*
> Yngodra tai *Llanllechid*.

Ni bu hyn yn amddiffyniad i'r awdur, mwy nag y bu ei 'Englynion i Lewis Morris Esq, sef clod i'w gowreindeb ar y mor'. Wedi canmol Lewis am ei waith da yn mesur glannau moroedd Cymru, mae'n ei annog i fynd rhagddo a mesur Tigris ac Ewffrates. Dealler, pan fydd Thomas Williams yn sôn am 'englyn' a 'chywydd', gallwn anghofio popeth a gredodd Dafydd ab Edmwnd a John Morris-Jones am y cyfryw.

Yr enwocaf, ond odid, o gyfeillion Thomas Williams oedd Ellis Roberts o Landdoged (Elis y Cowper). Dywed un gyfres o 'englynion' am y ddau'n taro ar ei gilydd yn Rhuddlan, pan oedd y teiliwr ar ei ffordd adref o Ffair Gaer, ac am seiat a gawsant mewn rhyw dafarn. Yna mae Thomas yn stribedu 'iacha' barddol y Cowper, gan olrhain disgyniad ei ddawn drwy nifer mawr o'r hen feirdd, o Daliesin a Myrddin. Ac fel un o wŷr yr oes newydd-glasurol, mae'n gofalu bwrw i mewn ambell gyfeiriad at Helicon a Pharnasws. Cyfaill mynwesol arall oedd Hugh Parry, meddyg o Ddyffryn Conwy, ei dad a'i frawd hefyd yn feddygon. Wele 'Englynion diolchgarwch a chlod i'r meddyg a daclodd fy llaw':

> Canaf, clodforaf, clud fawl, (i'r puredd)
> Hugh Parri ragorawl;
> Doctor da, meddig, a mawl
> Y Brutaniaid brud doniawl.

'Englyn' wedyn i wraig y meddyg:

Dorti wisgi dda eu gwaith (hylaw)
Am hwylio hyswiaeth…

Ym maen y Bardd hoew hardd hên (Mae annedd)
Ei noddfa a'i wenwdden,
Ar fryn uwch glan
Conwy fel tir Canan.

Mae Tomos Roberts wedi lleoli Maen y Bardd imi; mae ger Caerhun, Dyffryn Conwy. Ond a oes rhywun a ŵyr ble mae Toppyn Eddi? Mae hwnnw hefyd rywle 'uwch dyffryn da ffrwyth Conwy', a chenir i gyfarch rhyw Owen Thomas a oedd yn byw yno. Yr oedd gan Thomas Williams, mae'n ymddangos, gydnabod a chysylltiadau drwy'r ddwy Arllechwedd a Nant Conwy – i fyny ac i lawr Dyffryn Ogwen, ar hyd y glannau o Landygái i Gonwy, ac i fyny'r dyffryn wedyn. Gall yr hanesydd lleol godi ambell drywydd digon diddorol o'i waith. Fe all pobl Bethesda, wrth groesi'r Bont ar Afon Gaseg, gofio enw William Siôn, y saer maen a'i cododd; cofnodir hyn mewn 'englynion' gan Thomas Williams adeg ei hadeiladu, 1735. Clodforir hefyd deuluoedd y Penrhyn a Choetmor am eu nawdd i'r gwaith:

Syr Wiliam [= Walter] loew lan lys, – Yong
Ei enw anrhydeddus,
A'r Gen'ral Warburton tra ffarys,
Dau sylfaen ei cholofn a'i chwys.

(Gwŷr y ddwy chwaer, cyd-etifeddesau'r Penrhyn, oedd y rhain; ond bod enw'r cyntaf yn anghywir.) Clodforir yn ogystal 'James Coytmor o'r oror enwog', a John Paynter, prif stiward y Penrhyn ar y pryd. Ac i gloi:

Pont laswen, pont gaerwen, pont gron – Pont uchel,
Pont i ochel yr afon,
pont dda gre dros y lle llon,
Pont ar Gaseg a gowson.

Bu mab Thomas Williams, Humphrey, yn byw a gweithio yn Iwerddon am gyfnod go hir. Bu yn Llundain cyn hynny, ac i'r fan honno y mae ei dad yn sgrifennu ato:

> Mae dy Fam yn gofyn itti,
> A wyt ti'n leicio Saesnes sosi...

Ymhen naw mlynedd mae'r tad yn canu 'Galarnad y Bardd am yr unrhiw fab...megis ymddiddan rhwng y byw a'r marw, ar fesur Brynia'r Werddon, o achos digwydd iddo farw yn y Werddon':

> Fy ngheraint a'm cyfeillion, gwrandewch ar gwynion gwan,
> Am fab o'r enw *Humphrey*, mae fy alar i ac Ann,
> Bu farw yn y Werddon, lle rydoedd ar ei daith,
> Ar ol trafaelio Lloegr, achosion mowrion maith.

Y marw'n llefaru:

> Fy Nhad, mi yrrais ichwi Lythyra o gariad gant,
> O Loegr ac o'r Werddon, cin immi fynd i bant,
> Yr rowron rydwi yn gorwedd ym monwent Eglwys fawr,
> A elwir Llan Arbrachan, gwlad Meath lle rhoed fi i lawr.

Cefais help caredig Dewi Evans o Brifysgol Iwerddon, a chafodd yntau help ei gyfaill Pádraig O Cearbhaill o Arolwg Ordnans Iwerddon, i leoli 'Llan Arbrachan', yng ngwlad Meath. Ard Breacáin ydyw mewn Gwyddeleg, ac mae yno hen, hen sefydliad eglwysig. Ymlaen â geiriau Humphrey:

> Bwriedais ddechrau'r gaua ymado â'r Gwyddal dir,
> A dwad adra i Gymru, ond nid i dario yn hir;
> Fy meddwl oedd am fyned i Loegr yn fy ol,
> I fysc fy hen gymdeithion lle baswn gynt yn ffôl...

Yr eilfed dydd ar bymtheg fe'm cladded bryd-nhawn hwyr
Mil seithgant saith a deugain oed[d] oedran, Duw a'i gwyr,
Ein Prynwr Bendigedig, gobeithio rhydd i'm le,
I fod yn un o'i weision ef gartref yn nheyrnas Ne.

Mae'n dymuno cysur i'w rieni, ei frawd, ei chwaer a'i frawd-yng-nghyfraith. Yna mae'n adrodd tipyn o'i hanes:

Trafeiliais gynt yn *Llundan* a *Lloegr* lawer iawn,
Wrth fyned i'r Sessiwnau, fy meistr, gwr da, y cawn,
A chwedi hyn digwyddodd fe fynd yn Ustus mawr,
A'm finna yn was i'w ganlyn hyd dir y *Werddon* wawr.

Digwyddodd ef briodi Arglwyddes fawr yn wir,
Fe dale hon bob blwyddyn werth mil o bunne clir,
A minna oedd ei Fwtler yn ddifai dda fy rhaid,
A'i Greiar hyd Sessiwnau, mae hynny'n wir dibaid.

Trafeiliais wledydd bymtheg hefo'r Ustus *Yorc*,
Mi henwaf ichwi rheini o hyd tu draw i *Gorc*,
Cynta sir yw Dilyn, a Wiclo, Wexford, dair,
Pedwaredd yw Kilkeni, gwlad Meath sy bump ar air...

A rhestrir y pymtheg sir.

Rhof etto ichwi chwaneg o'm hanes helaeth hir,
Ymado a wneis â'r Ustus, ymhen naw mlynedd clir,
A mynd yn was i Wyddal, hwn ydoedd Barl'ment-man;
Bum yno dros ddwy flynedd, gwr gwyllt, anyned fan.

Ymado wneis a'r Gwyddal mis Mai oedd dawel deg,
A mynd at Gownslor Ffener, Squier glân di-freg.
Bum gida hwnnw chwemis nes daeth i'm dewis daith,
I Siwrna fy marwolaeth, a'm rhoi mewn daear faith.

Dyna inni beth o hynt llanc o Lanllechid drwy Loegr ac Iwerddon yn oes
Tom Jones, Roderick Random a Humphrey Clinker. Y fath wybodaeth
a geid o lythyrau Humphrey at ei rieni, petaent wedi eu cadw! Ar gwr
tudalen o lawysgrif Thomas Williams, Bangor 92, mae dechrau rhyw lythyr
gan rywun: 'Anwyly Dad am Mam, Rhwy yn cymryd fy th'. Dim mwy.
Dyma glo'r farwnad:

> Ffarwel a fo iti, Humphrey, ni wiw mor galw ar d'ol
> Mae d'enaid wedi ymddattod, i'r corph ni ddaw'n i ol,
> Gobeithwn i Dduw dy gymryd i gamrau perlau pôr,
> A'th drigfan yn dragywydd ger bron ein Harglwydd Iôr.

Efallai y sylwir ar rywbeth. Ar fesur acennog digynghanedd, nid yw Thomas
Williams mor ddrwg. Mae rhywbeth digon swynol yn y gân hon. Felly
hefyd bennill ar fesur 'Morfa Rhuddlan' a ganodd unwaith ar fordaith i
Iwerddon – tybed ai i ymweld â Humphrey, neu i'w ddanfon at ei waith?
Golygais y pennill hwn, gyda nodyn am y cefndir, ar gyfer rhifyn o'r
cylchgrawn *Cymru a'r Môr*.[12] (Dylid egluro un peth: y dasg gyntaf, cyn
golygu dim o gerddi *Mynegiad yr Hen Oesoedd* na rhoi dim barn ar eu
hansawdd, yw eu rhannu'n llinellau. Oherwydd mae William Roberts,
'yr hen brintiwr gwirion', wedi argraffu'r cyfan fel talpiau o ryddiaith!)

Cân fwyaf uchelgeisiol Thomas Williams yw'r un a symbylwyd gan
wrthryfel Jacobitaidd 1745. Meddai A.H. Dodd yn *History of
Caernarvonshire*:

> … by mid-century not a shred remained of what political
> meaning there had ever been in the party labels inherited from
> the days of Charles II. Up to 1715, or a little later, politics had
> at least one aspect everyone could understand – the Protestant
> succession, to which the mass of the country was attached…
> During the 20's and 30's Jacobitism became no more than an
> excuse for convivial gatherings and noisy toasts, and even the

landing of the Young Pretender in 1745 and his march into the Midlands, whatever panic it may have caused in London or on the Welsh border, meant little or nothing in Caernarvonshire.

Wel, dyma inni un gŵr o Arfon a oedd wedi cynhyrfu digon i ganu i'r digwyddiad mewn dwy iaith! 'Gweddi'r Awdwr hefo'r Brenin a'r Twysog Wiliam... ar fesur Blode'r Gogledd, pan oedd terfysc yn Scotland, 1745' yw enw'r gerdd yn *Mynegiad yr Hen Oesoedd*. Mae 'Cymro' yn llefaru yn Gymraeg, a dau arall yn siarad Saesneg, sef y Brenin Siôr II, a'i fab yntau, William Dug Cumberland (y 'conquering hero' i Handel, Cigydd Culloden i eraill). Dyma bedwar o'r saith pennill, i ddangos tymer meddwl y tri siaradwr:

CYMRO:

O DDUW ymddiffin *George* ein Brenin,
Llwydda ei fyddin ddewr lin lais,
I orchfygu pob cwmpeini
Sydd yn codi drysni drais.
Roedd y bleiddiad cyn ffyrnicad
Yn difa'r defaid bob yr un,
Dydi heno, Duw a'th lwyddo,
Sy wrth ei treio'n medru eu trin.
Y mae'r gigfran a'r Pap anian
Mor aflawen mawr ei floedd,
Rwi'n gobeithio rhoi di o orphwyso,
A Ffraingc i ffrwyno ffreinig oedd.

KING:

I hope that every *English* jewel,
And *Welsh* will travel with me true,
To beat the Popish from Highlandish,
France and Spanish Romish crue.

O God Almightie pray assist me
In good actions night and day,
All our Prayer is for ever
For thy mercy, so will say;
Abate the popish false pretences,
Aswage their malice to decay,
And us deliver with thy Power,
From ev'l and war in every way.

CYMRO:

Gwyr yr Albion sy'n anffyddlon,
A'u hysgolion elwais gau;
Mae nhw'n achles pob drwg loches,
Dynion diras, dewr di-dau.
Yr High-lander a'r *Pretender*
Fydd a'u hyder gael ar hynd,[13]
Daro Prydan dan eu hadan,
Gobeithio methan byth a mynd.
O Dduw ymddiffin GEORGE ein Brenin,
A'n Twysog wiw-ddyn sobor sant,
A'r DUWC WILIAM, perl wr purlan
A'i rhydd nhw'n gelan filoedd gant.
(Fe wnaeth hefyd on'd do.)

DUKE:

Bless now my travel, God of Is'rel,
I will beat the rebel down,
For fear my hearty *British* army
They'll fret and run from every town;
The wilderness is their harness,
Among the rocks they are up and down
Vally and boggy is their centry,
The Pope's unruly Pagans clown;

O GOD prosper *George* my father
With a long life to wear the crown,
And *Prince of Wales*, who is my brother,
For them I venter my life down.

Mewn rhifyn o'r *Cymru* Coch cyhoeddodd Carneddog y gerdd hon gyda nodyn am ei chefndir.[14] Addefodd nad oedd yn gwybod llawer am Thomas Williams, a chyfeiliornodd drwy dadogi arno *Yr Oes Lyfr*, gwaith ei gyfoeswr a'i gydenw Thomas William(s), Mynydd Bach. Yr hyn sy'n ennyn chwilfrydedd yw fod testun y gerdd ychydig yn wahanol; daeth copi Carneddog ohono i Archifau Coleg Bangor wedyn (llsgr. Bangor 2382, (ii) 5). Ble cafodd Carneddog y testun hwn tybed? Nid yw'n dweud. A gyhoeddwyd y gân fel baled? Neu yn un o'r Almanaciau? Er chwilio llawer a holi peth, ni lwyddais i ddod o hyd iddi yn yr un o'r ffurfiau hyn.

Chwig i'r gwraidd oedd Thomas Williams, yn byw mewn etholaeth Chwigaidd, a blynyddoedd ei oes yn cynnwys cyfnod maith 'Goruchafiaeth y Chwigiaid' yn y Senedd. Mae sawl peth yn tystio i'w deyrngarwch: ei gerddi mawl annisgrifiadwy ac annyfnadwy wael i deulu Meyricke Bodorgan, ei 'englynion' clod i'r Marsiandwyr Môr a Thir, a chân etholiad a ganodd ym 1747, 'Penillion i Elecsiwn a fu yng Nghaernarfon, o achos fod y bardd yn un o'r voters; ar fesur Truban'. Yr oedd y teiliwr felly yn rhydd-ddeiliad ar eiddo gwerth o leiaf ddeugain swllt, ac yn perthyn i gwmni dethol iawn etholwyr hen sedd y Sir, llai na phumcant ohonynt i gyd. Dyma sut mae'n canu:

Dowch, codwch, Gymru ffyddlon,
Yn un-fryd gwnewch Election,
Gida dau o wyr mewn dysc
I fynd i fysc y Saeson.

Bernwch pwy yw'r gwladwr
Goreu inni yn ddadleuwr,

> Par un ai Bodfel, benna gwas,
> A'i Prendregas y gorwyr.

(Dros y Chwigiaid yr oedd William Bodvel, etifedd Bodfel, Madryn a Bodfan; dros y Torïaid yr oedd Syr Thomas Prendergast, dyn dŵad i'r Sir, newydd etifeddu stad y Marl.)

> Siaradwn bawb yn isel,
> I ddewis yn ddi-ymrafel.
> Y mae voters yn y Marl,
> Gan Domas Earl o Wyddal.

> Mae Madrin fawr ei hurddas
> A voters Llun o gwmpas,
> Penrhyn mawr, Plâs Newydd Môn,
> A Gwynn [= Wynn] Glyn-llifon gynnas;

> Y rhain sydd gida Bodfel,
> Nhw 'nillan, gwn, y Treiel,
> Nid ydi'r lleill ond gwyr y Cowrt
> Sydd yn ddi-ddowt mewn gafel.

> Syr Watkin wr di-ddicllon,
> A llawer o Foneddigion,
> Y tair gwlad fy'n votio'r plâs
> I Brendregas o'r Werddon.

> I ddiwedd hyn o bwrpas,
> Squier Bodfel gadd y fantes,
> 'Roedd cant ond tri o wyr yn stôr,
> Yn rhagor na Syr Thomas.

Cant ond chwech, yn ôl y cyfri swyddogol. Yn ôl ysgrif P.D.G. Thomas yn Nhrafodion Cymdeithas Hanes Sir Gaernarfon,[15] dyma'r canlyniad, ar yr wythfed o Orffennaf 1747: Prendergast, Thomas – 185; Bodfel, William – 279; cyfanswm 464. Bodfel yn ysgubo de'r Sir, Prendergast yn ennill yn rhwydd yn y gogledd, a rhyw olwg be-wna'-i, fel bob amser, ar Fangor-Ogwen. Onibai i'r Merchant Taylor godi allan y bore hwnnw i bleidleisio, byddai Bodfel wedi colli yn y ddwy Arllechwedd; 31 – 31 oedd hi! 'Doedd dim un pwnc yn y fantol y byddem ni heddiw'n ymrannu drosto, ond 'roedd yr hen sir yn pegynu yn union fel heddiw.

Yr oedd Thomas Williams, fel y gwelsom, yn mawrygu cyfeillgarwch a chyfeillion. Yr oedd ganddo hefyd elynion marwol. Y gân sydd wedi goglais fwyaf ar fy chwilfrydedd i yw 'Cwynfan y Bardd am Golli ei Dir, ar Fesur Calon Drom'. Yr oedd y teiliwr, mae'n ymddangos, yn berchen, neu'n credu ei fod yn berchen, coedwig a elwir ganddo yn 'Winllan Rhos'. Fe fuddsoddodd yn drwm ynddi, gan ddisgwyl yn y man elw da. Ond, os coeliwn ei stori, fe'i dygwyd oddi arno, fel y dygwyd Gwinllan Naboth; ac nid yw ar ôl o dynnu'r gymhariaeth:

> Fy nghalon sydd yn trwn [*sic*] ofidio,
> Am golli'r Winllan 'rydw i'n cwyno,
> O ran fy somi wedi cymryd
> Arni anferth gost, a gwneuthyd
> Tai o newydd, Plannu coedydd,
> Palmantu wnaethwn wrth y ffasiwn, A gwneud ffosydd,
> I gael sychu'r tir oddiarno
> A gwneud i'r yda, gwair a phorfa, ffraetha ffrwytho.
>
> Er dwad cwmwl drosta' i unwaith,
> Gwynt a'i chwalodd yn ol eilwaith;
> Fe ddarfu imi orphen talu
> Fy ardrethion wedi hynny.
> Ond chwychwi yw'r drwg yrwan,
> Tynged Efan aeth i'r crocbren i'w gyfyrder am y fargen,
> Gan ddarfod ichwi ddwyn oddiarnom,
> Anffyddlon-ddyn, ond mawr yw hyn, cin meirw ohonom.

Yr oedd rhyw Efan wedi mynd i'r crocbren, am rywbeth. Mae Thomas Williams yn dymuno'r un dynged ar ei gyfyrder. A phwy oedd hwnnw? Fe enwir yn gryptaidd, wrth y llythrennau G, H, D, I, R, rai oedd â rhyw ran mewn ysbeilio'r Winllan. Ac enwir un gelyn yn benodol: Gwynedd. Mae'r enw'n berffaith glir yn y gerdd sawl gwaith.

> Ped fasech onest, gowyr, union,
> Wrth addewid a'ch 'madroddion;
> Hynny ydoedd, fyth na chymrach
> Winllan Rhos, a pheth sy 'mgenach,
> Os cymra arall hitha ichwi,
> Na fynech moni, ac fyth na ddoch i aros ynddi;
> Ond y rwan eist yn Suddas,
> Hefo Gwynedd, fawr anrhydedd wagedd rhodras.

> Duw faddeuo i ddrwg gymydog,
> Suddas mawr i'r erw goediog…

Ac mae rhywbeth arall hefyd:

> Deisyfy 'machgen am ei arian,
> A dwyn fy ngwinllan falais filan…

> Dyna fwriad llydan lladrad,
> Torri coedydd heb gael cennad…

> Fe dal y rhiddin sych yn rhywle,
> I wneud dodren, byrdde llydain a chadeirie,
> Gwlau cedyrn a chypyrdde,
> Cistia costus, buddeua trefnus, llestri a meingcia.

> Coed o'r gora i gau'r Agored
> Ydoedd gwern a helig addfed,
> Bedw a chyll, ond call ei gofyn,

> Rhag bod yn fas nes lednes leidryn,
> Ond Gwynedd draw a'i law gyrhaeddgar,
> A dorrodd dderw, nid rhai garw ond rhywiog rhwyddgar.
> Pa sawl gwaith yma y gwnaeth o'r troia,
> Felly'r uwsia castia lleidar.

Ac mae holl deulu Gwynedd yn griw drwg, os coeliwn ni Thomas Williams:

> Mae Gwynedd saig [? faig = teyrn, lordyn] yn rhoi i mi anair,
> Celwydd dybryd anffyddlongar,
> Ei chwaer hi wnaeth y mawr ddrygioni
> Ym Mryn yr Sgubor werth ei chrogi.

Ble mae Bryn y Sgubor? A beth oedd hyn?

> A'i chwaer arall yn ffair Gonwa,
> A fu'n pedleriaeth lassia odiaeth, a thegana,
> Gwelodd llongwr chwyrn ei churo,
> Am ei chastia diengodd adra dan ei beia fel y bo.

A bellach:

> Gofynnais gynt i Sion Cadwalad,
> Ple mae coed yr sgubor gannad?
> Fo'm atebodd yn o fuan,
> Ei mynd nhw i riw-le draws y Marian;
> Yr oedd y cyple'n fawr a sychion,
> I wneud cypyrdda a dodrenna nid drwg inion.
> Dwydodd, cariwyd oll yn feichia,
> Ar y twyllnos, blys heb achos, tu'r Plas Ucha.

A dyna leoli Gwinllan Rhos yn o lew. Marian y Winllan yw'r enw heddiw ar lethr coediog sy'n rhedeg o ogledd i dde, rhwng Tanymarian a

Thanymarian Bach, yn union o dan y Plas Ucha ym mhlwy Llanllechid. Yr oedd tyddyn o'r enw Winllan yn arfer bod ym mhen gogleddol y Marian, a theulu yn byw yno yn hanner cyntaf yr ugeinfed ganrif. Fe ddaw dial, meddai Thomas Williams, cyn sicred ag y daeth ar Ahab. Ynteu a yw wedi dod, ar rai o'r troseddwyr?

> Am ran o'r tir mi dawa a chanu,
> Ynghonwy gynt bu tramgwydd maethu,
> Diwedd H. wrth gambwll creulon,
> Diwedd G. Boldonau gleision,
> Diwedd deg-a-thrigain meibion
> Ahab gynta oedd torri eu penna am ddrwg opinion…

A yw diwedd H a G wedi dod? Ynteu dymuniad ydyw? Mae darn o draeth a elwir Cambwll rhwng Aber a Llanfairfechan, a lle peryglus iawn ydoedd, neu ydyw. Pwy oedd Gwynedd? Pwy oedd y cyfyrder, Efan, a aeth i'r crocbren?[16] Pwy oedd wedi 'deisyfu 'machgen am ei arian'? Beth oedd yr helynt yn Ffair Gonwa? 'Rwyf wedi bod yn holi a chwilota, ac mi wnaf eto mae'n ddiau, ar draul llawer o bethau ffitiach a phwysicach.

★ ★ ★

Yn fyr yr wyf am gyfeirio at y ddwy anterliwt, er mai hwy, mae'n debyg, yw gweithiau mwyaf uchelgeisiol Thomas Williams. Fel y gwneir yn eglur yn yr Anerchiad at y Darllenydd yn *Agoriadau Datguddiad*, cynnyrch ei ieuenctid oedd yr anterliwtiau. Ond mae iddynt yr un defnyddiau yn union deg â'r 'hanes' a draethir yn y llyfr hwnnw. Faint a berfformiwyd arnynt? 'Does gen i ddim syniad. Un peth sy'n sicr, gallwn roi o'r naill du bopeth yr arweinir ni i'w ddisgwyl os ydym yn gyfarwydd ag anterliwtiau Twm o'r Nant – y dychan a'r feirniadaeth fachog, yr ambell gip ar gymeriad, y llinellau a'r cwpledi cofiadwy, y caneuon crefftus. Wedi darllen anterliwtiau Thomas Williams, a rhai ambell awdur arall hefyd, nid yw'n anodd deall pam yr oedd yn well gan Gymry gwlad a thref y ddeunawfed ganrif sefyll ar oerni a gwres i wrando ar Hywel Harris. Yr oedd stwff mor affwysol ar y sianel arall.

Ar ôl llawer o ragymadroddi a rhagfynegi'r chwarae a'i grynhoi ymlaen llaw (sy'n un o gonfensiynau'r ffurf), mae'r anterliwt gyntaf yn dechrau gyda Noa a'i deulu'n dod o'r Arch:

> Dymma fi *Noah*, i Dduw y diolcha,
> Yn ail-rodio'r Ddaiar ola;
> Mi ollyngais yr Adar a'r Ymlusgiad
> Allan o'r Arch i ail-heppiliad.
>
> Mae hi'n awr yn flwyddyn inion
> Er pan ydwyf i a'm Meibion
> Gyda'n gwragedd ar y cefnddwr,
> Yr Arglwydd Dduw oedd ein cyfrwyddwr.

Daw'r tri mab, Sem, Ham a Iaffeth, allan ar y llwyfan, y tri yn ffyddiog y bydd iddynt cyn bo hir epil i ailboblogi'r ddaear:

HAM:

> Mae ngwraig inna yn o foliog
> Fel camel neu ryw gaseg lydnog,
> Ni [*sic*] hwyrach ei bod fel buwch yn beichio.
> Mi af finnau am hynny i ech am honno.

Anfonir y tri mab allan i drin y ddaear, Iapheth i 'Ewrop hawddgar', Sem i wlad Asyria, ac Affrig neu Asia i Ham, am iddo wawdio'i dad. Yna fe ddilynir epil Iaffeth, dan arweiniad y Ffŵl, Cittim Wamal (cymeriad o Genesis X, 4). Fe ddaeth Mesach fab Iaffeth i Ynys y Cedyrn, lle bu'n rheoli am gant a hanner o flynyddoedd. Mab Mesach oedd Samoth:

> Ei hynaf fab oedd *Samoth*
> A ddaeth yn frenin gwiwddoeth;
> Rheolodd ef bob Bryn a nant
> O Flwyddi gant a deugian.
>
> Rhydd hanes Nith i *Noah*,
> Ei henw oedd *Cesaria*,
> Cin Dwr Diluw byw 'roedd hon,
> Yng ngwlad y *Werddon* wirdda.

Ymlaen wedyn â'r olyniaeth, Samoth – Magus – Saron – Druis – Bardus, yr un stori yn union ag yn y *Mynegiad*. Daw'r wybodaeth y tro hwn, medd Thomas Williams, o *The Present State of Great Britain*. Llawlyfr cynhwysfawr a phoblogaidd iawn oedd hwn, wedi ei olygu gan Guy Miège; bu deuddeng argraffiad ohono rhwng 1707 a'r pryd y cyhoeddodd Thomas Williams ei anterliwtiau, a cheid fersiynau Ffrangeg ac Almaeneg ohono hefyd. Ond amlwg nad oedd yr 'Anticgitti Mona' ymhell i ffwrdd chwaith pan sgrifennwyd yr anterliwt hon. Ei thema, os priodol sôn am y fath beth, yw'r modd y daeth Môn, yn dilyn gwasgariad plant Noa wedi'r Dilyw, yn ganolfan dysg ac yn gartre'r hen ddoethineb. Yna mae rhyw lun o asio wrth hyn stori Brutus o Gaerdroea, fel yr adroddwyd hi gan Sieffre o Fynwy a llawer ar ei ôl:

> Daw'r *Brutwyns* o *Gaer Droia*,
> O *ffraingc* ac o'r *Italia*;
> Lladdasant *Albion* Frenin mawr,
> A *Magog* Gawr o Bosra.

Mae eithaf criw o gymeriadau yn trampio ar draws y llwyfan: Nidan (o Lanidan), Edwan (o Lanedwan), Gwalchmai, Mylir, Doctor Gayan o Dregayan, General Elphyn, Rhys Treganwa (= Conwy), y Baron Teglan a'r Tywysog Hwfa (o Bant Hwfa, Llanllechid), Albion Gawr a'i wraig Hun Gwenllian, a'i morwyn hithau Gwerfyl Fychan. Erbyn cyflwyno'r rhain i gyd 'does fawr o amser i ddim arall. 'Does fawr ddim yn digwydd wedyn ond Brutus yn lladd Albion:

> Fe ddaeth ir Ynus gadarn hon
> Un Brutus o Gaer-Droya gron,
> A lluoedd mawr o wyr 'n llon,
> Rhyfelwyr canol cynan;[17]
> Lladdason nhw'r Brenin, Albion gawr,
> Dymma fo ar lawr yn gelan...

> Amynedd i chwi'r Twysog glân,
> Ar ol y Brenin canaf gân,
> Mae colled fawr ar lawr yn lân
> I'r Arglwyddes Hun Gwenllian,
> Ceisiwn, canwn bawb ei glyl,
> A'i forwyn Gwerfyl Fychan;
> Gobeithio dôn nhw i gladdu'r cawr,
> Ag offrwm mawr yn fuan.

Mae Corenius (sef Corineus, tad y Cernywiaid, ym Mrut Sieffre), yn ffansïo'r wraig weddw:

> Mi glywis fod Arglwyddes dirion
> A fuase gynt yn wraig i Albion;
> Pe cawn i afael ar y globan,
> Mi gymrwn hon i mi fy hunan.

Ac mae Cittim Wamal y Ffŵl yn priodi Hun Gwenllian a Chorenius, ar ôl codi leisans o 'Gwrt yr Incwesition'. Dyna, fwy neu lai, ddiwedd yr anterliwt gyntaf. Ond fe ddilyn dau 'englyn' i ymddiheuro dros safon y gwaith, ac yna 'Penillion i beri cofio ac arferu pob diniweidrwydd'. Rhaid imi gael dyfynnu'r diweddglo hwn:

Gellwch ddeall fy ngofal fina,
I chwilio'r Beibl a hên Lyfra,
Tra byddwyf byw, ni fedrai'n rhagor,
THOMAS WILLIAMS, *Merchant Taylor.*

Rhagor o'r un peth yw'r ail anterliwt, sy'n dechrau ar dudalen 96 o'r *Mynegiad.* Idwal o Gwm Idwal yw'r Ffŵl y tro hwn. Mae'r hanes yn dechrau fwy neu lai lle mae'r anterliwt arall yn gorffen: gwŷr Cernyw yn ymosod ar Logran (sef Locrinus, mab hynaf Brutus o Droea yn y Brutiau), am ei fod ef wedi cymryd cariad o'r enw Hafren (Sabrina) yn lle ei wraig, Gwenddol ferch Corineus:

Darfu'm gwraig i ddiangc yno
At y Cornish i breswylio,
O achos hafran forwyn fwynlan
A fydde'n rhoi i mi ymbell gusan...

Digio wnaeth fy nghares hoenus,
Merch fy nghefnder fawr *Corenius,*
Am fy mod i'n ffrind â Hafran,
Sydd yn forwyn lywaeth lawen.

Rwi'n cydnabod hyn fy hunan,
Fod immi eneth rhyngthwi i Hafran;
Ond mi af rwan i roi battal
Yn erbyn Gwenddol a gwyr Cornwal.

Mae Idwal y Ffŵl yn ffoi am ei fywyd o'r heldrin yma:

Pobl ryfelgar yw'r *Cornis* wyr Cornwal,
Ymladdant fel llewod heb fwtti yn y fattal,
Nhw ddygant fy hoedl o's can't arna i afal;
Mi ddienga I Gwm Idwal, os gallaf i'w hattal.

Yn y Cwm hwnnw mae nghegin i a nghoges,
Hafottu a'm hafodrag sy'n gwneud fy nghaws cynes,
Mi ginni yno fara, cig, mwstart a menyn,
A Llyn yn llawn pysgod, a finag i'w canlyn.

Mae Idwal yn cyflwyno'i blant: Padarn, Elidir, Cyriadog, Dafydd,
Tryfan, Elen, Llafar, Ffabian a Lyci; yna daw'r rhain ymlaen i adrodd
yn ddigon dieneiniad ddarnau o'r hen hanes traddodiadol, sef Sieffre o
Fynwy gyda rhai ychwanegiadau – stori'r llong foel, hanes Cariadog
yn torri pen Gwenfrewi, fersiwn o stori Macsen ac Elen, ychydig am
ladd Llywelyn ap Gruffydd, a'r ormes Normanaidd wedyn. Ond ceir
diwedd da i'r cyfan, pan gafodd y Cymry eu rhyddid yn ôl drwy
fuddugoliaeth Harri Tudur. Mae'r ail anterliwt yn cloi drwy stribedu
'iacha' – yn gyntaf o Harri VII hyd at Siôr II; ac yna'n ôl o Harri hyd
at Frutus. Am y disgwylid Cybydd mewn anterliwt, fe deflir i mewn
ddarn o ymddiddan rhwng Cydwybod a'r Cybydd, heb unrhyw gyswllt
o gwbl â'r stori.

Yr hanes Brytanaidd traddodiadol yw defnydd dwy anterliwt
Thomas Williams, yn cael ei adrodd yn garbwl a heb unrhyw
newyddwch dehongliad, ac eithrio efallai rhyw elfen fach o ddigrifwch
pantomimig yn enwau'r cymeriadau. Os ydynt yn brawf o unrhyw
beth, prawf ydynt o oroesiad y gred bod yr hanes hwn o bwys. Yn
tywyll ymffurfio tu ôl i'r anterliwt gyntaf, mae'r syniad o ryw hen
ddoethineb a ddaeth unwaith i'r Ynys hon, ac a ymgrynhodd mewn
cwr ohoni, ac a feithrinwyd yma gan ysgol o wŷr dysgedig. Mae'r
thema'n gliriach os rhywbeth yn y gân 'Gorchymyn yr Awdur i'r Llyfr',
sy'n anfon y llyfr yn gyntaf o gylch y byd, ac yna o gwmpas plasau
Môn – y Baron-Hyl, y Plas Newydd, y Caere a Bodewryd, Tre'r Dryw,
Tre'r Beirdd, yr Henblas a Phenmynydd. Anodd yw profi cysylltiad
Thomas Wiliams â Môn, er y gallai fod ganddo un. Ond, yn amlwg, yr
oedd yn gwrogi i Fôn, yn ei hystyried yn lle o bwys:

Mae yn yr Athens wŷr tra doethion,
Proffwydi a dewiniaid ddigon
Ac er hynny gorfod gyrru
At feirdd o Fôn ar fwrdd i farnu.

Pan fydda'r doethion wŷr deallus
Derwyddon a Mageens gwybodus
Ar faterion yn ymryfus
Beirdd o Fôn a farna'n weddus.

Cyn diwedd y ganrif yr oedd dyn arall wedi dod, o gwr arall y wlad, ac wedi herwgipio'r holl syniad. Gwirion oedd Thomas Williams. Yr oedd Iolo Morganwg yn rhywbeth mwy na gwirion; ac fe wnaeth ef rywbeth ohoni…

Argraff rhywun o Thomas Williams yw mai hen fachgen diniwed ydoedd, yn gweithio ar ei ben ei hun a heb fawr gefnogaeth: ond ei fod bob amser ar yr un trywydd â gwŷr galluocach ac enwocach nag ef ei hun. Mae wrthi'n copïo cerddi yn ystod ugain mlynedd cynta'r ganrif (gellir dyddio LlB Ych. 15005 yn bur bendant felly), sef yn yr un blynyddoedd yn union â'r Richard Morris ifanc. Ddiwedd y pum-degau a dechrau'r chwe-degau, mae yn y busnes cyhoeddi, sef yr un blynyddoedd yn union â Dafydd Jones Trefriw a Huw Jones Llangwm. Yn ei henaint, ac yn ei wiriondeb, yr oedd rhywbeth digon blaengar ynddo: fe gafodd gyhoeddi ei bethau, yn nannedd gwawd gwŷr dysgedig, ac fe werthodd o leiaf bedair cyfrol mewn byr amser. Rhaid ei fod yn un o'r rhai cyntaf i gyhoeddi anterliwt. Ac ystyriwn: pa feirdd Cymraeg, oddi ar ddyfodiad yr argraffwasg, oedd wedi llwyddo i gyhoeddi casgliadau o'u gwaith eu hunain? Gwelodd Edmwnd Prys gyhoeddi ei Salmau Cân, ddwy flynedd cyn ei farw; cyhoeddodd Stephen Hughes *Gannwyll y Cymry* rai blynyddoedd wedi marw'r Ficer Prichard; a chyhoeddodd rhai o'r emynwyr eu casgliadau; gwŷr crefydd bob gafael. I ddarllen cerddi seciwlar amrywiol, hyd at chwe-degau'r ddeunawfed ganrif, rhaid troi at y blodeugerddi – *Blodeu-gerdd*

Cymru a *Chydymaith Diddan* (Dafydd Jones), *Dewisol Ganiadau yr Oes Hon* a *Diddanwch Teuluaidd* (Huw Jones). Ni chafodd dim o waith Thomas Williams droedle yn yr un o'r rhain (er y dyfynnir ef fel awdurdod unwaith yn y *Cydymaith Diddan*, cyfeiriad a fyddai wedi ei blesio'n aruthrol 'does dim dwywaith). Ond, fe gyhoeddodd Thomas Williams ei gasgliad ei hun. 'Rwyf bron â meddwl mai ef oedd y cyntaf i gyhoeddi casgliad o gerddi Cymraeg seciwlar, amrywiol o'i waith ei hun; fe'i dilynwyd gan Jonathan Hughes gyda *Bardd a Byrddau* (1778) a chan Dwm o'r Nant gyda *Gardd o Gerddi* (1790). Fe gytunir, 'rwy'n siŵr, ei fod yn rhoi darlun diddorol o'i deulu, ei fyd, ei gydnabod, ei gysylltiadau. Yn wir, ni wn i ddim am unrhyw lyfr o'r cyfnod lle gwelir yn gliriach y Bardd Gwlad, fel yr ydym ni'n ei adnabod, yn ymffurfio ar weddillion chwalfa'r hen gyfundrefn.

Trueni na bai'n well bardd! Nid oedd yn fardd cocos, nid dyna'i steil. Ond yr oedd yn gynganeddwr cocos. Y gynghanedd, fel y gwelodd Carneddog yn dda, oedd ei ddinistr; honno oedd yn ei yrru'n aml i rwdlian yn gwbl annealladwy; ei ddyfalbarhad cibddall mewn budr-gynganeddu sy'n gwneud rhai o'i bethau'n wael hyd at wylltio dyn. Petai wedi cadw'r glir â'r hen feistres galed honno, efallai y byddai wedi gwneud rhywbeth ohoni. Pan welais hi gyntaf, mi hoffais yn syth ei 'Ymddiddan rhwng y Person a'r Hwsmon, ar Fesur Truban'. Gyda pheth chwynnu, fe wnâi hon gân ddymunol a gogleisiol, a dyma ddetholiad i geisio profi'r pwynt:

> Nosdawch, a Duw a'ch catwo,
> Yr uch chwi yn hwyr yn teithio;
> Yn rhodd a ddwydwch immi ar gais
> Pwy ydych Sais ai Cymro?
>
> 'Rwi'n Gymro wrth naturiaeth,
> Mae ginni Saesneg eilweth,
> Claddu'r meirw, hyffoddio'r buw,
> A hynny yw mywoliaeth,

'Rwi'n dallt wrth liw eich dillad,
Fod ichwi uchel alwad,
Ail i Aaron Seion Sant,
Mae ginni chwant i'ch clowad.

Pa beth gei glowad ginni,
Nes dyfod i'r Tu Gweddi;
Rhoddaf yno gyngor ffraeth,
Rhoes Duw ddealltwriaeth immi.

Mae gennych ffordd yr rwan,
Rhowch gyngor i ddyn truan,
Sydd yn dechrau trin fy myd
Gyda fy mhenpryd llawen.

Fe ddilyn rhyw saith pennill o gyngor yr Offeiriad, sef anogaeth i'r Hwsmon
barchu ei wraig briod a chadw'n ffyddlon iddi. Ac mae'r Hwsmon yn
cloi:

Can diolch ichwi yr Prelad,
Am gyngor da diniwad;
Rhwydeb ichwi i fynd i'ch taith,
Mi gofia yn faith eich caniad.

★   ★   ★

Cwestiwn neu ddau cyn terfynu.

Yn gyntaf, ble yn union yr oedd Thomas Williams yn byw? Ei lofnod
a'i blwy a rydd inni fel arfer; mae'n gyndyn iawn o enwi ei dŷ. Uwchben
cofnod ei briodas ef ac Anne Hughes yng nghofrestr plwy Llanllechid, 19
Mai 1711, fe ysgrifennodd rhywun 'Pont (neu Pant) y Gwyddel'. Gan
gymryd mai hwn oedd ei gartref, mi holais ac mi chwiliais gryn dipyn

amdano. Nid oes hanes ohono ar fap o Ddyffryn Ogwen, nac ar gof neb. Dyma roi cynnig arall: gan fod Thomas Williams yn rhydd-ddeiliad ac yn etholwr, fe ddisgwylid gweld ei enw ar restr y Dreth Blwyf. Fe rydd y rhestr sydd yn Archifdy Gwynedd, Caernarfon (XQA/LT 4/5) y tri hyn inni, yn talu'r dreth ym mhlwy Llanllechid rhwng 1745 a 1751: Thomas Williams; Thomas Williams, 'Weaver'; a Thomas Williams 'for Maesygroes'. Y mae Maes-y-groes yng ngodre'r plwy, ychydig y tu isaf i'r Winllan, y bu ein Thomas Williams ni yn berchennog arni. Nid oes gofnod ar gyfer blynyddoedd olaf oes yr hen deiliwr, ond erbyn 1775, gwelwn mai Hugh Williams sy'n talu'r dreth dros Faes-y-groes. Ac fel y crybwyllwyd o'r blaen, yr oedd gan Thomas Williams fab Hugh. Mae'n bur bosibl, felly, mai Maes-y-groes oedd ei gartref, am ran o'i oes beth bynnag. Mewn pennill a ddyfynnwyd eisoes, mae'n sôn amdano'i hun yn 'byw yn Llandegai'. Efallai mai bras ddisgrifiad yw hyn, ac nad yw'n golygu ei fod wedi croesi afon Ogwen o blwy Llanllechid; ac yn Llanllechid y claddwyd ef. Anodd bod yn fwy penodol. Ond nac anghofiwn yr enw Pont (neu Pant) y Gwyddel.

Yr ail gwestiwn: pwy yn union oedd Thomas Williams? Yn Llyfrgell Genedlaethol Cymru mae cyfrol fechan â'r enw 'Chroniclau Cymru' ar ei meingefn. Ni chyhoeddwyd mohoni erioed dan yr enw hwnnw: dyna'r enw a roddodd un o'i pherchenogion arni ar ôl rhwymo ynghyd lyfr yr un gan ddau Thomas Williams, sef *Oes Lyfr* Thomas William(s) o'r Mynydd Bach a chopi anghyflawn o *Agoriadau Datguddiad* ein Thomas Williams ninnau. Yma ac acw hyd-ddi y mae nodiadau llawysgrif gan ddau gyn-berchennog. Un o'r rhain (ac 'rwy'n ddyledus i Dafydd Ifans am roi imi sicrwydd o hyn) oedd Syr John Williams, noddwr y Llyfrgell. Ef a ysgrifennodd:

The Thomas Williams of 2nd Chronicle was of the Williams' of Pontygwyddyl.

Wm Williams younger son of Pontygwyddyl was schoolmaster

of Beaumaris school in 1668 & was grandfather to the above
Ths. Williams. So says old Wm. Owen of Pedigree Celebrity...

Y mae William Williams (c. 1625-84) yn ddigon hysbys fel clerigwr a
hanesydd. Yn fab i Edward Williams, Pontygwyddel, Llannefydd, Sir
Ddinbych, fe hannai o hen deulu Carwedfynydd yn yr un plwy, a fagodd
nifer o gyfreithwyr a gwŷr eglwysig. Cafodd ei addysg yn Ysgol
Westminster a Choleg y Drindod, Caergrawnt, a daliodd wedyn nifer o
fywiolaethau yng Nghymru, yn cynnwys rhai ym Môn – Llandegfan a
Biwmares, ac wedyn Llansadwrn. Tra oedd ym Miwmares bu am gyfnod
byr yn brifathro'r ysgol ramadeg yno. Gadawodd ar ei ôl dri thraethawd
hanes: 'Historia Bellomarisci' (1869), a gyhoeddwyd ymhen hir a hwyr
wedyn fel atodiad i *Tours in Wales* Richard Fenton[18]; 'History of the
Bulkeley Family' (1673-4), y gellir ei ddarllen bellach mewn rhifyn o
Drafodion Cymdeithas Hynafiaethwyr Môn[19]; a phennod o hanes y Rhyfel
Cartref ym Môn, a argraffwyd gan Richard Llwyd yn atodiad i'w gerdd
'Beaumaris Bay' yn y llyfr o'r un enw (1800).[20] Gellir darllen rhagor o
waith William Williams yn llawysgrif LlGC 15140, casgliad o loffion
barddol ganddo ef ei hun ac eraill, mewn Saesneg, Groeg a Lladin, ynghyd
ag un pennill Cymraeg. Penillion cyfarch, cydymdeimlo a thynnu coes
yw llawer ohonynt, wedi eu cyfansoddi rhwng cyfeillion ym Mhrifysgol
Caergrawnt ac ysgol Biwmares. Y mae un darn o ddiddordeb neilltuol i
ni, sef 'A Prologue to the Muse's Looking Glasse; A play acted by the
Schollars of this Free Schoole att Bewmares in Lent 1655". Gallai'r eitem
hon fynd yn destun ysgrif, a rhaid trechu'r demtasiwn i ymhelaethu.[21]
Masc yw 'The Muse's Looking-glass' o waith Thomas Randolph (1605-
34/5), awdur poblogaidd ar y math hwn o ddrama yn ystod teyrnasiad
Siarl I, a gŵr a addysgwyd, fel William Williams, yn ysgol Westminster a
Choleg y Drindod; bu hefyd yn gymrawd o'r coleg hwnnw rai
blynyddoedd cyn i William Williams fynd yno. Mae'r chwarae'n cynnwys
tipyn o ddychan ar y Piwritaniaid, ac mae pennill cyntaf y Prolog cystal â
herio'r rheini i geisio'i wahardd. Sylwn ar flwyddyn y chwarae, 1655,

hanner ffordd drwy gyfnod y Werinlywodraeth, pan oedd garsiwn weriniaethol yn llywodraethu â llaw bur drom o gastell Biwmares. Nid yw'r Prolog yn rhan o'r ddrama wreiddiol. Ai William Williams yw ei awdur? Nid oedd yn gweithio yn yr ysgol pan chwaraewyd y ddrama, ond dichon ei fod eisoes yn gyfeillgar â theulu Bwcleiod y Baron Hill, y cyflwynwyd nifer o gerddi'r llawysgrif iddynt. Fel rheol rhydd lythrennau enw'r awdur wrth droed pob cerdd yn y llawysgrif nad yw o'i waith ei hun. Mae'n bryd inni fynd yn ôl at Thomas Williams. Os gwir ei fod yn ŵyr i'r William Williams hwn, gallai hynny esbonio peth ar y diddordeb hynafiaethol, y diddordeb ym Môn, ac yn anad dim y diddordeb mewn cyflwyno drama. Nid oes gan Thomas Williams gyfeiriad o gwbl at daid a oedd yn ysgolhaig a llenor; pe gwyddai am y berthynas, peth syn na byddai wedi brolio tipyn yn ei chylch. Ac yn ôl nifer o awdurdodau, ni bu gan William Williams ddisgynyddion.[22] Beth yw'r gwir, tybed? Pwy oedd 'old Wm. Owen of Pedigree Celebrity'? a roddodd y wybodaeth hon i Syr John Williams? Er dilyn ambell drywydd, a derbyn cymorth caredig nifer o gyfeillion hyddysg, methais hyd yma â dod o hyd iddo. Boed hyn am y taid a'r ŵyr yn wir ai peidio, diddorol yw'r posibilrwydd fod Thomas Williams yn disgyn o hen dylwyth Pontygwyddel a Charwedfynydd, yn yr un plwy ag y ganwyd, hanner canrif union ar ei ôl, anterliwtiwr enwocach sef Twm o'r Nant.

Soniodd Tomos Roberts wrthyf am Bantygwyddel (neu Bantygwyddyl) sydd ym mhlwy Llanfair Mathafarn Eithaf. Ai un oddi yno oedd Thomas Williams? Ai dyna sy'n esbonio'r ymlyniad wrth Fôn? Ai dyma a gychwynnodd y stori am gysylltiad â Phontygwyddel Sir Ddinbych? Rhaid caniatáu'r posibilrwydd hwn hefyd, hyd oni cheir rhyw oleuni pellach.

★ ★ ★

Dyfynnwyd yn gynharach saith sylwedydd a fu'n llawdrwm iawn ar Thomas Williams oherwydd diffygion ei grefft. Cafodd un darllenydd olwg wahanol arno, ac efallai iddo gael cip ar y gwir hefyd. John Jones,

Tŷ Canol, Llanfair Talhaearn oedd y gŵr hwn. Bu'n berchen y copi anghyflawn o *Agoriadau Datguddiad* a ddaeth yn ddiweddarach i law Syr John Williams ac a rwymwyd yn y gyfrol 'Chroniclau Cymru', gan gyflenwi'r diffygion â dechrau a diwedd copi arall, a fu'n eiddo i Owen Williams o'r Waunfawr (Owain Gwyrfai). Sgrifennodd John Jones ym 1846 sylwadau ar ambell ddalen weili, a rhown iddo ef y gair olaf:

> The following chronicle is a strange jumble of History Poetry & Prayers very badly put together but Thos. Williams has faith in old things. evidantly [*sic*] loves old things & he pities Charles 1st & prays for his enemies – he is amiable & has much of poetry & romance in him which makes me like his chronicle better than the foregoing one [h.y. *Yr Oes Lyfr*] – a more matter of fact affair for *facts* in these things cannot be fairly expected – we must catch the old Tales & Traditions & believe what we can of them. Thomas Williams wrote in this spirit – peace be with him.

[*Trafodion Cymdeithas Hanes Sir Gaernarfon* 57 (1996)]

NODIADAU

1. Dafydd Wyn Wiliam, 'Y Wasg Argraffu ym Modedern, Môn', *The Journal of the Welsh Bibliographical Society* Vol. X, June 1971, no. 4, tt. 259-68.

2. Prifysgol Cymru, Bangor, Llsgr. Penrhyn 1642.

3. Yr oedd Richard Edmunds, mab John Edmunds, yn rheithor Abergwyngregyn. Gan fod y wybodaeth hon yn eithaf clir ar garreg fedd y teulu ym mynwent Llandygái, rhaid imi gywiro yma beth a ddywedais pan gyhoeddwyd yr ysgrif hon gyntaf yn Nhrafodion haneswyr Sir Gaernarfon; gan ddilyn rhestrau *Alumni* Caergrawnt a Rbydychen dywedais nad Richard fab John Edmunds oedd rheithor Aber, ond Richard ei gefnder, fab Humphrey Edmunds, brawd ei dad. 'Gofyn i'w garreg fedd' yw'r peth diogelaf, ac os felly mae *Alumni Oxon.* yn anghywir, a *Pedigrees* J.E. Griffith, t. 129, yn iawn. Yr oedd y ddau Richard Edmunds yn wŷr eglwysig ac yn raddedigion o'r hen Brifysgolion; gallai un o'r ddau fod yn awdur y farwnad.

4. T.J. Owen, 'The Record of the Parish of Aber', *Trafodion Cymdeithas Hanes Sir Gaernarfon* (1953), tt. 74-93.

5. Hugh Owen, gol., *Additional Letters of the Morrises of Anglesey (1735-1785)*, Part II (1949), tt. 662-3.

6. ibid., t. 693.

7. J.H. Davies, gol., *The Letters of Lewis, Richard, William and John Morris* Vol. II, Part V, t. 55.

8. *Additional Letters*, Part II, tt. 393-4.

9. ibid., Part I, t. 392. Y mae 'Risum' yn gywir, er ychydig yn aneglur, yn llsgr. BM.Ych. 15029, t. 64v. Aeth yn 'Riswm' yng nghopi J.H. Davies, Cwrtmawr 861 E/4.

10. ibid., tt. 361-4.

11. ibid., t. 366. Beth yw hyn am y '*Mandrin* a wanodd frenin ffraingc'? Mae'n ymddangos fod John Owen wedi cymysgu dwy stori. Ar 5 Ionawr 1757 ceisiodd dyn gwan ei feddwl o'r enw Robert-François Damiens drywanu Lewis XV â chyllell boced ar risiau palas Versailles. Nid oedd y brenin fawr gwaeth, ond profwyd Damiens o flaen trigain barnwr, a'i ddedfrydu i farw. Bu sôn mawr am yr achos a thyrrodd y miloedd, yn cynnwys partïon o Loegr, i weld y dienyddiad erchyll. Y tebyg yw fod John Owen wedi cymysgu'r hanes hwn â hanes dienyddio carnlleidr a smyglwr o'r enw Louis Mandrin yn 1755. Yr oedd hwn yn gymeriad adnabyddus, ac yn wir poblogaidd, a fu'n teyrnasu fel arglwydd ar ran o dde-orllewin Ffrainc cyn ei alw i gyfrif. Noda nifer o eiriaduron Ffrangeg i'r enw *Mandrin* fynd yn rhan o'r iaith fel gair am rywun gwyllt, direol.

12. 'Mordaith y *Blessing*', *Cymru a'r Môr / Maritime Wales*, Rhif 17 (1995), tt. 51-3.

13. Ystyr 'ar hynt' (os mai dyna sydd gan T.W.) yw 'yn y fan'.

14. 'Gweddi '45', *Cymru*, Cyf. XXXII (1907), tt. 130-2.

15. P.D.G. Thomas, 'The Parliamentary Representation of Caernarvonshire in the Eighteenth Century; Part I. 1703-1749', *T.C.H.S.G.* 19 (1958), tt. 42-53. Gw. t. 52 am y ffigurau.

16. Tynnodd Glyn Parry fy sylw at achos Evan Thomas o Lanrug, a grogwyd am lofruddiaeth ym 1751. Yr oedd, mae'n ymddangos, wedi mynd yn ormod o ffrindiau â'r forwyn, Catherine Jones, wrth rannu profiad yn y seiat, a phenderfynodd gael gwared â'i wraig, Rebecca, drwy ei tharo â morthwyl crydd. Ceir yr hanes yn LlGC ym mhapurau Sesiwn Fawr Sir Gaernarfon 4: 272/3 (1750-3), tt. 26-9, 35-6. Gweler hefyd Geraint H. Jenkins, *The Foundations of Modern Wales 1642-1780* (1987), t. 357. Y mae Mr. Parry yn fy sicrhau mai dyma'r unig 'Evan' a grogwyd yn Sir Gaernarfon yn y blynyddoedd yn union cyn cyhoeddi cerdd Thomas Williams. Ond 'does wybod ble 'roedd y cyfyrder 'Efan' yn byw, wrth reswm.

17. Hen ansoddair yn golygu 'parod, cyflym, ffraeth' yw 'cyn(n)an'. Ond anodd gwneud llawer o synnwyr o'r llinell.

18. John Fisher, *Tours in Wales (1804-1813) by Richard Fenton*, sef cyfrol atodol i *Archeologia Cambrensis*, 1917, Appendix II, tt. 275-306.

19. Emyr Gwynne Jones, gol., gyda rhagymadrodd gan B. Dew Roberts, 'History of the Bulkeley Family', *Anglesey Antiquarian Society & Field Club Transactions*, 1948, tt. 1-99.

20. Rhwng dalennau copi o'r llyfr hwn sydd yn Llyfrgell Prifysgol Cymru, Bangor y mae dalen wedi ei gosod i mewn gyda nodyn, eto fyth, yn llaw Syr John Williams. Sonia eto mai William Owen a roddodd wybodaeth iddo am William Williams. Dywed hefyd am William Williams 'his name is also prefixed to the Extent of the County of Anglesey by John de Delves A.D. 1352'. Anghywir yw hyn. Gwnaeth rhyw William Williams gopi o'r stent honno ym 1630 (Llsgr. BM Ych. 15019); nid ein William Williams ni mohono.

21. Ceir testun y Prolog, wedi ei olygu o'r llsgr. hon yn: D.W. Wiliam, *Traddodiad Barddol Môn yn yr XVII Ganrif* (Traethawd Ph.D. Cymru, 1993), Cyf. I, tt. 487-8.

22. E.e. J.E. Griffith, *Pedigrees of Anglesey and Caernarvonshire Families* (1914), tt. 340-1; R.R. Hughes, *Biographical Epitomes of Bangor Clergy* (1932) VIII, t. 29.

BONEDD YR ARWYR

M AE'R TEITL wedi ei fenthyca oddi ar un o hen destunau achau'r
Cymry.

Fe gewch y testun hwnnw, gydag eraill tebyg, wedi ei olygu yn y
gyfrol *Early Welsh Genealogical Tracts*[1] gan P.C. Bartrum. Gwas sifil o
Sais yw P.C. Bartrum, a roddodd yn hael o'i amser a'i allu i gasglu a
golygu testunau achyddol Cymreig; mawr yw ein dyled iddo. Yn ogystal
â'r gyfrol fach fuddiol a difyr yr wyf newydd ei henwi, cyhoeddodd hefyd
gyfrolau lawer o achau manwl uchelwyr Cymru rhwng y bedwaredd ganrif
O.C. a dechrau'r bymthegfed.[2] Y rhai ohonom sy'n olrhain ein llinachau
ac a fedr ddod dros yr hyrdlen honno rhwng canol yr ail ganrif ar bymtheg
a chanol y ddeunawfed, mae siawns go lew inni, gyda chymorth Bartrum,
daro ar un o'r teuluoedd ucheldras hyn, drwy ddisgyniad anghyfreithlon
os nad dim byd gwell; a dyna ni wedyn, ar ein pennau yn ôl at Owain
Gwynedd neu yr Arglwydd Rhys. Yn ystadegol, mae bron yn amhosibl i
bobl fel chi a minnau, y rhan fwyaf ohonom â'n gwreiddiau yng Nghymru
ers rhai cenedlaethau, beidio â disgyn o un neu arall o'r hen dywysogion.
Trydydd cyfraniad gan Bartrum, eto'n berthnasol i'n testun, fu'r gyfrol *A
Welsh Classical Dictionary*[3], gwyddoniadur cynhwysfawr o gymeriadau ein
hanes cynnar a'n traddodiad, yn nodi'n fanwl pa beth sy'n wybodaeth
ddilys am bob un, a pha beth a ddyfalwyd, a ychwanegwyd ac a
ailadroddwyd gan y chwedleuwyr a'r beirdd. Gwaith tebyg o ran natur
yw'r atodiad helaeth iawn dan yr enw 'Notes to Personal Names' yng
nghyfrol Dr. Rachel Bromwich, *Trioedd Ynys Prydein*[4]. Rhwng y ddau
waith awdurdodol hyn y mae gennym ddarlun cyflawn, a darlun cyfareddol
ddifyr, o bwy oedd pwy yn nrychfeddwl yr hen Gymry ohonynt eu hunain.
Yr hyn a gawn yn *Early Welsh Genealogical Tracts* yw rhyw ddwsin da o

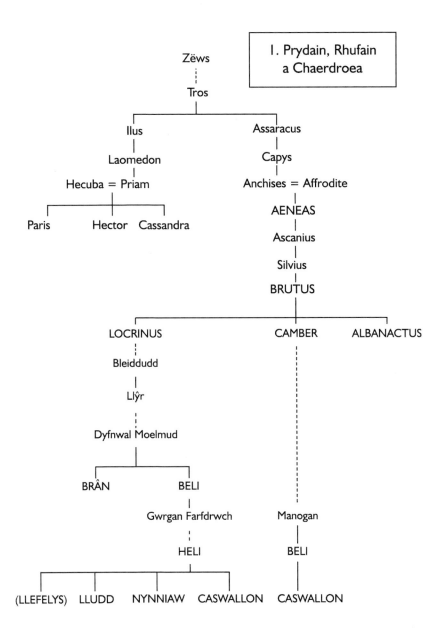

1. Prydain, Rhufain a Chaerdroea

destunau achyddol o'r hen lawysgrifau, Lladin a Chymraeg, rhwng y nawfed ganrif a'r bymthegfed. Mae enwau traddodiadol ar rai ohonynt – Plant Brychan, Hen Lwythau Gwynedd a'r Mers, Achau'r Saint, Bonedd y Saint, Bonedd Gwŷr y Gogledd, Bonedd yr Arwyr.

Ein pwnc ni heno yw sut yr oedd yr hen Gymry yn hoffi meddwl am eu hachau eu hunain; sut yr oeddent, i'w boddhad eu hunain, yn gallu gweld arwyr hanesyddol, arwyr traddodiad ac arwyr chwedl i gyd yn perthyn i'w gilydd; sut yr oedd chwedl yn gallu llyncu arwr traddodiad, fel ei bod hi'n bosibl i Gymro heddiw gredu, os oes arno eisiau credu hynny, ei fod yn perthyn rywsut neu'i gilydd i Lew Llaw Gyffes neu i'r cawr Bendigeidfran; sut y mae achau yn bwydo ar fythau, ac yn eu tro yn atgyfnerthu'r mythau hynny.

Gadewch inni edrych ar y gyntaf o'n pedair siart achau, yr un y rhoddais arni'r enw 'Prydain, Rhufain a Chaerdroea'. Ar ôl mynd i'r drafferth o'i pharatoi, dyma fi yn awr yn eich rhybudio i beidio â choelio dim sydd arni. Mae'n enghraifft o ddisgyniad chwedlonol, ac yn ddyledus yn arbennig i un llyfr hanes hynod boblogaidd, hynod ddylanwadol a hynod ddi-dryst, sef yr *Historia Regum Britanniae* o waith Sieffre o Fynwy (Hanes Brenhinoedd Prydain, a chyfieithu'r enw'n llythrennol, neu Brut y Brenhinedd yn ôl arfer cenedlaethau). Y peth mawr yng ngolwg Sieffre o Fynwy oedd stori dda; doeth yw'r cyngor y byddai '*Stori* Brenhinoedd Prydain' cystal trosiad â'r un o'r teitl. Fe goeliwyd ac fe goleddwyd stori Sieffre gan y Cymry, gan Saeson hefyd o ran hynny, am genedlaethau a chanrifoedd. O dipyn i beth fe ddaeth ysgolheigion i ddadlau ac i brofi mai dychymyg, neu anwiredd, oedd llawer o'i chynnwys, ond cyndyn fu'r Cymry i ollwng gafael arni. Nid tan ddechrau'r bedwaredd ganrif ar bymtheg, yn wir, y pallodd ei dylanwad. O Brutus i lawr ar ein siart achau gyntaf, y mae stamp Sieffre o Fynwy, yr hen hanesydd lliwgar, celwyddog, yn amlwg iawn i'w weld: mae'n dangos yr hyn yr arweiniwyd yr hen Gymry i'w gredu, ac yn wir yr hyn yr hoffent ei gredu, am eu perthynas hwy eu hunain â gwŷr Rhufain a gwŷr Caerdroea.

Ymhelaethu a wnaeth Sieffre ar stori a oedd wedi ei hadrodd yng

Nghymru o leiaf dair canrif ynghynt, fod llywodraeth y Brytaniaid yn Ynys Brydain wedi ei sefydlu gan ŵr o'r enw Britto neu Brutus, arwr o hen linach frenhinol dinas Caerdroea, gor-ŵyr yn wir i'r Aeneas hwnnw a sefydlodd Rufain, yng ngherdd epig y bardd Fersyl, yr *Aeneid*. Yn ôl y gerdd honno fe gwympodd Caerdroea drwy frad y ceffyl pren, ond fe arweiniodd Aeneas fintai fechan o ddilynwyr allan o adfeilion llosg y ddinas, a dod, ar ôl gofidiau dyrys daith, i le ar lan môr yr Eidal lle sefydlwyd ymhen amser ddinas newydd a fyddai, pan ddôi ei hawr, yn goresgyn y byd: Rhufain fyddai honno. Yr oedd, yn sicr erbyn dechrau'r nawfed ganrif yng Nghymru, draddodiad o gysylltu tarddiad y Brytaniaid hwythau â stori enwog rhyfel Caerdroea, y stori seciwlar hynaf yn llenyddiaeth Ewrop, y stori y mae rhan helaeth o lenyddiaeth glasurol Groeg yn troi o'i chwmpas, y stori a adroddir gyntaf, hyd y gwyddom, gan Homer yn ei gân epig yr *Iliad*. Mae digon o dystiolaeth fod pobloedd a chenhedloedd eraill yn Ewrop, tua dechrau'r Oesoedd Canol, yn awyddus i'w cysylltu eu hunain yn yr un modd; fe ddaeth y peth yn ffasiwn, pawb eisiau disgyn o Gaerdroea, a bod yn gefndyr i'r Rhufeiniaid. 'Rwyf wedi cynnwys yma achau gwŷr Caerdroea fel y maent i'w cael yn y rhan fwyaf o'r ffynonellau clasurol (Groeg a Lladin); fe welir fel yr oedd Aeneas, sylfaenydd Rhufain, yn perthyn i gangen iau neu lai pwysig o deulu brenhinol Troea. Yn y pen-draw yr oedd yr holl deulu'n disgyn o Zëws, brenin y duwiau; a'r elfen ddwyfol wedi ei chryfhau yn nes ymlaen gan uniad Anchises ac Affrodite (sef duwies serch, Gwener neu Fenws y Rhufeiniaid): o'r uniad hwn y daeth Aeneas, hanner dyn, hanner duw, fel y mae cynifer o arwyr chwedlau cynnar. Cyfyrder oedd Anchises i'r enwog frenin Priaf neu Priam, a briododd Hecuba. Yr oedd Aeneas felly yn geifn i gymeriadau enwog fel Paris, yr un a gychwynnodd ryfel Troea drwy gipio Helen oddi ar ei gŵr Menelaos; Hector ddewr, yr ymladdwr glewaf ar ochr Troea; a'r broffwydes Cassandra, a dynghedwyd i ddarogan dinistr y ddinas.

Mae Sieffre yn ei lyfr yn dod â Brutus o Gaerdroea i Brydain tua'r flwyddyn 1000 Cyn Crist, yn ffoadur gyda dyrnaid bach o ddilynwyr yn chwilio am wlad a chartref newydd; hyd yma mae'n dilyn traddodiad a oedd, fel yr awgrymais, eisoes tua thair canrif oed, ac sydd wedi ei gofnodi'n gynnil yn yr hen lyfr *Historia Brittonum* (Hanes y Brytaniaid), gwaith Nennius fel y'i gelwir, yn weddol gynnar yn y nawfed ganrif. Mae Sieffre'n mynd ymlaen i roi i Brutus dri mab; nid oes dim tystiolaeth o draddodiad y tu ôl i hyn… ond gyda Sieffre wyddoch chi ddim: efallai mai ffrwyth ei ddychymyg ef ei hun yw'r tri mab, efallai ei fod wedi eu cael o rywle. Dyma nhw: Locrinus, Camber ac Albanactus, brenhinoedd Lloegr, Cymru a'r Alban, yn y drefn yna: cydnabyddiaeth o fodolaeth tair o bobloedd gwahanol yn yr Ynys Brydain ddaearyddol erbyn yr adeg yr oedd Sieffre'n ysgrifennu. Cydnabyddiaeth ffurfiol yn unig yw hi. Buan iawn y lleddir Albanactus, ac nid oes fawr o sôn am ei ddisgynyddion drwy weddill yr hanes; 'rydym yn dychwelyd yn fuan iawn at yr 'Ynys Brydain' chwedlonol, sy'n cyfateb fwy neu lai i Loegr a Chymru. Go ychydig sydd gan Sieffre i'w ddweud am linach Camber hefyd. I bob diben, disgynyddion Locrinus, brenhinoedd Lloegr, yw 'Brenhinoedd Prydain' Sieffre, cant namyn un ohonynt; ond cofiwch da chi mai Brytaniaid ydynt, nid Saeson. Y syniad o Loegr Frytanaidd sydd yma, ymhell cyn dyfodiad Saeson ar y cyfyl.

Detholais o'u plith ryw ychydig o enwau mwy adnabyddus na'i gilydd, gan roi llinell ddotiau lle 'rwy'n telesgopio cenedlaethau (llinell gyfan lle mae'r disgyniad yn ddi-dor). Gwelwch yma Bleiddydd (Bladud), a'i fab, yr enwog Frenin Llŷr, yr adroddodd Shakespeare ei hanes gan altro rhyw gymaint. Yn ôl cronoleg Sieffre, yr oedd teyrnasiad trychinebus y Brenin Llŷr yn cyd-ddigwydd â dechrau adeiladu Rhufain gan y ddau frawd Romulus a Remus. Wyth i naw cenhedlaeth yn ddiweddarach, a llywodraeth Prydain yn dal mewn cryn anhrefn, dyma 'ddyn cryf' yn camu i mewn, o Gernyw, a meddiannu grym. Dyfnwal Moelmud oedd hwn, medd Sieffre. Yn awr, yr oedd yna Ddyfnwal Moelmud gwirioneddol: yn ôl yr achau Cymreig yr oedd yn or-ŵyr i Goel Hen (y byddwn yn sôn amdano eto), felly yn gefnder i Gunedda Wledig, ac yn byw rywdro yn hanner cynta'r bumed ganrif O.C. Fe ffansïodd Sieffre'r enw, fe drosglwyddwyd Dyfnwal Moelmud i'r bumed ganrif C.C., a'i wneud yn ddeddfroddwr mawr Ynys Brydain. Fe'i gwneir yn dywysog

Cernyw; gallwn gymryd fod Sieffre'n ei ystyried yn disgynnydd i ferch Llŷr, Rhagaw (Regan, yn nrama Shakespeare). Dilynwyd Dyfnwal Moelmud gan ei ddau fab llwyddiannus ac enwog, Brân a Beli (Brennus, Belinus). Enwog am ba beth? Am goncro Rhufain fawr ei hun. Yn gyfeiliant i ran helaeth o stori Sieffre y mae'r gystadleuaeth rhwng y ddau gefnder, Brython a Rhufeiniwr, y ddau wedi tarddu o linach Caerdroea. Weithiau Rhufain sydd ar i fyny, dro arall Prydain. Yr oedd yna arwr Celtaidd, Brennus, un o Geltiaid Gâl, a dorrodd i mewn i Rufain a'i hysbeilio yn y bedwaredd ganrif C.C.; gwyddai Sieffre amdano, mae'n debyg; fe'i gwnaeth yn Frân y Brython, a oresgynnodd Rufain a'i osod ei hun yn frenin arni, gan adael Ynys Brydain i'w frawd, Beli. Ac o'r fan hon ymlaen, disgynyddion Beli yw rheolwyr Prydain, yn ôl yr hanes chwedlonol. Rhwng Gwrgan Farfdrwch a'r Heli a welir ar y gwaelod y mae tri chan mlynedd da. Cafodd Heli, medd Sieffre, dri mab: Lludd, Nynniaw a Chaswallon – ac mae hen chwedl Gymreig yn rhoi un arall, Llefelys. Lludd a ailenwodd brifddinas Lloegr a'r Ynys; Trinovantum, neu Troea Newydd, oedd hi; ond o hyn allan Caerludd (Llundain i'r rhan fwyaf ohonom). Olynwyd Lludd gan ei frawd Caswallon (Casivellaunus), ac yn ystod teyrnasiad y Caswallon hwn, meddai Sieffre, y daeth y Rhufeiniaid i Ynys Brydain am y tro cyntaf, dan arweiniad Iŵl Cesar. Pan oedd Prydain mewn anhrefn, yn dilyn teyrnasiad y Brenin Llŷr, fe sylfaenwyd dinas Rhufain gan Romulus a Remus. Fe adferwyd bri a llwyddiant Prydain gan Frân a Beli, drwy goncro Rhufain. Bellach dyma Rufain ar i fyny eto; ond gwna Sieffre ei orau i beri nad fel concwest y mae'n edrych, ond yn fwy fel cyfaddawd rhwng dau allu mawr o'r un cyff. Ddwywaith fe drowyd Cesar draw, yr hen Frytaniaid yn rhy gryfion iddo; ond y trydydd tro cafodd Cesar gymorth un o'r Brytaniaid eu hunain, Afarwy, mab Lludd a nai i Gaswallon. Pam y mynnodd Cesar oresgyn Prydain? Digon o reswm gan Sieffre yw mai pobl ymledol, ymerodrol oedd y Rhufeiniaid, concwerwyr wrth natur. Ond y mae traddodiad arall, nad yw yn stori Sieffre, ond y cyfeirir ato yn un o Drioedd Ynys Brydain, yn cynnig rheswm gwahanol. *Cherchez la femme.* Yr oedd Caswallon ac

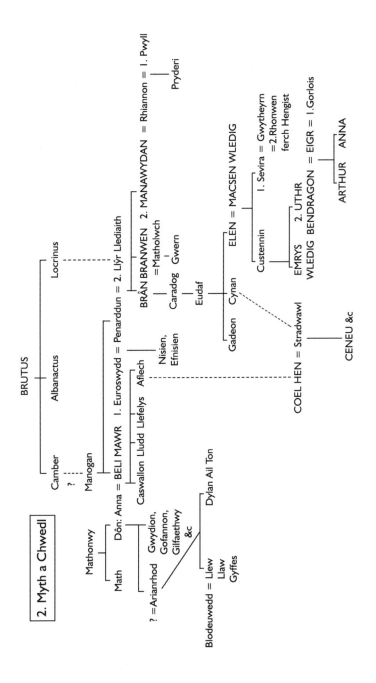

2. Myth a Chwedl

Iŵl Cesar yn caru'r un ferch. Fflur oedd ei henw. Ond beth bynnag y cymhelliad, yr un fu'r canlyniad; daeth gwŷr Rhufain i Brydain ac aros. O Zëws i Gaswallon, dyna inni un 'bennod'.

Yr oedd Sieffre, mae'n amlwg, yn gyfarwydd ag un traddodiad am Gaswallon. Yr oedd traddodiadau eraill. Rhowch at ei gilydd dystiolaeth rhai o'r chwedlau Cymraeg a rhai o'r achau, ac fe gewch Gaswallon yn disgyn o Frutus mewn ffordd braidd yn wahanol. Gwelwch Manogan yn disgyn o Gamber; yr oedd ganddo ef fab, Beli Mawr (na chymysger hwn â Beli'r cyntaf, brawd Brân). Gallai 'Heli' (gan Sieffre), yn ddigon hawdd fod yn gamddarlleniad o 'Beli', un ai gan Sieffre ei hun neu gan rywun o'i flaen. Ac yn y traddodiad Cymraeg y mae meibion Beli Mawr hefyd yn cynnwys Llefelys, a ddaeth yn frenin Ffrainc, ac a gydweithiodd yn llwyddiannus iawn â'i frawd Lludd i waredu Ynys Brydain rhag tair gormes, yn chwedl *Lludd a Llefelys*. Felly mae gennym Gaswallon fab *Heli* a Chaswallon fab *Beli*, yr un cymeriad mae'n bur debyg, ond yr ail ffurf o bosib yn gywirach.

Fe drown ni yn awr at yr ail siart, a alwyd 'Myth a Chwedl'. Yma yr wyf wedi ceisio dangos sut y mae cymeriadau traddodiad yn cymysgu ac ymbriodi â chymeriadau myth. Fe welwch ein bod yng nghwmni Gwydion, Arianrhod, Lleu neu Llew Llaw Gyffes, Bendigeidfran, Branwen, Manawydan, Rhiannon, Pryderi – cymeriadau Pedair Cainc y Mabinogi. Duwiau a duwiesau wedi troi yn wŷr a gwragedd, wedi dod i lawr yn y byd, ydynt bron i gyd. Ychydig iawn o gymeriadau gwir ddynol sydd yn y Pedair Cainc; mae Pwyll Pendefig Dyfed efallai yn un, a Matholwch brenin Iwerddon. Ond mae'r rhan fwyaf o'r cymeriadau o ddigon yn tarddu yn y pen-draw o'r hen Bantheon Celtaidd. Eto, a dyma'r hyn y dymunwn ei bwysleisio heno, yr oedd traddodiad yn caniatáu eu gweld oll fel disgynyddion Brutus, cymeriad yr *honnid* ei fod yn hanesyddol. Peidiwch, ar unrhyw gyfrif, â chymryd yr ach hon fel efengyl. Nid yw'n digwydd mewn unrhyw destun. Fi sydd wedi ei chreu drwy ddwyn ynghyd dystiolaeth amrywiol y chwedlau, y Trioedd a rhai o'r achau Cymreig. Mae 'amser chwedl' yn bodoli ochr yn ochr ag amser hanesyddol. Mae gennym yma dri theulu'n croes-ymgroesi, dau ohonynt y mae'n bosibl eu holrhain hyd at Frutus o Gaerdroea: llinach Manogan, drwy Camber; a llinach Llŷr Llediaith (nid Llŷr fab Bleiddydd), drwy Locrinus. A'r trydydd teulu yw teulu Math a Dôn, a gwrddwn ym mhedwaredd gainc y Mabinogi. Yr oedd Brân fab Llŷr (Bendigeidfran y cawr) yn llywodraethu Ynys Brydain o'i lysoedd yng Ngwynedd – Harlech, Aberffraw a Chaer Saint; ond, fel a weddai i ddisgynnydd Locrinus, yr oedd wedi ei goroni yn Llundain – dyna a ddywed y stori – ac yr oedd yn frenin cyfreithlon ar yr Ynys gyfan. Efallai y cofiwch, pan aeth Brân a'i fyddin i Iwerddon i ddial cam Branwen ei chwaer – neu i ddial sarhaed Ynys y Cedyrn (cymhelliad pwysicach efallai) – fe adawodd yr Ynys hon yng ngofal ei fab, yr anffodus Garadog, a gafodd ei ddisodli a'i ladd gan ei berthynas, Caswallon fab Beli. Ie, yr un Caswallon, mae'n bur debyg, ond stori beth yn wahanol. Caleidosgop fel yna yw traddodiad; un tro bach ar y gwydr a dyna inni batrwm gwahanol. Ar farwolaeth Brân, fe ddylai ei frawd Manawydan fod wedi etifeddu'r deyrnas; ond mae ef yn bodloni ar Saith Gantref Dyfed, a ddaw iddo drwy ei briodas â Rhiannon, gweddw Pwyll a mam Pryderi; a phan ddewisa Pryderi dalu gwrogaeth i Gaswallon y trawsfeddiannwr, nid oes sôn bod Manawydan yn gwrthwynebu. Mae'n weddol eglur hefyd sut y mae Caswallon yn gefnder i Frân, Branwen a Manawydan. Yr oedd Llŷr Llediaith, mae'n ymddangos, wedi bod yn ŵr neu gariad i wraig o'r enw Penarddun, sy'n cael ei rhoi un ai yn ferch neu yn chwaer i Feli Mawr. Rhoddais hi yma fel chwaer. Yr oedd hi wedi bod yn briod o'r blaen, neu o leiaf wedi cael plant o ddyn arall: Euroswydd oedd hwnnw, ac mae rhai o'r Trioedd yn tywyll awgrymu rhyw wrthdaro rhwng Euroswydd a Llŷr, bod Euroswydd wedi carcharu Llŷr am rai blynyddoedd, nes iddo fynd yn un o 'Dri Aruchel Garcharor Ynys Brydain'. Plant Penarddun ac Euroswydd oedd y ddau frawd Nisien ac Efnisien, hanner brodyr Brân a Branwen – Nisien y tangnefeddwr, ac Efnisien yr ysgogwr terfysg. Mae ail a thrydedd gainc y Mabinogi felly'n cyfeirio'n gynnil at ymryson rhwng dwy set o gefndyr, yn disgyn o Manogan. Cipiwyd grym oddi ar linach Llŷr gan linach Beli; ond mae cangen arall o'r traddodiad, sef yr hyn a gynrychiolir gan Sieffre o Fynwy, yn dweud wrthym na chafodd Caswallon fab Beli/Heli fwynhau ei oruchafiaeth am yn hir: bu raid iddo amddiffyn ei deyrnas yn erbyn Iŵl Cesar ac yn y diwedd fodloni ar gyfaddawd, gyda Phrydain yn talu teyrnged i Rufain.

Gellir cymryd felly fod digwyddiadau ffantastig Pedair Cainc y Mabinogi yn digwydd oddeutu adeg y goresgyniad Rhufeinig ym Mhrydain – amser chwedl ochr yn ochr ag amser hanesyddol. Cipiodd Caswallon goron Prydain, ac yna gorfod cyfaddawdu â Rhufain. Ond: yr oedd gan Garadog fab Brân, a ddisodlwyd gan Gaswallon, fab ei hun, Eudaf. A merch Eudaf, yn ôl chwedl arall, oedd Elen, a gipiodd galon Macsen Ymerawdwr Rhufain mewn breuddwyd, a'i dynnu ati i Gaer Saint i'w phriodi (stori *Breuddwyd Macsen Wledig*). Drwy briodas Macsen ac Elen fe adferir y llinach gyfreithlon; ac yn y chwedl darllenwn fel y bu i Facsen, ar ei ffordd i Wynedd, gymryd meddiant o Ynys Brydain oddi ar *feibion Beli*: yr un stori, ond o ongl wahanol. Am iddo ymdroi yma yng Ngwynedd gyda'i wraig newydd, fe gollodd Macsen goron Rhufain; ond fe'i hadferwyd hi iddo drwy gymorth parod ac effeithiol dau frawd Elen, Cynan a Gadeon (neu Addaon, neu Afaon), hogia tre Caernarfon. Dyna setlo'r cownt rhwng Prydain a Rhufain unwaith eto!

Os coeliwn yr achau, cafodd Macsen ac Elen deulu mawr o blant. Un ohonynt oedd Peblig, a saif Llanbeblig o hyd ar gwr y gaer Rufeinig yn rhan ucha'r dre. O blith plant Macsen ac Elen, mae dau o ddiddordeb arbennig i ni. (1) Yn ôl un cofnod[5], Severa (neu Sevira) ferch Macsen oedd gwraig gyntaf Gwrtheyrn, y brenin annoeth ac anffodus a wnaeth, yn ôl traddodiad, gamgymeriad canolog hanes Prydain, sef gwahodd y Saeson, Hors a Hengist, i mewn i'r Ynys i'w hamddiffyn hi rhag y Gwyddyl a'r Brithwyr. Mae'n debyg mai Severa felly fyddai mam Gwrthefyr Wyn, dyn callach na'i dad, a geisiodd adfer y sefyllfa ar ôl y trychineb mawr. Ond os credwn ni Sieffre, fe ailbriododd Gwrtheyrn â Rhonwen Baganes ferch Hengist, sef disgynnydd yn y pen-draw o'r duw paganaidd Woden. (2) Drachefn yn ôl *rhai* adroddiadau, un o feibion Macsen ac Elen oedd Custennin; ac yn stori Sieffre ef yw tad Emrys Wledig ac Uthr Bendragon.

Byddai hyn yn gwneud Arthur ei hun, mab Uthr, yn or-ŵyr i Facsen ac
Elen. Ond yma mae traddodiad yn telesgopio llawer, gan ganiatáu dim
ond rhyw bedair neu bum cenhedlaeth rhwng dyfodiad y Rhufeiniaid a'u
hymadawiad. A oes angen pwysleisio eto nad dyna a ddigwyddodd? Ni
allai fod. Ond dyma fel yr oedd un traddodiad, o leiaf, yn gweld pethau.

Mam Arthur, medd Sieffre, oedd Eigr (Igerna), a fu'n briod gyntaf â
Gorlois, Dug Cernyw. Mae traddodiad yn gwneud Eigr yn ferch i 'Wledig'
arall, sef Amlawdd neu Anlawdd Wledig; ac mae rhai o'r achau yn enwi
ei mam hi fel Gwen, merch i neb llai na Chunedda Wledig, chwaer felly
i 'feibion Cunedda' a adawodd eu henwau ar hyd gogledd a gorllewin
Cymru – Meirion, Rhufawn, Edern, Ceredig, Afloeg ac eraill. Clywn
hefyd am ferched eraill i Amlawdd Wledig, chwiorydd felly i Eigr mam
Arthur; un oedd 'gwraig Custennin' (nid oes enw arall arni) yn chwedl
Culhwch ac Olwen, mam i bedwar ar hugain o feibion, yn cynnwys Goreu
fab Custennin, y dyn a roddodd yr ergyd farwol i'r cawr Ysbaddaden ar
ddiwedd y stori, gan ddial marwolaeth ei dri brawd ar hugain; a chwaer
arall eto oedd Goleuddydd ferch Amlawdd Wledig, gwraig gyntaf Cilydd
fab Celyddon a mam yr arwr Culhwch. (Trown ein golygon am funud at
y drydedd siart. Yr oedd Arthur, Goreu a Chulhwch, yn ôl y chwedl, yn
dri chefnder cyfan, eu mamau yn chwiorydd. Priododd Culhwch, fe
gofiwch, ag Olwen, merch i gawr; gwraig Arthur wrth gwrs oedd
Gwenhwyfar, ac fe'i henwir hi weithiau fel merch Gogrfan Gawr; ac yr
oedd gwraig Custennin, chwaer Eigr, yn gawres o ddynes. Nid ydym
wedi gadael byd ffantasi o bell ffordd, er bod ambell gymeriad lled-
hanesyddol bellach yn gwthio'i drwyn i mewn i'r achau.)

Dewch yn ôl am funud at Beli Mawr. Mae cymaint o linellau'n cwrdd
ynddo ef. Mae fel stesion Crewe yn y traddodiad. Rhydd rhai o'r achau
fab arall iddo, Aflech neu Afallach; ac o hwnnw, fe honnir ymhellach gan
rai testunau, y disgyn llinachau Coel Hen a Chunedda. Byddai Aflech
felly yn gyndad holl dywysogion Cymru, a theulu brenhinol Lloegr, a
llawer iawn o saint ac arwyr. Pwy oedd mam plant Beli Mawr ynteu?
Wyddom ni ddim. Ond mae'r hen achau yn enwi, weithiau fel *mam* Beli,

ac weithiau fel ei *wraig*, foneddiges o'r enw Anna. Mae rhai ohonynt yn ei gwneud hi'n gyfnither i'r Forwyn Fair, gan estyn yr ach allan yn hyf i gyfeiriad hollol newydd. Gwrthod hyn y mae ysgolheigion, gan awgrymu mai mewn lle arall y dylem chwilio am wir gysylltiadau Anna. Cofiwch, nid wyf ond yn ailadrodd yr hyn y bu ysgolheigion yn ei ddyfalu ac yn ei awgrymu: bod Anna, gwraig neu fam Beli Mawr, yr un yn y pen-draw ag Anu, neu Danu, neu Dana, neu Dôn, mam-dduwies Geltaidd. Plant Dôn yw Gwydion, Arianrhod, Gilfaethwy, Gofannon ac eraill yn y Mabinogi, teulu'r dewiniaid o Arfon; at bwrpas cainc ola'r Mabinogi mae'n rhaid cymryd fod Dôn felly yn chwaer Math, ac yn ferch i Fathonwy. Yn wir mae un o'r Trioedd yn enwi Arianrhod (ferch Dôn) fel 'merch Beli'. Symudol a symudliw yw'r darlun, fel yr awgrymais, caleidosgopig. Ond nid yw'n amhosibl nad oedd plant Dôn a phlant Beli yr un teulu, mewn rhyw draddodiad ymhell bell yn ôl. Canlyniad y cyfan yw y gallai Cymro o'r drydedd ganrif ar ddeg, dyweder, a'i ddiwylliant yn cynnwys y Trioedd ac Englynion y Beddau, y Mabinogi a'r chwedlau eraill, ynghyd â ffug-hanes Sieffre o Fynwy, goelio os mynnai fod arwyr ei oes ei hun, Llywelyn Fawr tywysog Gwynedd, neu yr Arglwydd Rhys tywysog Deheubarth, neu Lywelyn y Llyw Olaf, yn perthyn yn rhywle i Frân a Branwen, Gwydion ac Arianrhod, Culhwch ac Olwen, fel yn wir yr oedd Dewi Sant a lliaws o saint eraill. Arwyr myth ar eu ffordd i lawr, ac arwyr traddodiad ar eu ffordd i fyny, maent yn cwrdd, yn cymysgu ac yn priodi ymysg ei gilydd.

Un sylw. Priododd Branwen â Matholwch, brenin Iwerddon. Ni bu'r briodas yn llwyddiant. Cawsant un mab, Gwern. Fe'i llofruddiwyd ef gan ei ewythr, Efnisien. Nid oedd disgynyddion. Dyna'r ddau gefnder, Gwern fab Branwen a Charadog fab Brân, ill dau wedi eu lladd gan berthynas. Ond y mae'r hawl, y sofraniaeth sy'n perthyn i deulu Llŷr, yn dod i'r wyneb unwaith eto, ryw ddwy genhedlaeth yn ddiweddarach, yn Elen. Priododd hi ymerawdwr Rhufain, a bu'r briodas yn llwyddiant mawr: yn y chwedl, dim sôn am blant; ond teulu mawr o blant os coeliwn yr achau. Edrychwch eto ar yr ail siart. Yn pipian i mewn o'r ochr, un o'r chwith a'r llall o'r dde, y mae Blodeuwedd, creadigaeth hud a lledrith – neu dechnoleg; a Rhonwen, merch yr anturiaethwr Sacsonaidd. Priododd un Lew Llaw Gyffes, a phriododd y llall Wrtheyrn. Dwy briodas drychinebus. A oes yma wers? Peidio byth â phriodi y tu allan i linach Caerdroea?

At ein trydedd siart, ac arni'r enw 'Ar Drothwy Hanes'. Mae'r wybodaeth yn hon, yn enwedig honno ar yr ochr chwith, wedi ei thynnu o nifer o destunau achyddol Cymreig; mae tystiolaeth y rheini at ei gilydd yn o gyson, ac yn cael ei chadarnhau gan gyfeiriadau yn yr hen farddoniaeth. Gallwn ddechrau â Choel Hen a Phadarn Beisrudd, cyfoeswyr mae'n debyg, yn byw rywdro yn hanner cynta'r bumed ganrif. Cofir a mawrygir y ddau ohonynt fel sefydlwyr llinachau, ac fe gred rhai fod i'r ddau yr un math o statws yn eu hoes a'u cymdeithas eu hunain. Mentrodd ysgolheigion awgrymu (ac nid wyf ond yn ailadrodd) mai *praefecti* Rhufeinig oeddynt, hynny yw penaethiaid Brythonig yr ymddiriedwyd awdurdod iddynt gan yr Ymerodraeth Rufeinig Orllewinol yn ystod blynyddoedd olaf rheolaeth Rhufain ym Mhrydain. Awgrymodd un hanesydd, John Morris,[6] fod Coel a Phadarn yng ngofal y ffin ogleddol tua'r un adeg ag yr oedd Gwrtheyrn yn ceisio rheoli pethau ymhellach i'r de. 'Padarn Beisrudd' meddir amdano, Paternus a'i wisg goch, awgrym o bosib ei fod yn swyddog Rhufeinig uchel. Gelwir Coel weithiau yn Coel Godebog (Caelius Votepacus), enw digon anodd ei esbonio'n foddhaol, ond â'r teitl o bosib yn dynodi 'amddiffynnydd'; ac yn fwy cyffredin yn Coel Hen. Myn rhai achau fod Coel yn disgyn o Aflech neu Afallach, mab i Beli Mawr eto fyth; a bod ei wraig, Ystradwawl neu Stradweul, yn disgyn o Gynan, brawd Elen, ac felly o Fendigeidfran a Llŷr Llediaith. Mae gan Goel a Phadarn ryw flaen troed ym myd hanes; ond mae crafanc chwedl yn dal â'i gafael arnynt.

Yn fuan iawn fe ddown ar draws priodasau rhwng teuluoedd Coel a Phadarn. Digwydd Gwawl, merch Coel, weithiau fel gwraig i Edern ac weithiau fel gwraig Cunedda; merch Coel wedi priodi mab neu ŵyr i Badarn – peth nid amhosibl wrth gwrs, os gwir fod Coel a Phadarn yn ddau ŵr o'r un statws yn yr Hen Ogledd tua'r un adeg. Mae hi felly un ai'n fam neu'n nain i 'feibion Cunedda', a hefyd, fe welwch, yn gynfam i

Bonedd yr Arwyr

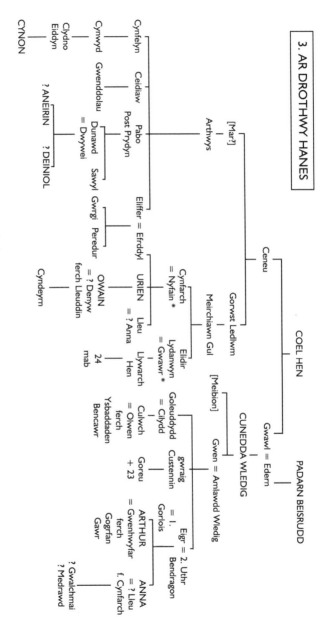

* Dwy chwaer, merched
Brychan Brycheiniog

Arthur, Culhwch ac eraill. Ar ochr dde'r siart mae hi'n dal yn bosibl i ddau gefnder briodi merched cewri. Ond ar yr ochr chwith, gyda disgynyddion Ceneu fab Coel, dyma ni i mewn i rywbeth sy'n dechrau edrych fel hanes. Mae yma ddwy linach Frythonaidd Ogleddol, ac ynddynt ill dwy y mae enwau adnabyddus iawn – noddwyr y llenyddiaeth Gymraeg gynharaf (Urien ac Owain ei fab), ac arwyr a dynnwyd i mewn i gylch hanesion Arthur (Owain, Cynon, Peredur).

Edrychwch ar y colofnau yng nghanol y drydedd siart, disgynyddion Coel a Cheneu drwy Gorwst Ledlwm a Meirchiawn Gul. Dyma linach Rheged. Dyma Gynfarch ac Elidir Llydanwyn eto wedi priodi dwy chwaer, Nyfain a Gwawr, dwy o blith pum merch ar hugain y chwedlonol Frychan Brycheiniog. Yr oedd Urien fab Cynfarch, noddwr Taliesin, felly'n gefnder cyfan ddwywaith drosodd i gymeriad tra enwog arall, Llywarch Hen. Ryw ddwy ganrif a hanner ar ôl yr adeg y bu byw, cawn Lywarch Hen yn ailymddangos fel cymeriad mewn cylch o gerddi, gwaith awdur dienw, ym Mhowys mae'n debyg, tua chanol y nawfed ganrif. Mae rhan o'r stori'n dal fel petai'n digwydd yn yr Hen Ogledd, gan sôn am ymryson a chynnen oddi mewn i deulu Coel, a arweiniodd at farwolaeth Urien. Ond mewn eraill o'r cerddi mae Llywarch Hen fel petai wedi ei drosglwyddo i wlad Powys. Mae dyn yn gofyn tybed a fyddai'r Llywarch Hen hanesyddol wedi ei adnabod ei hun yn y naill neu'r llall o'r ddau bortread a'r ddau leoliad. Ond y mae trosglwyddo ac ail-greu Llywarch yn weddol nodweddiadol o'r hyn a ddigwyddodd i gymeriadau'r Hen Ogledd wedi i'r wlad honno gael ei cholli, ac wedi i'r Cymry fel pobl ddechrau uniaethu â thir Cymru fwy neu lai fel y gwyddom ni amdano.

Yr hyn a welwn ar waith yw rhyw ysfa i ddwyn popeth ynghyd, ac ysfa arbennig o gryf i gasglu cymeriadau eraill o gwmpas Arthur. Er enghraifft mae chwedlau, a rhai o'r achau hefyd, yn peri i Leu fab Cynfarch briodi Anna, chwaer i Arthur. Ni allai hynny fod. Rhaid bod Arthur wedi marw yn ystod chwarter cyntaf y chweched ganrif; dichon mai 515 oedd dyddiad brwydr Camlan, ei frwydr olaf bob amser yn ôl traddodiad; yr oedd meibion Cynfarch yn eu blodau yn chwarter olaf y ganrif honno.

Ond mynnodd traddodiad, ac yna llenyddiaeth, wneud Lleu yn ŵr Anna, ac felly'n dad Gwalchmai ac weithiau Medrawd. Wrth gwrs mae'r stori'n amrywio, gyda thraddodiad diweddarach yn gwneud Medrawd yn fab gordderch, ac yna'n fab llosgach, i Arthur ei hun. Sonnir am Walchmai weithiau fel 'mab Gwyar'; ond nid yw'n eglur ai ei dad ai ei fam oedd Gwyar. Ond mae rhamant Gymraeg *Owain*, neu *Iarlles y Ffynnon*, yn dal o hyd fod Owain a Gwalchmai'n ddau gefnder. 'Cadwer o fewn y teulu,' ys dywedir.

Yn y stori honno, ac mewn fersiynau cyfatebol Saesneg a Ffrangeg, mae Owain yn cychwyn ar hynt sy'n ei arwain at ffynnon hud. Mae'n lladd y Marchog Du sy'n gwarchod y ffynnon, ac yna'n priodi ei weddw, Iarlles y Ffynnon. Yn y stori Gymraeg, nid oes enw iddi, dim ond 'yr Iarlles', ond yn y fersiwn Ffrangeg, gwaith Chrétien de Troyes, mae ganddi enw: Laudine. Awgrymodd ysgolheigion gysylltiad rhwng Laudine a Lleuddiniawn (Lothian), un o diriogaethau'r Alban; a dyfalu mai eco sydd yma o briodas ddynastig rhwng pennaeth o wlad Rheged ac etifeddes o wlad Lleuddiniawn, dwy wlad nesaf at ei gilydd efallai. Ac yn wir dyma rai o'r achau yn enwi, fel gwraig i Owain, Denyw ferch Lleuddin. Dechrau *Iarlles y Ffynnon* yw hanes marchog arall, Cynon fab Clydno, yn dilyn ei hynt tuag at y ffynnon hud, ond yn cael ei drechu yno gan y Marchog Du a'i anfon yn ôl i lys Arthur mewn cywilydd. Ac ar ymyl chwith ein trydedd siart fe welwn y gwir Gynon fab Clydno Eiddyn, disgynnydd eto i Goel Hen. Drwy Arthwys fe ddaw nifer o ddisgynyddion Coel yn benaethiaid teyrnasoedd yr Hen Ogledd, gan ailymddangos ymhen canrifoedd, mewn gwedd wahanol, yn y chwedlau. Clywn am Gwenddolau mab Ceidio fel noddwr Myrddin y bardd, a gollodd ei bwyll ond ennill dawn proffwydo yr un pryd. Fe laddwyd Gwenddolau ym Mrwydr Arfderydd yn eithaf gogledd Lloegr, brwydr hanesyddol y gellir ei ddyddio 573; ond aeth yn rhan o draddodiad fel perchennog clawr gwyddbwyll hud, a restrir ymhlith 'Tri Thlws ar Ddeg Ynys Brydain' – Gwyddbwyll Gwenddolau ap Ceidio.

Edrychwn ar feibion Cynfarch eto. Yn ôl rhai ffynonellau, fe briododd chwaer ac efeilles i Urien, Efrddyl, â'i pherthynas Eliffer Gosgorddfawr, brawd i Ceidio a Chynfelyn (ac i Pabo, yn ôl rhai achau llai dibynadwy). Daeth hi'n fam i Gwrgi a Pheredur, efeilliaid eto. Yr oedd y ddau hynny ym mrwydr Arfderydd, 573, yn ymladd yn erbyn eu cefnder Gwenddolau ap Ceidio, a dywed hen gofnod eu bod ill dau wedi eu lladd mewn brwydr yn y flwyddyn 580. Mae sawl Peredur yn y traddodiad Cymraeg; gwelwn Bartrum yn *A Welsh Classical Dictionary* yn rhestru dwsin. Yr enwocaf o'r rhain, mae'n sicr, yw Peredur fab Efrog, neu Peredur Baladr Hir, a ddaeth yn arwr un o'r rhamantau Cymraeg a sawl rhamant Arthuraidd gyfandirol. Rhyw ryfelwr o'r Hen Ogledd oedd yntau mae'n ddiau, a lyncwyd gan chwedl.

Enw'r bedwaredd siart a'r olaf yw 'Gwynedd ac Ystrad Clud'. Dyma inni eto enghreifftiau trawiadol iawn o drosglwyddo, a gweddnewid, arwyr hanesyddol yr Hen Ogledd. Ar y chwith fe welwn linach Cunedda, a'i sefydlodd ei hun yng ngogledd a gorllewin Cymru, wedi i'w sylfaenydd, yn ôl un hen gofnod, deithio yma o wlad Manaw Gododdin yng nghanolbarth yr Alban, tua'r flwyddyn 400 neu dipyn ar ôl hynny. Yr hen *Historia Brittonum* eto sy'n dweud yr hanes yn fyr. Ar y dde fe welwn linach Brythoniaid Ystrad Clud yn dod i lawr trwy Geredig Wledig, Arglwydd Din Alclud (Dumbarton). O fewn y llinach hon cwrddwn â Gwyddno Garanhir, a'i fab Elffin ap Gwyddno: gwŷr yr Hen Ogledd oeddynt, heb unrhyw amheuaeth. Eto ble mae chwedloniaeth y Cymry wedi eu gosod? Un ai wrth aber afon Conwy neu ar lan Bae Caeredigion, lle maent yn cael eu tynnu i mewn i anturiaethau'r Taliesin chwedlonol. Aeth y Taliesin hwn gyda Bendigeidfran i Iwerddon, ac aeth gydag Arthur ar gyrch yn erbyn Annwn, y byd arall. Unwaith y mae wedi ei ddatgysylltu o'i gyd-destun hanesyddol fel bardd llys Urien ac Owain yn yr Hen Ogledd, mae'n crwydro'n rhydd drwy amser chwedl. Un arall a ddaw i mewn i'r stori yw Maelgwn Gwynedd, fel ewythr i Elffin; ni ddywedir sut yn union y mae'n ewythr iddo, ond gallai Maelgwn a Gwyddno yn hawdd fod yn gyfoeswyr. Ac yma yn y bedwaredd siart gwelwn gysylltiad arall rhwng teulu Maelgwn a llinach Ystrad Clud. Yr oedd Eurgain, merch Maelgwn, wedi priodi ag Elidir Mwynfawr, dyn o'r Hen Ogledd, nai i Wyddno.

Mae hen stori ddiddorol iawn am ymryson am frenhiniaeth Gwynedd rhwng y mab-yng-nghyfraith hwn, Elidir, a mab anghyfreithlon Maelgwn, Rhun. Adroddir am ymgyrch Elidir i Wynedd, i hawlio'r deyrnas, gyda chefnogaeth tri pherthynas iddo o'r Gogledd, y tri 'hael', Nudd, Rhydderch a Mordaf.[7]

A dyma inni gysylltiad diddorol arall sy'n dod allan o'r achau. Mae rhyw stori, nas dibrisir yn llwyr gan ysgolheigion, am fab arall i Faelgwn Gwynedd, Bridei, yn cael ei ethol gan y Brithwyr neu'r Pictiaid, pobl gogledd yr Alban, yn frenin arnynt eu hunain. Meddyliwch am y peth! A fu wedyn y fath gyrchu brenin o bell tan y dydd hwnnw ym 1714 pan hebryngwyd Etholwr Hanofer i orsedd Lloegr gan basio heibio i hanner cant o rai a chanddynt well hawl? Pa un bynnag, bu Bridei yn frenin llwyddiannus iawn ar ei deyrnas Ogleddol am gryn ddeng mlynedd ar hugain, hyd ei ladd yn 584. Y rheswm am ei ddewis, efallai, oedd rhyw ddarddiad o blith y Brithwyr. Yn ôl y testun 'Bonedd yr Arwyr' ei hun, gwraig Cadwallon Lawhir, mam Maelgwn, nain Bridei, oedd: Meddyf ferch Maeldaf fab Dylan Draws o Nantconwy; nid enwir mam Meddyf, ond dywedir ei bod hi'n chwaer i Drystan fab Tallwch, a ddaeth yn gymeriad Arthuraidd amlwg iawn, cariad Esyllt yn y chwedl enwog; a'r Esyllt hon yn wraig briod i ewythr Trystan, March ap Meirchiawn. Yn ôl un blaid o ysgolheigion, Pictaidd oedd tarddiad y Trystan hanesyddol. Dyna ddamcaniaeth, ac ni ellir ei phrofi. Digwydd y stori yn bennaf yng Nghernyw, Dyfnaint ac Iwerddon, ymhell o wlad y Pictiaid. Yn amseryddol, fe allai Trystan fod yn gyfoes ag Arthur, ond nid oes gennym brawf hanesyddol o unrhyw gysylltiad rhwng y ddau. Ond dyna duedd chwedl, tynnu pawb i mewn i'r un cylch. Rhaid bod yna ryw Drystan, enwog am rywbeth; ond dyma chwedlau Arthur yn ei lyncu yntau, fel yr oeddent wedi llyncu Owain, Cynon a Pheredur. Rhywun a oedd yn enwog, rhaid oedd ei gael yn un o farchogion y Ford Gron.

Gair i gloi. Yn Beli fab Rhun (dyma'n drydydd Beli heno), mae'r ddwy linell yn dod ynghyd. Ar ochr ei fam (Perweur), llinach Coel Hen; ar ochr ei dad, llinach Cunedda a Phadarn Beisrudd. Ymlaen â'r llinell wedyn

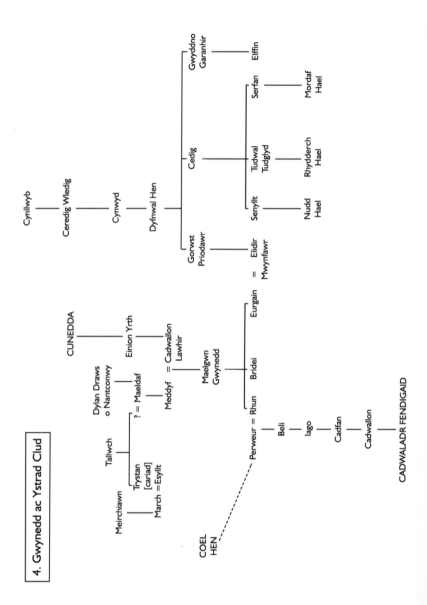

4. Gwynedd ac Ystrad Clud

drwy Iago, Cadfan, Cadwallon hyd at Gadwaladr Fendigaid. Ac yn ôl traddodiad, Cadwaladr Fendigaid oedd y brenin Brytanaidd olaf i reoli Ynys Brydain gyfan, yr olaf cyn i'r Saeson dod yn feistri ar yr Ynys. Ond mae'r llinell yn mynd yn ei blaen eto, drwy dywysogion Cymru. Gyda lladd Llywelyn ap Gruffydd ym 1282, ac yna dal a dienyddio'i frawd Dafydd ryw ddwy flynedd yn ddiweddarach, ac alltudio'r Dywysoges Gwenllian, Tywysoges Cymru fel y dylasai fod, i leiandy yn eithaf dwyrain Lloegr, daeth y Dywysogaeth Gymreig annibynnol i ben. Fe drosglwyddwyd y teitl *Princeps Walliae* i fab hynaf brenin Lloegr: ffurf ar gydnabyddiaeth y dywedwn i, pe baech yn pwyso'n drwm arnaf, iddi fod, yn ystod y canrifoedd, ryw gymaint yn well na dim. O leiaf fe gadwyd, mewn un sefydliad ffurfiol, ryw gof am yr awdurdod a sefydlwyd gan Goel Hen a Phadarn Beisrudd yn y cyfnod tywyll pell rhwng machlud haul Rhufain a gwawr cenedl y Cymry. Ond gadewch inni gofio peth arall: sef bod y Dywysogaeth annibynnol wedi ei hadfer am gyfnod byr ar ddechrau'r bymthegfed ganrif gan Owain Glyndŵr, a oedd yn disgyn o'r llinach dair gwaith drosodd. Cyn ei ddiflannu, yr oedd Glyndŵr wedi gwneud un peth nad oedd yr un tywysog o Gymro o'i flaen wedi ei wneud, hyd y gwyddom. Yr oedd wedi galw ym Machynlleth senedd Cymru oll, gan drosglwyddo o leiaf beth o'r sofraniaeth a oedd wedi ei chorffori yn y tywysogion i gynrychiolwyr y wlad. Mae'r awdurdod hwnnw a ymddiriedwyd, o bosib, gan yr Ymerodraeth Rufeinig Orllewinol i Goel Hen a Phadarn Beisrudd, yn gorffwys hyd heddiw yn senedd Glyndŵr. 'Rwy'n dweud 'hyd heddiw', nid yn unig am fod darn o'r adeilad yn dal i sefyll (ac mae rhywbeth yn hynny), ond am na ddiddymwyd ac na ddilewyd erioed mo'r senedd honno. Yn wahanol i senedd yr Alban (ac ni ellir gorbwysleisio hyn), nid unwyd mohoni erioed drwy gytundeb ag unrhyw senedd arall. Nid oes deddf na gweithred yn unman yn awdurdodi ei diddymu. Nid oes neb wedi cofio'i hailalw ers 1404. Ond i'w hailalw ni byddai angen deddf gan senedd Lloegr. Dyn a ŵyr, nid yw awdurdod o anghenrheidrwydd yn gyfiawn am ei fod yn hen. Eto, wrth feddwl am gyfansoddiad gwlad, mae rhyw werth mewn cynsail, ac mae disgyniad teitl ac awdurdod yn bwysig, fel y gŵyr y Saeson yn dda iawn.

Felly dyma ni Gymry heddiw yn y sefyllfa ddiddorol o fod â Senedd *a* Chynulliad i ni'n hunain. Anfantais y Senedd yw nad oes neb yn cofio amdani. Anfantais y Cynulliad yw mai llywodraeth Loegr a'i creodd, ac y gall llywodraeth Loegr ei ddileu pan fyn. Fe fyddai'n *well* petaem ni Gymry wedi ailalw'r Senedd cyn bod sôn am refferendwm; petai gwir fudiad cenedlaethol gwleidyddol yng Nghymru, dyna a fyddai wedi digwydd... ond ni ddigwyddodd. Mae rhai, mi wn, yn magu'r gobaith y try'r Cynulliad yn Senedd o dipyn i beth. Na wna, os nad oes gan rywun gynllun i wneud iddo ddigwydd. Bydd y flwyddyn 2004, chwe chanmlwyddiant y Senedd, yn gyfle i *rai* o aelodau'r Cynulliad – sef y rhai a ddaw – ymuno gydag eraill, wedi eu hethol yr un mor ddemocrataidd, i ailagor y Senedd.

Hen achau a hen wreiddiau a hen goelion amdanom ein hunain fu'n testun ni heno. Ond 'rwy'n gobeithio y cytunwch â mi nad yw'r pethau hynny yn gwbl amherthnasol i'n rhagolygon fel gwlad a phobl ar drothwy canrif a milrif newydd.

[Seiliwyd ar Ddarlith a draddodwyd gyntaf i Gymdeithas Hanes Teuluoedd Gwynedd, 1994]

Bonedd yr Arwyr

NODIADAU

1. (Caerdydd, 1966).

2. *Welsh Genealogies A.D. 300-1400*, 1-8 (Caerdydd 1974), gydag Atodiadau, 1980, 1988; *Welsh Genealogies A.D. 1400-1500* 1-18 (Aberystwyth, 1983).

3. (Aberystwyth, 1993).

4. (Caerdydd, 1961).

5. Dyma'r cofnod a gopïwyd gan Edward Lhuyd oddi ar 'Golofn Eliseg' ger Abaty Glyn y Groes cyn iddo fynd yn annarllenadwy: BRITU... FILIUS GUARTHI[girn]... QUE[m]... PEPERIT EI SE[v]IRA FILIA MAXIMI (Brydw... mab Gwrtheyrn... a aned iddo gan Sevira ferch Maximus).

6. *The Age of Arthur* (Llundain, 1973).

7. Timothy Lewis, *The Laws of Hywel Dda: the Black Book of Chirk Peniarth Ms. 29* (Halle, 1933), t. 47.

SAITH MATH O HANES

FE YSTYRIWN yn yr ysgrif hon saith o lyfrau hanes y Cymry. Fe'u cyhoeddwyd oll o fewn ychydig dros ganmlwydd, 1718-1822, er bod un ohonynt yn hen lyfr a fu mewn llawysgrif am amser go hir. Uchelwr yw awdur y llyfr hwnnw, offeiriaid a phregethwyr yw awduron y lleill i gyd. Mae tri ohonynt yn Gymraeg, a phedwar yn Saesneg, yn cynnwys yr un sydd â theitl Lladin. Cymry yw awduron chwech ohonynt, ac awdur y seithfed yn Sais a benderfynodd wneud y Cymro'n arwr ei stori. Maent yn cynrychioli saith math o hanes, a dyma hwy: (1) hanes y byd, (2) hanes Prydain Fawr, (3) hanes Cymru, (4) hanes sir, (5) hanes enwad, (6) hanes teulu, (7) hanes un dyn. Gwelwn amrywiaeth ynddynt. Gwelwn hefyd y modd y maent, i gyd heb eithriad, yn gwasanaethu'r un ideoleg.

1. *Hanes y Byd*

Bu llunio 'hanes cyffredinol', hanes yn rhoi cyfrif o bopeth o'r Creu hyd at foment yr ysgrifennu, ac yn ceisio canfod yr un egwyddor fawr sy'n rheoli holl hynt y ddynolryw, yn ddelfryd a apeliodd at haneswyr sawl tro yng nghwrs y canrifoedd. Yr oedd yn freuddwyd byw iawn yn ystod yr ail ganrif ar bymtheg a'r ddeunawfed, gyda Bossuet, Voltaire, ac eraill llai enwog, bob un yn rhoi ei gynnig ar yr *histoire universelle*. Teimlodd ambell Gymro beth o'r un awydd. Un ohonynt oedd Simon Thomas, pregethwr Presbyteraidd a masnachwr yn Henffordd, awdur *Hanes y Byd a'r Amseroedd* (1718).

Cyn adrodd hanes y byd, yn ôl dull meddwl y math hwn o lyfr, rhaid yn gyntaf leoli'r byd mewn gofod neu 'spâs': planed ydyw, ymhlith planedau eraill sydd 'megis wrth glun, ac yn ein cymydogaeth', a'r rheini'n cylchdroi o gwmpas haul sy'n un ymhlith heuliau eraill lawer. Yn y tudalennau cyntaf ceir gwybodaeth a allai gymryd ei lle yr un mor briodol mewn llyfr gwyddonol fel *Golwg ar y Byd*, Dafydd Lewys, Llangatwg, a gyhoeddwyd saith mlynedd yn ddiweddarach. Mae enwau fel Galileus, Herschel, Huygenus a Cassini yn lled amlwg. Ac o sôn am sêr a phlanedau, y mae un peth arall y mae'n rhaid ei wneud yn berffaith glir:

> Cyn myned o honom y' mhellach, y mae'n gymwys i ni yma fynegi i'r anwybodus, nad oes dim o'r fath allu a gweithrediad gan y planedau ar ddynion a phethau daearol, ag yr ydys yn gyffredin yn ei dybied. Rhai coeg-ddynion a wnant fawr ymffrost o blegid eu gwybodaeth o bethau i ddyfod, trwy galandro a bwrw golygiadau ar y sêr a'r planedau (fel y galwant). Mae'n achos o dosturi, weled y modd y mae y cyffredin bobl yn cymeryd eu twyllo a'u cam-arwain gan y cyfryw hudolwyr a'r rhai'n: a'r bobl ieuaingc ddylion, druain, O! mor ebrwydd y rhedant atynt i ddarllen eu tesni. Bobl anwyl! nid oes dim o'r fath beth; nid oes mor cyfryw wybodaeth i'w chael oddiwrth y sêr na'r planedau chwaith.

Dyma inni lais yr Oleuedigaeth, yn ymliw â chynulleidfaoedd yr almanaciau: cyfraniad bychan tuag at yr ymdrech gwbl aflwyddiannus i ddiddyfnu dynol ryw o'i chred yn nylanwad y cyrff wybrennol.

Wedi dweud cymaint â hyn, gall Simon Thomas roi ei gosmoleg o'r naill du a throi at ran ddaearyddol ei ymdriniaeth, 'Am y Ddaear' fel y mae'n ei galw. Disgrifir 'tair rhan' draddodiadol y byd – Asia, Affrica ac Ewrop; a bellach gellir ychwanegu America atynt. Eir o wlad i wlad yn drefnus, gan ddisgrifio'r bobloedd, eu crefyddau a'u harferion, yn null cyffredin llawlyfrau daearyddol yr oes. Cic yma i'r Pab a chic acw i Fahomet yw egwyddor Simon Thomas wrth ein tywys drwy arferion a chredoau pobloedd y gwledydd; gelwir y rhain yn 'ddwy fflangell chwerw i eglwys Crist dros lawer o flynyddoedd', ac wrth geisio esbonio pam y maent yn dal i ffynnu, ni ellir ond awgrymu fod y Goruchaf wedi caniatáu hynny 'mewn ffordd o gospedigaeth ar ddynion'. Wrth sôn am lywodraethau gormesol gogledd Affrica, dyma gyfle i danlinellu gwers; cwrddwn â hi droeon eto cyn dod i ddiwedd y llyfr, a'r un modd ym mhob un o'r saith llyfr yr ydym yn ymdrin â hwy:

> Hyn a ddylai ein gwneuthur ni yma ym Mhrydain yn
> ddiolchgar, yn gymaint ag y gallwn ni fyw yn ddibryder yn yr
> ystyriaeth hyn; canys nis gall y tywysog, na'r brenin, wneuthur â
> ni na'n meddiannau, ddim tu hwnt i'r hyn a ganiatao y
> cyfreithiau yr y'm yn eu gwneuthur, trwy ein cynddrychiolwyr
> mewn *parliament*.

Fe ddylem fod yn deall, erbyn cyrraedd y fan hon, mai ystyr 'hanes' i Simon Thomas yw pregeth Brydeingar a gwrth-Babaidd ar gefndir cosmoleg a daearyddiaeth. Craidd *Hanes y Byd a'r Amseroedd*, gwir ystyr yr 'hanes' yn wir, yw'r modd y llwyddodd un rhan o'r byd, am mai dyna ewyllys Duw, i ymryddhau rhag gormes llywodraeth y Pab. Dyma gyrraedd Ewrop: 'o ran gwybodaeth a dysgeidiaeth, a phob math o gelfyddydau, ac yn enwedig o herwydd goleuni'r Efengyl sy'n tywynnu arni, yn awr dros lawer o oesoedd, mae *Europe* yn rhagori ar yr holl wledydd dan y nef.' Ond erbyn edrych, ceir fod rhan go dda o'r cyfandir hwn hefyd yn dioddef 'dan gaethiwed y Babilon Rhufeinaidd'. Clyw'r awdur ei ddarllenydd yn gofyn: 'Pa le bellach y cair eglwys Dduw ar y ddaear?' Yr ateb diamheuol yw mai yn y gwledydd Protestannaidd, ac wedi gair priodol am Sweden, Prwsia, Denmarc, Norwy a Holand, deuir at y bennaf un o'r rhain, Prydain Fawr. Fel yna y mae'r ffocws yn tynhau; daw patrwm yr hanes yn eglur o baragraff i baragraff ac o frawddeg i frawddeg. Adroddir â chryn foddhad bennod alaethus o hen stori flin:

> ... eithr am yr hen Wyddelod, y rhai y'nt o lawer yn amlaf, y
> maent hwy yn glynu byth wrth y grefydd Babaidd; ac y maent
> nid yn unig yn Bapistiaid, ond hefyd yn farbaraidd ac yn

greulon. Darfu iddynt ar brydiau ladd trwy fradwriaeth lawer can'oedd o filoedd o'r Protestaniaid, yn enwedig yn amser Charles I, ond y mae'n ddiweddar gyfreithiau cymwys a pherthynasol wedi eu gwneuthur tu ag at gadw y rhai'n mewn rheolaeth a threfn; ac, os ydyw bosibl, i'w diwygio, a dyfod â hwynt i adnabyddiaeth o'r gwirionedd.

Wrth derfynu ei adran 'Am y Ddaear' nid yw'r awdur yn rhy galonnog. Tywyllwch sy'n gorchuddio'r rhan fwyaf o'r ddaear o hyd, gyda theyrnas y gelyn yn gref a'i lywodraeth yn eang. Gwêl 'amryw genhedloedd lluosog yn y caethiwed tostaf, heb na gallu nac ewyllys i ddyfod allan o hono'. O'r tu arall, mor fawr yw rhagorfraint darllenydd y llyfr hwn, 'yn gymaint a'th fod yn mwynhau moddion iechydwriaeth, fod yr ysgrythurau sanctaidd yn dy law, y rhai sy'n dwyn bywyd ac anllygredigaeth i oleuni, ac yn fuddiol i gyfeirio'th draed i ffordd tangnefedd'.

Deuwn wedyn at y rhan fwy hanesyddol o'r llyfr, a'r rhan helaethaf, ac arni'r pennawd 'Am yr Amseroedd'. Union fesur yr amseroedd hyn, sef oedran y byd, yw 5,828 o flynyddoedd. Union oed 'y cynfyd', sef o greu Adda hyd y Dilyw, oedd 1,656 o flynyddoedd. Daeth tri mab Noa a'u teuluoedd allan o'r Arch, ac ordeiniodd Duw pa rannau o'r byd yr oeddynt i'w preswylio. Jaffeth a gafodd Ewrop. 'O Gomer, yr hynaf o blant Japheth, y daeth cenedl fawr luosog, y rhai a elwid gynt Cimbri; ac mae y rhai sydd yn chwilio achau'r cenhedloedd, yn barnu mai colfen o'r rhai'n oedd yr hen Gymry.' Yr hen genedl hon, bellach, fydd canolbwynt yr hanes, ac ati hi y mae'r awdur, fel Protestant pybyr a Chymro gwlatgar, yn cyfeirio pob esiampl ac anogaeth. Mae llinellau'r hanes yn syml a chryf: dyfod Crist yn oleuni'r cenhedloedd; ond yr eglwys yn Rhufain yn troi, wedi rhyw dair oes, i fod yn 'orseddfa anghrist'; rhai, pan welodd Duw yn dda, yn codi i wrthdystio, a'r Diwygiad yn mynd ar led. Tynged y Cymry oddi ar tua'r flwyddyn 400 fu cael eu ceryddu gan Dduw trwy godi'r Pictiaid, y Sgotiaid a'r Saeson yn eu herbyn. Fe'u gyrrwyd i Gymru, 'lle trigasant yn neilltuol a digymysg, o'r pryd hwnw hyd yr awr hon'. Tra'r oeddynt yn cadw'u hannibyniaeth wleidyddol, cadwasant hefyd yr athrawiaeth a'r egwyddorion yn bur ac iachus, 'er bod, yn gyffredin, eu harferion a'u hymarweddiad yn ddrwg'. Ond mewn amser aeth y Cymry hwythau'n Babyddion, yn enwedig o'r pryd yr aeth eglwysi Cymru o dan archesgob Caergaint: 'ac erbyn hyn yr oedd *eclipse* o dywyllwch ysprydol wedi myned dros yr holl ynys'. Hyn a barhaodd hyd nes y daeth gwaredigaeth i'r Cymry drwy esgyniad y Tuduriaid. Mae'r stori wedi ei hadrodd o'r blaen, ac fe'i hadroddir sawl tro eto: dywed Simon Thomas hi gydag argyhoeddiad di-sigl, mewn Cymraeg plaen ond llawn ddigonol. Adroddir yn gryno am y rhwyg rhwng Harri VIII a'r Pab, diwygiadau Edward, adwaith Mari a chyfnewidiadau Elizabeth; wedyn am gychwyniadau Piwritaniaeth, datblygiad yr Ymneilltuwyr neu'r 'Anymddibynwyr', a'r ymfudo i America yn nheyrnasiad Iago I. Am y brenin hwnnw dywedir:

> Ei zêl mewn crefydd nid oedd ond claiar iawn; canys
> dywedodd, yr âi efe haner y ffordd yn ewyllysgar i gyfarfod
> eglwys Rufain, a chaniataodd i'w fab Charles briodi rhyw fath o
> Jezebel, sef Pabyddes greulon, merch brenin Ffrainc.

Y frenhines hon, yn ôl Simon Thomas fel sawl un arall, fu dinistr Siarl I, a oedd 'yn wr o dymer weddol o'i ran ei hun'.

Wedi hyn oll fe â'r adroddiad yn od o dawedog a chwta lle disgwylid iddo fod yn huawdl. Brawddeg yn unig a geir am y Rhyfel Cartref, a brawddeg wedyn am y Werinlywodraeth. Siomedig o gwta ydyw eto ar Chwyldro 1688. Beth yw'r pall sydyn hwn a ddaeth ar y Presbyteriad pybyr, yr union foment y disgwylid iddo ddechrau ei thiwnio hi a mynd i'r hwyl? Nid oes ond un peth a all ei esbonio, ofn parlysol rhag arddel gwŷr Cromwell na dim a wnaethant. Tyn Simon Thomas ei hanes i ben yn sydyn, gyda disgwyl am gwymp yr anghrist a dyletswydd pawb i weddïo am hyn.

Diben a phwynt *Hanes y Byd a'r Amseroedd* yw diffinio dyletswydd Cymro, ar y cefndir ehangaf posibl. Y ddyletswydd honno yw bod yn ddiolchgar, a mawrygu ei freintiau fel deiliad gwladwriaeth Brotestannaidd. Ceir y neges yn gron gyfan yn y nodyn 'At y Darllenydd' ar y dechrau:

> Mawr achos sydd genyt i fendithio a chlodfori Duw, Tad y goleuni, am yr amryw foddion wyt yn fwynhau tu ag at dy hyfforddiad yn y pethau a berthynant i'th hapusrwydd tragywyddol. Yn enwedig dylit wneuthur mawr gyfrif o'r rhagorfraint arbenig hóno, sef dy fod yn mwynhau pur air Duw yn y cyfryw dafodiaith yr ydwyt yn ei deall. Rhagorfraint nid bychan yn ddiau ydyw, os ystyri pa nifer o wledydd lluosog o drigolion sy eto yn y fagddu o dywyllwch ysbrydol, y rhai y mae hyfryd sain yr efengyl yn beth dieithr iddynt. Os edrychi yspaid ychydig oesoedd yn ôl, cai weled fod dy hynafiaid hwythau yn y wlad hon gynt mewn eigion tywyllwch: eu crefydd oedd yn sefyll mewn amrywiaeth diderfyn o seremonïau Pabaidd; ac am yr ysgrythur lân, yr oedd megis wedi ei chloi i fynu rhagddynt yn yr iaith Lading. Felly gelli ddywedyd mewn ystyriaeth amgen, a mwy godidog, na'r hen Fardd Rhufeinaidd gynt,

> Ego me nunc denique natum. OVID

Dyna ddehongliad Simon Thomas o'r Byd ac o'r Amseroedd, dehongliad gwladgarol Gymreig, Prydeingar, Protestannaidd a Chwigaidd. Gwêl ddechreuad pendant i hanes, a rhagdybia ddiwedd iddo hefyd, er na all roi dyddiad ar hwnnw. Bu cryn drafod yn ddiweddar ar gasgliad Francis Fukuyama, hanesydd cyffredinol, tueddbennol a Chwigaidd arall, fod hanes wedi dod i ben gyda buddugoliaeth gwerthoedd a ffordd o fyw y gwledydd democrataidd, cyfalafol, Protestannaidd. Os cywir casgliad y Japanead Americanaidd hwn, byddai *rhai* agweddau arno yn cynhesu calon Simon Thomas. Ond arswydai wrth ddarllen am hyder newydd crefydd Mahomet a'i thymer ymosodol, ac ysgydwai ei ben o weld nad yw terfynau llywodraeth y Pab gymaint â hynny'n llai, ar y map beth bynnag.

2. *Hanes Prydain Fawr*

Gweinidog gyda'r Bedyddwyr yng Nghaerfyrddin oedd Titus Lewis, geiriadurwr, emynydd ac awdur y llyfr chwe chan tudalen *Hanes Wladol a Chrefyddol Prydain Fawr* (1810). Nid gwagymffrost yw honiad ei 'Lythyr at y Darllenyddion', na bu y fath lyfr erioed o'r blaen yn Gymraeg. Un eithriad yn unig a rwystra ddweud na chafwyd hyd heddiw lyfr Cymraeg mor uchelgeisiol ag ef ar ei bwnc, a'r eithriad honno yw *Hanes y Brytaniaid a'r Cymry*, Gweirydd ap Rhys (1874-5). Mae prif fannau'r 'Hanes Wladol' yma, o Brutus o Gaerdroea hyd Ddug Wellington, a'r 'Hanes Crefyddol' o Les ap Coel hyd John Wesley. Byr iawn yr ymdrinnir â rhai pethau, Prydain Rufeinig er enghraifft, ond cyffyrddir ag amrywiaeth fawr o bynciau, gyda helaethrwydd o eirfa Gymraeg i'w trafod. Os chwilio yr ydym am esiampl o hyder y Cymry cyn y Llyfrau Gleision yn eu gallu i'w haddysgu eu hunain yn eu hiaith, dyma hi. 'A oes patrwm neu ystyr mewn hanes?' sydd gwestiwn penagored o hyd; ond mae gennym hawl i ddisgwyl gan hanesydd ei fod yn awgrymu i'w ddarllenwyr ryw batrwm neu ffurf yn yr hyn y mae'n ei adrodd. Rhan o'i ddyletswydd fel llenor yw hynny. Fel Simon Thomas yn ei lyfr llai ar bwnc mwy, mae Titus Lewis yn dra sicr ei fod yn gweld patrwm, a hwnnw'n sylfaenol yr un fath â'r hyn a welodd ei ragflaenydd ymron ganrif ynghynt. Mae'n debyg iawn i Simon Thomas yn ei olygiadau a'i bwysleisiadau, ond eto nid yw canrif o resymoliaeth heb adael ei hôl.

Ni wnawn yn well na dyfynnu o'r 'Llythyr at y Darllenyddion':

> Y mae *hanes yn gyffredinol*, yn gangen werthfawr o ddysgeidiaeth, ac yn dra defnyddiol : dengys i ni wahanol arferion gwahanol wledydd – cynnydd moesau, dysgeidiaeth, a rhyddid – llygredigaeth ddychrynllyd y natur ddynol – goruwchlywodraeth rhagluniaeth ddwyfol dros ddynolryw a'u gweithredoedd – tuedd ddrygionus dynion drwg, a'r niweid y

maent yn wneuthur; a gwir ddefnyddioldeb dynion da. Os yw hanes yn gyffredinol yn atteb y cyfryw ddybenion, o ba faint mwy gwerth a defnydd y rhaid fod *Hanes Prydain Fawr* – hanes ein gwlad enedigol ein hunain! Ei chyfodiad o wendid i rym a mawredd – o farbariaeth i foesgarwch a gweddeidd-dra – o dywyllwch a choel-grefydd i wybodaeth anianol a chrefyddol – o gaethiwed i ryddid – rhyddid gwladol fel deiliaid llywodraeth, a rhyddid cydwybod mewn pethau yn perthyn i'n tragywyddol heddwch. Gwybodaeth o gyfreithiau, arferion, buddugoliaethau a chrefydd Prydain raid fod o fawr bwys yng ngolwg pob Cymro cynnes a diledryw.

Dyma hwy eto – y gwladgarwch Cymreig, y Prydeingarwch, y Brotestaniaeth, y Chwigiaeth. Dyma Brydain Fawr yn falchder Cymro. Tystia tudalennau cynta'r llyfr fod talpiau go dda o'r 'hanes traddodiadol' yn dal o gwmpas. Daw hil Gomer a hil Brutus i Ynys Brydain yn eu twrn, wrth i Titus Lewis, fel Theophilus Evans ac eraill o'i flaen, geisio cysoni dwy stori am darddiad y Cymry. Rhennir y deyrnas yn dair rhwng meibion Brutus, yn union fel y dywedodd Sieffre o Fynwy. Daw gwŷr Rhufain ac encilio wedyn, gan adael Gwrtheyrn i gynnal yr Ynys yn erbyn y Gwyddyl a'r Brithwyr. Daw'r Saeson a Brad y Cyllyll Hirion, a daw Arthur a'i fuddugoliaethau i ohirio am genhedlaeth arall golli sofraniaeth yr Ynys. Daw'r efengyl i Brydain yn nyddiau Lles ap Coel, ac yn y man genhadaeth Awstin i'r Saeson, ac ymhen canrifoedd wedyn ymostyngiad eglwysi'r Cymry i awdurdod Caergaint. I Gymro ar ddechrau'r bedwaredd ganrif ar bymtheg, deil y pethau hyn yn sylfeini hanes, ac mae iddynt eu cysylltiad â'r byd cyfoes sy'n cynnwys Napoleon, Burke, Wellington a Pitt.

Am gyfnod, mae'r hen Gymry bron â diflannu o'r darlun. Trafodir teyrnasiad y Brenin John heb gyfeirio unwaith at Lywelyn Fawr. Cyfeirir yn fyr at farwolaeth y Llyw Olaf a'i frawd Dafydd. Ceir paragraff eithaf niwtral am Owain Glyndŵr. Ond y mae sêl Gymreig yr awdur yn ailgynnau pan ddaw at y cyfnod Protestannaidd, a chael dechrau sôn am gyfieithwyr y Beibl ac olyniaeth y 'cymwynaswyr', fel y byddwn yn eu galw, y rhai a ymorolodd am eneidiau'r Cymry ac a ymgeleddodd yr iaith yn y fargen. Ni fyddai neb ohonom yn gwarafun i Titus Lewis roi lle go amlwg i'w gyd-Fedyddwyr yn oriel deffrowyr y Cymry. Ond fel Bedyddiwr y mae hefyd yn croesawu diwygiad efengylaidd y ddeunawfed ganrif fel 'toriad gwawr a chodiad haul' wedi cyfnod o farweidd-dra ysbrydol. Trefn rhagluniaeth, meddai, oedd fod Griffith Jones wedi aros 'yn mysg y Cymry tlodion ac anwybodus' ac yntau ar fin cael ei anfon yn gennad i blith yr Indiaid.

Yn gynnar iawn yn ei lyfr mae Titus Lewis yn datgan ei bleidgarwch. Dyma Galfinydd a all ddweud pethau hallt iawn am John Calfin pan dry hwnnw'n erlidgar, a dyma Fedyddiwr sy'n neilltuol falch o record ei enwad ym mhlaid rhyddid crefyddol a gwladol. Er ffieiddied ganddo eglwys y Pab, myn ein hatgoffa dro ar ôl tro na bu gan honno fonopoli ar anoddefgarwch. Ni fu Cranmer fawr o dro cyn sefydlu 'chwil-lys neu gabidwl Protestannaidd' i chwipio'r Bedyddwyr i mewn i Eglwys Loegr. Bu Presbyteriaid yr Alban, Annibynwyr Lloegr newydd, a charfannau Protestannaidd eraill, yn euog trwy fethu â chaniatáu i eraill y rhyddid yr oeddent yn ei hawlio iddynt eu hunain: nid oeddynt yn 'deall natur rhyddid'. Dadansoddwr ystyriol a golau yw Titus Lewis, yn gallu gweld y ddwy ochr i ddynion ac i ddigwyddiadau, ac yn deall yn burion sut yr oedd ystyriaethau crefyddol a seciwlar yn cydymdaro yng ngwleidyddiaeth y cyfnod o'r unfed ganrif ar bymtheg ymlaen. Gwêl hanes yn llawn o baradocsau, fel pan ddigwyddodd y Diwygiad ym Mhrydain drwy 'un o'r dynion gwaethaf fu erioed, sef Harri VIII'. Gall dderbyn y dehongliad traddodiadol mai'r brenhinoedd Tuduraidd fu moddion rhyddhau'r Cymry, ond nid oes ganddo fawr o olwg ar y ddau Harri nac Elisabeth fel pobl. Pa Gymro o'r blaen a ddisgrifiodd Harri VII fel 'dyn llygoer, cynnil, cyfrwys, gochelgar, a drwg-dybus; ac o'r holl dywysogion a eisteddodd ar yr orsedd Frutanaidd,... y mwyaf brwnt, bawaidd, hunanol ac anfoneddigaidd o honynt oll'?

Peth a rydd foddhad mawr i Titus Lewis wrth iddo dynnu at ddiwedd ei lyfr yw gallu adrodd am senedd Lloegr yn dileu'r gaethfasnach ym 1807 wedi ymgyrch hir Wilberforce. 'Diolch i Dduw! Dilyned teyrnasoedd ereill siampl pobl Lloegr yn hyn gydâ brys.' Wrth i'r llyfr gael ei anfon i'r wasg y mae'r rhyfel â Ffrainc yn llusgo ymlaen, a'r Pab yn garcharor gan Napoleon. Ystyr hyn i Titus Lewis yw 'y butain fawr yn cael ei thalu mewn barn yn ddau ddyblyg'. Ond gwêl mai 'amser rhyfedd yw yr un presennol' ac ymbwylla rhag darogan gormod. Gyda phinsiaid iachus o halen y cymer fuddugoliaethau Dug Wellington.

Yn y diwedd, i Titus Lewis, y peth pwysicaf a mwyaf clodfawr mewn hanes yw ymdrech gwŷr duwiol o Brotestaniaid i oleuo'r Cymry cyffredin. Dyna ganolbwynt yr 'Hanes Wladol a Chrefyddol'. Ond y tu ôl i'r cyfan, ac nac anghofiwn hynny byth, y mae'r ffaith mai gwladwriaeth Brotestannaidd yw Prydain Fawr. Iddo ef, ddim mymryn llai nag i Macaulay a'r haneswyr Chwigaidd Saesneg, saif William III, ac wedyn y brenhinoedd Hanoferaidd, yn ddigymar ymhlith arwyr seciwlar. Ar adeg 'dyfodiad rhagluniaethol a phrydlawn tywysog Orange', gwêl yr ochr ddigrif i sefyllfa offeiriaid y Deyrnas, yn gorfod gweddïo ar goedd dros Iago ond â'u calonnau gyda Gwilym! 'Ond gwelodd Duw yn dda, er cysur annhraethol y genedl, i atteb y gweddïau dirgel yn hytrach na'r rhai cyhoeddus.' A phan ddaw hi'n bryd cyfeirio at Jwbili Siôr III, 1809, rhoddir heibio bob sgeptigiaeth:

> Ni theyrnasodd neb o frenhinoedd Lloegr cyhyd wedi Edward III, ac ni bu ond dwy siampl o'r fath yn y deyrnas hon, mewn mwy na 1200 o flynyddoedd a aethant heibio. Y mae hyn hefyd yn deilwng o sylw; yr oedd pedwar ar ddeg o lywodraethwyr yn Ewrop yn 1788, ond nid oes yr un o honynt yn fyw ac yn teyrnasu yn bresennol ond George III. Lladdwyd tri o honynt, diorseddwyd pedwar, gwenwynwyd dau, bu farw un yn ddisymwth, ac un yn lloerig, ac un yn naturiol, a gadawodd un ei orsedd; ond y mae George yn fyw, ar goron ar ei ben. Pwy na w[a]eddai, Byw fyddo'r brenin!

I lawer o'm darllenwyr, i'r rhan fwyaf mae'n bur debyg, y mae'r teyrngarwch hwn (ie, teyrn-garwch yn ei ystyr fwyaf llythrennol) yn ddirgelwch i'w wawdio. I'n hynafiaid ddwy ganrif yn ôl yr oedd rhesymau dilys a dealladwy drosto. Bylchog fydd cof ein cenedl os na chofiwn hyn.

Drwy gydol 624 tudalen Titus Lewis, y Pab a'i eglwys yw prif elynion pob goleuni. Ni ddoem i ben â dyfynnu esiamplau. Mae un casgliad arall o bobl na rydd byth air da iddo, sef 'y werinos'. Gall dosturio wrthi, ond arswyda rhag ymddiried gormod o allu iddi. Cofia'i herledigaeth ar yr Iddewon yn yr Oesoedd Canol, ac ar Joseph Priestley, ddoe ddiwethaf, oherwydd ei farn am wleidyddiaeth yr oes. 'Ceisio pethau afradus ac anghymwys' a wnaeth dilynwyr Wat Tyler a Jack Straw, ac achos arswyd fu 'creulondeb y werin fuddugoliaethus' yn chwyldro diweddar Ffrainc. Pan feddiannodd y Saeson Ynys Brydain, 'y bobl gyffredin, a'r rhai digalon, a bradychus o honynt' oedd y rhai a ymostyngodd gan anghofio'u hiaith. Ffôdd y goreugwyr 'i gonglau yr ynys, sef Cumberland, Cornwal, a Chymru'. Ni bu gwell pleidiwr i ryddid mewn gwlad ac eglwys na Titus Lewis, ac eto nid democrat na chydraddolwr mohono. Yr oedd llawer yr un fath ag ef: y mae hynny'n ffactor yng nghefndir Siartaeth, ac yn rhan o'r eglurhad ar arafwch estyniad yr etholfraint yn y bedwaredd ganrif ar bymtheg.

Colled fu marw Titus Lewis yn ddeunaw ar hugain oed, flwyddyn ar ôl cwblhau'r *Hanes* a olygodd iddo 'lawer o boen, gofal a diwydrwydd'. Yn y gwaith cynhwysfawr, llafurfawr hwn cynrychiolir peth o orau'r meddwl ymneilltuol Cymreig.

3. *Hanes Cymru*

Gan fynd heibio i lyfrau mwy enwog, i gynrychioli hanes Cymru yn yr arolwg hwn dewisais lyfr William Warrington, *The History of Wales, in nine books* (1786). Mae arnaf ofn na wn ddim am Warrington ond ei fod yn glerigwr, ac ar ei addefiad ei hun yn Sais glân. Un o ffenomenâu'r oes oedd fod Saeson dysgedig yn clywed rhyw dynfa at bethau'r Cymry ac yn cyfeillachu ag ysgolheigion o Gymry er ceisio mwy o wybodaeth. Cynrychiolwyr eraill i'r un symudiad oedd Thomas Percy, Daines Barrington, William Coxe a Sharon Turner, ac yn eu ffordd eu hunain hefyd y 'teithwyr Seisnig' a gynhyrchodd sawl cyfrol o *Tours in Wales*. Nodau egin-ramantiaeth sydd i'r sôn am 'achos rhyddid' ac 'iawnderau naturiol' yn y geiriau hyn o ragair Warrington:

> It is not the least praise of an historian, that his writings do not discover his country; lest from the sentiments which breath through the following pages the author should be thought to have failed in this essential point, he thinks it necessary to declare that he is an Englishman; and whatever preponderancy may be discovered in this work to the side of the Welsh it is neither the partiality of an author to his subject, nor the prejudice of a native; but the voluntary tribute of justice and humanity which is due to the cause of freedom, and the violated rights of nature.

Cynrychiola llyfr Warrington draddodiad braidd yn wahanol i'r ddwy gyfrol yr ydym wedi eu trafod eisoes, traddodiad a'i wreiddiau nid ym Mrut Sieffre o Fynwy ond ym Mrut y Tywysogion. I Simon Thomas ac i Titus Lewis, a'r un modd i Charles Edwards a Theophilus Evans, dau gyfnod yn hanes y Cymry oedd o wir ddiddordeb ac arwyddocâd, sef y cynoesoedd ar y naill law a'r cenedlaethau wedi iddynt droi'n Brotestaniaid ar y llall. Ond ymddiddora'r traddodiad arall yn yr Oesoedd Canol, gan weld arwriaeth arbennig ym mrwydrau tywysogion y Cymry yn erbyn Normaniaid a Saeson. O ran ei drefn a'i gynnwys y mae gwaith Warrington yn dilyn yn glòs lyfr William Wynne, *The History of Wales* (1697). Yr oedd hwnnw, yn ei dro, yn ddiweddariad o lyfr David Powel, *The Historie of Cambria, now called Wales* (1584); hwnnw yn helaethiad o waith llawysgrif Humphrey Llwyd, 'Chronica Walliae a Rege Cadwalader ad Annum 1294'; a hwnnw wedyn – gwaith Saesneg, er gwaethaf ei deitl – yn gyfieithiadgyfaddasiad o Frut y Tywysogion. Ar un olwg, felly, gwaith anwreiddiol yw eiddo Warrington, un mewn cyfres o lyfrau sy'n ailadrodd yr un stori, yn aml yn yr un geiriau, yn ôl patrwm wedi ei sefydlu ers chwe chanrif.

Eto y mae ynddo bethau newydd a gwahanol. Y mae ei arddull yn fwy bywiog o dipyn nag eiddo'i ragflaenydd uniongyrchol, Wynne, ac weithiau y mae ymhell o flaen ei oes yn ei ddehongliad o gymeriadau a digwyddiadau. Daw'r hen Wrtheyrn, cocyn hitio'r holl draddodiad hanes, o fewn dim i fod yn arwr:

> There was something bold in the genius of Vortigern. He possessed qualities which usually decide in great and turbulent scenes; but he was led by them into a series of crimes, which have marked his life with misfortune, and his character with infamy.

Y nesaf, hyd y gwn, i fentro dehongliad o'r fath oedd yr hanesydd John Morris yn *The Age of Arthur* (1973). Daethom yn gyfarwydd â dadl A.W. Wade-Evans ynghylch presenoldeb nifer o Saeson fel milwyr cyflog dan Rufain ym mlynyddoedd olaf yr Ymerodraeth; a dyma Warrington yn caniatáu'r posibilrwydd mai milwyr Rhufeinig dan Valentinian III oedd Hors a Hengist cyn iddynt ddod yn fwy adnabyddus am bethau eraill. (Noda yma ei ffynhonnell fel 'Verstegan'. Cyhoeddodd Richard Verstegan neu Verstegen, hanner-Sais a hanner-Isalmaenwr, a'i galwai ei hun hefyd yn Richard Rowlands, ei lyfr, *A Restitution of Decayed Intelligence in Antiquities*, yn Antwerp ym 1605. O edrych hwnnw, gwelir mai ei ffynhonnell ar gyfer stori Hors a Hengist yw 'Vlitarpius', sef cronicl Isalmaeneg a gyhoeddwyd ym 1597 gan Jan Vlitarp, gan honni ei fod yn drosiad o hen lyfr o'r nawfed ganrif. Trueni na allem ddilyn yr awgrym hwn i'w wraidd.) Wrth grybwyll Maelgwn Gwynedd, cynghora Warrington ni'n gynnil i beidio â chredu phopeth a ddywedir am yr hen wariar hwnnw gan ei gyn-gyd-ysgolor, y mynach Gildas. Wrth adrodd am deyrnasiad Arthur fe'i ceir yn crynhoi'n llym, gan dorri allan yr honiadau mwyaf blodeuog y buwyd yn eu hailadroddd ar ôl Sieffre o Fynwy. Llwydda rywfodd i wneud y cyfan yn gredadwy, ac yn ei frawddegau ar ddiweddglo'r oes Arthuraidd y mae yna ddal ar ystyr moment hanesyddol gyda rhywbeth tebyg iawn i ddirnadaeth hanesydd modern:

> During the late reigns, the ancient Britons had attained to the meridian of their glory; but the period assigned for the close of their empire drew nigh, though the beams which brightened its decline lingered for a time in the west, until gradually receding from the sight, not a single ray remained on the horizon.

Gwêl Warrington ddiffygion ar waith ei ragflaenwyr ym maes hanes Cymru – diffyg archwilio cymhellion polisi, diffyg olrhain achos ac effaith, diffyg dethol yr hanfodion – ac addawa wneud ei orau i'w cywiro. O'r holl haneswyr yr ydym yn eu trafod yma, ef sydd â'r adnoddau gorau at y dasg hon.

Wrth ddilyn yn ôl traed Wynne, Powel, Llwyd a'r Brut, etifeddodd Warrington stori epig gyda thywysogion y Cymry, yn enwedig y rhai rhwng Gruffudd ap Cynan a Llywelyn ap Gruffudd, yn arwyr ynddi. Ei phrif adyn yw'r Brenin Edward I. Ynghlwm wrth y stori y mae cred ynghylch sefyllfa, dyletswydd a thynged y Cymry. Y mae'n fwy na chred, y mae'n ideoleg, cwlwm o syniadau a wnaed er mwyn cynnal a chalonogi pobl a'u hannog i ymagweddu mewn ffordd arbennig. Yn fyr, gwelir ymdrech y tywysogion dros ddwy ganrif yn erbyn y Normaniaid fel ymdrech gyfiawn, angenrheidiol ac arwrol, y dylid o hyd ei dwyn i gof â balchder. Ond daw dydd pan na thycia gwrthsefyll mwyach. Y mae'r cyfrif rhwng Cymro a Sais wedi ei setlo a'r cam sylfaenol wedi ei iawnhau: digwyddodd hynny drwy gorffori tywysogaeth Cymru yn nheyrnas Loegr, ac estyn i Sais ac i Gymro yr un hawliau a breintiau o dan y Goron. Daw'r gwrthsafwyr glew yn ddeiliaid teyrngar ac ufudd, a dylent barhau felly yn oes oesoedd. Dan aden y wladwriaeth Duduraidd y lluniwyd yr ideoleg hon, ond fe'i gwnaed yn bosibl gan hen ragdybiau y gellir eu holrhain hyd ddechrau ein hanes. Y brif ragdybiaeth yw fod y Cymry'n bobl syrthiedig, yn disgwyl am i rywbeth ddod i'w hachub. Dysgir bellach fod y peth hwnnw wedi dod, gyda buddugoliaeth Harri Tudur a'r hyn a ddeilliodd o hynny.

Er mai Sais yw Warrington, y mae yr un mor gartrefol gyda'r ideoleg hon â phetai'n Gymro, a llefara â'r un arddeliad wrth gyflwyno'r naill wedd a'r llall iddi. Yn wir, wrth ddisgrifio'r cam a dderbyniai'r tywysogion Cymreig a'u hymdrechion hwythau am gyfiawnder, fe lefara'n fwy angerddol a thaer na nemor unrhyw Gymro a drafododd y materion hyn. Os methodd Owain Gwynedd, yr Arglwydd Rhys a'r ddau Lywelyn o gwbl, bu iddynt fethu drwy gyfaddawdu gormod, meddai'r dyn dŵad hwn. Ac am dywysogion Powys, wfft i'r rheini am fodloni i gael eu defnyddio'n offerynnau yn erbyn eu cyd-Gymry. Pan ddatganodd Llywelyn ap Gruffudd nad âi i goroni Edward, nac ychwaith i'r ddefod o ddatgladdu 'esgyrn Arthur' yn abaty Glastonbury, yr oedd yn llygad ei le, medd Warrington. A phan orfodir Llywelyn i ymostwng i Edward yng Nghaerwrangon, cyn ei briodas ag Eleanor de Montfort, prin y gall Warrington ddioddef ysgrifennu am y peth:

> To enforce his obedience, the King, attended by Eleanor his Queen, repaired to Worcester; from whence he sent an order to the Welsh prince to appear at his court, and to account for his late conduct. The rigour of this summons was softened by an invitation to a royal feast which was to be held in that city; with an assurance too, that he should be treated with honour, and that the lovely Eleanor de Montford should be the reward of his obedience. There was a decision in this mandate, which love would not suffer him to evade, nor prudence to disobey, and which soon brought Llewelyn to the English court; where a scene was exhibited, from which every eye must turn with disdain, that is directed by a feeling and liberal spirit... Relying on the honour of a great monarch, and duped by his artifice, we see Llewelyn, a Prince of a gallant spirit, and the brave

descendant of a line of independent sovereigns, become amenable to usurped power.

Ond cyn sicred â dim, daw'r dydd pan yw rheolau'r chwarae'n newid. Byddai'n well i'r Cymry, awgryma Warrington, pe baent wedi sylweddoli hynny cyn codi gyda Syr Gruffydd Llwyd ac Owain Glyndŵr:

> When fierce valour and unregulated freedom are opposed to discipline, to enlarged views, and to sound policy, the contest is very unequal; it is not therefore surprising that the genius of England at length obtained the ascendency. It was, indeed, an interesting spectacle, and might justly have excited indignation and pity, to have seen an ancient and gallant nation, falling the victims of private ambition, or sinking under the weight of a superior power. But such emotions, which were then due to that injured people, have lost at this period, their force and their poignancy. A new train of ideas arise, when we see that the change is beneficial to the vanquished: when we see a wild and precarious liberty succeeded by a freedom, which is secured by equal and fixed laws, when we see manners hostile and barbarous, and a spirit of rapine and cruelty, softened down into the arts of peace, and the milder habits of civilized life; when we see this Remnant of the ancient Britons, uniting in interests, and mingling in friendship with their conquerors, and enjoying with them the same Constitutional Liberties; the purity of which, we trust, will continue uncorrupted as long as the British Empire shall be numbered among the nations of the earth.

Gwelodd y Cymry yn y man beth oedd orau iddynt, ac mai croes i bob syniad cywir am lywodraeth ('contrary to all just ideas of government') fyddai iddynt aros mwy yn bobl ar wahân ('a separate people'). Eu golygiadau eang a'u hysbryd gwrol ('their extensive views and manly spirit') a wnaeth iddynt ddeisebu Harri VIII am undeb llawn. Dyfynnir y ddeiseb yn gyfan, gan roi iddi naw tudalen. Gwelodd y brenin fod eu cais yn deg, a mynnodd ddeddf yn y fan i'w ateb. Ni chafwyd hyd yma achos edifaru, ysgrifenna Warrington ym 1786.

Lluniodd Richard Llwyd, 'Bard of Snowdon' fel y galwai ei hun, soned yn diolch i Warrington am ei lafur. Cyferchir ef fel 'gen'rous Saxon', a'i ganmol am drin 'th' impartial pen of Truth'. Yn ôl un Cymro o leiaf, dyma Sais a gyfrannodd rywbeth tuag at gof ein cenedl.

4. Hanes Sir

Yn esiampl o lyfr hanes sirol, beth well na'r difyr, y darllenadwy a'r dylanwadol *Mona Antiqua Restaurata*, gwaith y Parchedig Henry Rowlands, Llanidan (1723)? Ar ei orau, yr oedd Rowlands yn chwilotwr manwl a chofnodwr cywir. Yr oedd bob amser yn draethwr golau a threfnus. Dilynai, meddai ef, 'a rational scheme of Enquiry', ac nid oes le i amau ei osodiad. Un peth yn unig sydd o'i le ar y 'cynllun rhesymegol' hwn, sef ei fod yn cychwyn yn y man anghywir, gyda syniad yr Abbé Pezron am 'iaith Gomer' (y Gelteg a'i changhennau) fel iaith wreiddiol Ewrop a'r nesaf at yr Hebraeg o holl ieithoedd y byd. Gellir wedyn darddu *Cantium* a *Kent* o 'Cynta', *Uxelodunum* o 'Uchel Ddinas' a *Portus Itius* o 'Porth Eitha'. Ble cafodd y Groegwyr a'r Rhufeiniaid enwau eu duwiau a'u harwyr ond o'r hen iaith a siaredir o hyd gan y Cymry? 'Erchyll' yw *Hercules*, 'Mawr-rwysg' yw *Mars*, 'Ap Haul' yw *Apollo* a 'Min Arfau' yw *Minerva*. Dyma'r 'hen Rowlands benwan', fel y galwodd John Morris-Jones ef, a'i 'ieithyddiaeth wallgof'.

Yng nghwrs yr unfed ganrif ar bymtheg dechreuodd Saeson a Chymry fel ei gilydd roi'r gorau i fod yn wŷr Caerdroea: y naill bobl yn darganfod mai Sacsoniaid oeddynt, a'r llall, yn fwy graddol, yn darganfod eu bod yn Geltiaid. *Britannia* William Camden (1586) sy'n cyhoeddi'r newid hwn yn glir am y tro cyntaf. Ond ers cenhedlaeth neu ddwy cyn hynny yr oedd stori arall ar gael i'r sawl a fynnai ei chredu, y stori sy'n tarddu yn ysgrifeniadau Leland a Bale am yr hen Frytaniaid fel hil Gomer ap Jaffeth ap Noa. Daeth hynafiaethwyr y Cymry i anwylo hon fwyfwy wrth i stori Brutus o Gaerdroea raddol golli ei hawdurdod, ond heb lwyr ollwng gafael ar honno chwaith. Fel Simon Thomas, Theophilus Evans ac eraill, deil Henry Rowlands i gredu y gellir cysoni'r ddwy, ond nid oes amheuaeth yn ei feddwl pa un yw'r orau. Llawer gwell, meddai, yw meddwl amdanom ein hunain fel cynfrodorion ('aboriginals') yr Ynys hon, nag fel gweddillion rhyw bobl orchfygedig fel y Troeaid, a'r rheini wedi dod o'r man lleiaf tebygol yn y byd. Na, hil Noa oedd hen Gymry Môn, ac yr oeddent yno, siŵr o fod, o fewn rhyw genhedlaeth neu ddwy wedi i'r arch ddod i dir ar fynydd Ararat. Daethant â'u hiaith gyda hwy, a'r iaith dra hynafol honno a siaredir o hyd ym Môn. Y Gymraeg yw'r hynaf a'r fwyaf digymysg o ieithoedd y byd Gorllewinol, meddai Rowlands gan ddilyn Pezron; a chan fynd gam ymhellach eto deil mai iaith Môn yw'r math puraf o Gymraeg. Ym mhen hynny, y mae'n iaith llên, doethineb a dysg, oherwydd ei chaboli a'i pherffeithio gan y derwyddon dros lawer oes. Daeth y derwyddon i lenwi'r gwagle a adawyd gan wŷr Troea, a thyfu a wna eu bri yn awr am ganrif a rhagor. Dau ad-daliad sydd yma, i gymryd lle stori sydd wedi chwythu ei phlwc: yn lle bod yn genedl ymerodrol fawr, a oresgynnodd Rufain unwaith ac a ddaeth o fewn y dim i'w goresgyn yr eildro, daeth y Brytaniaid a'r Cymry yn berchenogion iaith hynafol a dilwgr, a'r un modd yn berchenogion hen ddoethineb a dysg. Iaith Gomer, dysg y derwyddon, chwedl Madog a'r 'Ddamcaniaeth Eglwysig Brotestannaidd' – cysuron ydynt oll, ac y mae lle i bob un yng ngweledigaeth Henry Rowlands.

Fel y mae iaith Môn y math puraf o Gymraeg, yr un ag iddi 'the least commerce with exotick forms and manners', felly y mae Môn ei hun megis yn ficrocosm o Brydain. Dyna paham y dewisodd y derwyddon hi: 'Nature having made (it seems) this little Place, as it were the model of the great Isle of *Britain*.' Mae enw arall ar yr ynys fwy. 'England' yw'r enw hwnnw, ac ymddengys bod Rowlands yr un mor barod â Shakespeare i'w ddefnyddio: 'as *England* from *Europe*, *Anglesey* from *England*'. Hyn gan

Fonwysyn nad oes dystiolaeth iddo fod yn Lloegr erioed, na llawer allan o Fôn.

Craffwr ar bethau mân yw Rowlands gan amlaf – meini, arysgrifau, achau, ystyron a tharddiadau geiriau. Ond y mae'r pethau mân oll yn rhannau o beth mwy, oherwydd yr hyn yw archeoleg yn y diwedd yw 'an Account of the origin of Nations'. Rhaid talu gwrogaeth i'r thema fawr, thema Ynys Brydain a sefyllfa'r Cymry ynddi a'u cyfran a'u tynged, ac fe wneir hynny ar dro, fel pan sonnir am :

> ... the very close and setting of that ancient *British* government, which (as all other sublunary Things have their determined Fates and Periods) was fain then to lay down her antient Claims and Pretensions, and submit to the more peaceful and happy Forms of a well-temper'd *English* Establishment, under which it has now for some Ages happily continued.

Beth bynnag arall yw Henry Rowlands, y mae'n hanesydd Cymreig, ac mae'n *rhaid* iddo ddweud hyn. Gall feddwl am un neu ddau o bethau a allasai wneud Ynys Môn hyd yn oed yn well lle nag ydyw, ond wedyn allwch chi ddim disgwyl popeth, ac mae cysuron i'w cael:

> ... though this Island has not been so happy as to have the Court or Palace of any of our *English* Princes in it, yet we not only lived happy under the Influence of their mild and gracious Government, where they were, but also, which is not a little remarkable, we have by a strange compensation of Providence, the Honour to say, that her late Majesty Queen *ANNE* of Glorious Memory, as well as some of her Royal ancestors before her, enjoy'd the antient Kingdom of *Scotland*, the Kingdom of England and the Principality of Wales, by right of Inheritance, from Persons whose Descent and Origin were from the Isle of *Anglesey*; for she had the name of her Family, and the Crown of *Scotland* as descended from *Walter Steward*, who was born at Aberffraw; the Crown of *England*, in Right of the Lady

Margaret Tudor, paternally descended from *Owen Tudur* of
Penmynydd in *Anglesey*; and she inherited the Principality of
Wales from *Gwladus Ddu*, only surviving Daughter and Heir of
Llewelyn ap Iorwerth, Prince of *Wales*, born and bred in *Anglesey*,
who was marry'd to Sir *Ralph Mortimer*; by which Marriage the
Inheritance of the Principality of *Wales*, by Right of Blood,
came to the House and Family of *York*, and by them to the
Crown, wherein it now happily rests.

(Stori big, a adroddwyd i ddechrau gan rai o haneswyr yr Alban, yw hon
am Wallter y Stiward, sylfaenydd llinach y Stiwardiaid, fel mab i un o
dywysogesau Gwynedd.)

5. *Hanes Enwad*

Joshua Thomas, gweinidog yn Llanllieni, yw tad holl haneswyr enwadol
Cymru. Cyhoeddwyd ei *Hanes y Bedyddwyr* ym 1778, a sefydlodd batrwm
y gwelir ei ddilyn gan John Hughes yn *Methodistiaeth Cymru* (1851-6) a
chan Thomas Rees a John Thomas yn *Hanes Eglwysi Annibynnol Cymru*
(1871-90). Ceir adran agoriadol gryno ar darddiad yr enwad a'i
egwyddorion, ac yna ceir hanes achosion unigol fesul sir, tref ac ardal.
Gan Joshua Thomas y mae'r adran agoriadol yn rhyw ddegfed ran o'r
cyfan (rhyw drigain tudalen o chwe chant), ac yn gynhwysfawr dros ben.
Ar ddull cyfarwydd yr ymddiddan, rhwng Plentyn a Thad, cyflwynir
cychwyniad ac ystyr Bedyddiaeth ar gefndir holl hanes crefydd ymhlith y
Cymry. Ond yn gyntaf rhaid gofyn pwy yw'r Cymry a phwy a sefydlodd
eu llinach. Nid oes ymgeisydd ond Gomer fab Jaffeth, a barna'r Tad fod y
Cymry'n 'cadw enw Gomer yn fwy naturiol y dydd heddyw nag un rhan
arall o'i hiliogaeth dan haul'. Dyma inni ffugenw ar gyfer un arall o gewri'r
Bedyddwyr, ac enw a gynhaliwyd gan eu cylchgrawn clodwiw hyd ei
ddiflaniad yng nghyflafan y cylchgronau enwadol yn y 1970au.

Y mae'r Tad yn y ddialog, gyda'r rhan fwyaf o'r haneswyr yn garn iddo, meddai, yn lled sicr fod yr efengyl wedi cyrraedd Ynys Brydain erbyn 63 O.C., sef tua'r adeg yr aeth Paul i Rufain, a deng mlynedd ar hugain cyn i Ioan dderbyn ei weledigaeth. Dywed rhai mai Paul a'i pregethodd yma gyntaf, eraill mai Pedr. Ochra'r awdur, gan ddilyn Theophilus Evans efallai, at Joseff o Arimathea, ond 'nid oes achos inni ymbalfalu llawer am hyn'. Fe ddilyn crynodeb o hanes cynnar Cristnogaeth ym Mhrydain, ac ynddo'r un prif elfennau ag yn holl lyfrau'r traddodiad, yn cynnwys llyfr Simon Thomas (a oedd, mae'n debyg, yn ewythr i Joshua Thomas) a llyfr y cyd-Fedyddiwr Titus Lewis: Lles ap Coel, merthyrdod Alban, Aaron a Julius, dinistrio llyfrau'r Cristnogion, Custennyn Fawr ac Elen ferch Coel, heresi Morgan ac ymweliad Garmon a Lupus. Daw 'Awstyn Fonach' yn y man i bregethu i'r Saeson, a cheir yr hanes arferol am yr uwchgynhadledd aflwyddiannus dan 'dderwen Awstyn', lle daeth y gwrthdaro rhyngddo ac offeiriaid y Cymry i'r pen. Bedydd plant oedd un o'r pynciau dadl, ac un y rhydd Joshua Thomas, yn naturiol, gryn sylw iddo. Bedyddwyr, wrth gwrs, oedd yr hen Gymry, fel pawb o'r Cristnogion cyntaf. Yr oedd pethau eraill hefyd yn y fantol:

> Pan y daeth Awstyn Fonach i droi y Saison o fod yn Baganiaid i fod yn Bapistiaid, mynai ef i'r Cymry droi yn Bapistiaid hefyd. Ond hen Gristionogion deallus, dewrion oeddynt hwy, ac nid Paganiaid anwybodus... Dywed Drych y Prif Oesoedd, 267, i'r Brytaniaid sefyll o leiaf gant a haner o flynyddoedd ar ol hyn oll, yn wrolwych dros y wir ffydd, heb ymlygru a sorod Pabyddiaeth; ond iddynt o'r diwedd, trwy gael eu perswadio yn raddol *lyncu'r llyffant yn lan*, sef derbyn Pabyddiaeth yn hollol, yn y flwyddyn 763.

Amlwg y barnai Joshua Thomas na allai ragori ar ffigiwr y llyffant, ac felly yr oedd yn falch o'i fenthyca; y mae argraff y *Drych* yn gref ar y darn hwn o'r stori, o ran ei dôn a'i dermau.

Unwaith y daeth Pabyddiaeth, gwreiddiodd yn ddwfn. Yr oedd hynny, medd yr hanesydd, oherwydd natur y bobl:

> Nid pobl benysgafn, troedig, hawdd eu cylch-arwain at bob awel dysgeidiaeth yw y Cymry; eithr yn gyffredin, dynion dyfnion gafaelus ydynt, anhawdd ganddynt adael yn ebrwydd yr hyn a dderbyniont yn gyffredin i'w plith, pa un a'i cam neu gymwys a fyddo. Felly megys y cadwasant athrawiaeth yr efengyl mor lew cyhyd, wedi llygru lleoedd ereill: o'r tu arall, wedi derbyn Pabyddiaeth, anhawdd iawn oedd ganddynt ymadael â hi.

Pan ddaw'n bryd, try Joshua Thomas gyda rhyddhad a diolchgarwch i sôn am sêr bore'r Diwygiad, ac am y prif Ddiwygwyr a'r 'gwŷr cymwynasgar' hyd at ei amser ei hun – heb, wrth gwrs, anghofio cyfraniad Harri VIII ac Elisabeth yn estyn i'r Cymry 'yr un breintiau a chyfreithiau â'r Saeson'. Mewn hanes enwad, neu beth bynnag y bo, mae'n *rhaid* crybwyll hynny. I'r rhai ohonom a fagwyd ar eu gwaddol, daeth olyniaeth y cewri Protestannaidd a'r tadau Piwritanaidd yn beth cyfarwydd ac yn rhan o'n diwylliant: Salesbury, Morgan, Davies, Parry, Kyffin, Prys, Middleton, Wroth, Erbury, Cradock, Llwyd, Prichard. *Hanes y Bedyddwyr*, ond odid, yw'r llyfr cyntaf i gynnull yr oriel hon yn gyflawn. Daw ymlaen, heibio i Hughes, Gouge, Moses Williams a Griffith Jones, hyd at y diwygiad a gychwynnodd yng Nghymru tua 1736. Am hwnnw dywedir fod 'rhai yn ei ddyrchafu ormod a rhai yn ei ddiystyru ormod', a dyna ddechrau dehongliad cytbwys iawn o weithgarwch a chyfraniad y Methodistiaid. Nid yw'r Bedyddiwr yn hollol siŵr beth i'w wneud ohonynt. Eu gwendid o'r dechrau fu 'barnu yn galed iawn ar bawb ond eu hunain', ond rhaid rhoi siawns iddynt:

> *P.* Pa un ai Eglwys Loegr ydynt neu Ymneillduwyr?
> *T.* Nid hawdd yw ateb hyn. Nid ydynt yn hollol o'r Eglwys

hono, nac eto yn cwbl neillduo. Mae rhai o honynt yn canlyn holl ddefodau Eglwys Loegr, a rhai yn addoli fel yr Ymneillduwyr. Maent wedi adeiladu llawer o dai cyrddau ar hyd Cymru. Nid wyf fi yn dewis dywedyd dim ychwaneg am danynt. Os dywedais un peth allan o le, o gamsyniad y bu, ac nid o fwriad na dyben; canys ni fynwn roi drygair i neb ag sydd am ganlyn Crist yn ffyddlon. Mae rhai yn canmol y Methodists ormod, a rhai yn eu cablu ormod.

Ond yn wir, os coeliwn ni Joshua Thomas (a phwy na fyddai'n dymuno coelio sylwedydd mor hynaws ac ystyriol?) yr oedd golwg go lew ar bethau yng Nghymru 1778, yn y wedd grefyddol yn arbennig:

Yr wyf yn meddwl hefyd na bu erioed yn mhlith y Cymry yn gyffredin gymaint gwybodaeth o Dduw, a chymaint o foesoldeb yn eu plith; er fod gormod eto yn parhau o anfoesoldeb. Yr wyf yn barnu eu bod yn deall mwy o Seisnig yn y wlad nag erioed; eto mae y Gymraeg wedi diwygio llawer arni wedi 1700, a llawer o lyfrau yn cael eu hargraffu yn Nghymru, o bryd i'r llall: ac yn ddiweddar mae argraffwasg yng Nghaerfyrddin, a rhai mewn amryw leoedd ereill yng Nghymru. Yr wyf fi yn tybied fod llai o ragfarn rhwng gwahanol bobl nag y fu ys canoedd o flynyddau. Er nad yw yr Ymneillduwyr yn pregethu yn y Llanoedd, eto maent yn myned yno i wrando yn fynych; a rhai o weinidogion Eglwys Loegr yn pregethu yn y Tai Cyrddau.

Daw'n bryd troi at hanesion yr eglwysi unigol, a thyn Joshua Thomas ei adran agoriadol i ben gyda'r neges sy'n fyrdwn cyffredin ein holl haneswyr:

Gweled Duw yn dda wneyd hyn o ymddiddan byr yn fuddiol i lawer iawn o'n cydwladwyr, fel y rhyfeddont fawr ddaioni Duw i'n cenedl ni dros gynifer o oesoedd, er amser yr Apostolion; ac yn enwedig yn yr oes hon, uwchlaw yr holl amseroedd o'r blaen.

6. *Hanes Teulu*

Yr oedd *The History of the Gwydir Family*, gan Syr John Wynn o Wydir, wedi ei ysgrifennu ers troad yr ail ganrif ar bymtheg, ond ni welodd brint hyd 1770 pan olygwyd ef gan Daines Barrington. Yn yr ystyr honno fe ddaw o fewn ein cyfnod. Cyn yr â dyn ati i ysgrifennu hanes ei deulu, rhaid iddo gredu bod ganddo rywbeth i'w frolio. Y mae Syr John Wynn yn brolio nid y cyfan o'i deulu, ond cangen ohono, y gangen a lwyddodd i oroesi trais a thrachwant y gweddill. I'w gosod gyferbyn â holl gruglwyth y canu mawl, yn y cyfnod pan oedd yr uchelwyr yn ben yng Nghymru, y mae ambell eitem sy'n ein gwahodd i feddwl yn wahanol. 'Taclau oedden nhw i gyd,' medd y cywydd 'I Wagedd ac Oferedd Byd', a briodolir i Siôn Cent. 'Taclau oedd o leiaf eu hanner nhw,' medd llyfr Syr John Wynn.

Nid yw neb sydd wedi darllen *The History of the Gwydir Family* yn debyg o anghofio'i ddarluniau graffig o ymrafaelion cefndyr a chyfyrdyr yn Eifionydd y bymthegfed ganrif, yr hwl iganiaeth ar ddiwrnod chwaraefa gampau Llanfihangel y Pennant, y llosgi ar dai ei gilydd, a'r diwrnod alaethus hwnnw pryd y clwyfwyd Hywel ap Madog o Abercain (Y Bercin, Llanystumdwy) hyd angau, ag ergyd yn ei ben gan Siôn Owain ap Siôn ap Maredudd, ac y collodd mam Hywel hanner ei llaw drwy'r un ergyd cleddyf wrth geisio amddiffyn ei mab. Arwr Syr John Wynn yw ei hen daid, Maredydd ap Ieuan ap Robert, a drodd ei gefn ar y byd blin yn Eifionydd a dechrau ar fywyd newydd yn Nolwyddelan, ac wedyn yng Ngwydir. Y waredigaeth a ddaeth i'r gangen hon o'r teulu, drwy ddoethineb a phenderfyniad Maredydd a thrwy nawdd rhagluniaeth, dyna destun Syr John Wynn.

Y mae ganddo hefyd, ac arfer gair yr oes hon, is-destun, sef clodfori'r drefn wleidyddol newydd a alluogodd ddisgynyddion Maredydd ap Ieuan, hyd at Syr John Wynn ei hun, i wneud rhywbeth ohoni, a ffynnu ac ymgryfhau ac ychwanegu at eu gwerth. Cyfieithwyd *The History of the Gwydir Family* yn gyfan i'r Gymraeg gan William Williams, Llandygái. Dyna yw llawysgrif Bangor 91, ac arni'r dyddiad 1809; copi ohoni yw Bangor 13511. Ysgrifennodd William Williams hefyd ragymadrodd i'r gwaith, ac yn hwnnw daeth â'r is-destun i'r wyneb fel na allai neb ei gamddeall:

> Ni a welwn yn yr hanes byr yma mai tywallt gwaed,
> meddwdod, godineb a thrais oedd yr ymarfer gyffredin ymysg
> pob gradd, cyn ddiweddared ag amser Harri y Seithfed. Yr oedd
> coel grefydd y Rhufain wedi cwbl ddallu meddyliau dynol ryw,
> fel na wyddant braidd ddim rhagoriaeth rhwng gwir dda a drwg;
> y gydwybod a heddychid drwy nerth arian i'r offeiriaid, yr oedd
> yr Ysgrythyrau yn gloëdig, fel yr oeddynt yn gwbl ddieithr nid
> yn unig i'r cyffredin a'r gwirion, ond llawer o'r offeiriadau ni
> welsant erioed Fibl yn eu hamser... Mae'r hanes byr yma yn
> ddrych o'r echryslonrwydd oedd yn bod yn y gwledydd yma o
> gylch dwyoes cyn y diwygiad, ac yn achos i'r dyn ystyriol
> heddiw ddal sylw ar y mawr drugaredd a ragluniaethwyd i'w
> ran o gael ei eni ar amser pan y mae cyfreithiau iachus yn
> amddiffynfa i'w fywyd a'i eiddo, a didwyll oleuni efengyl Crist
> yn llewyrch i'w enaid, i'w gyfarwyddo i fywyd perffaith a
> dedwydd ar ôl marwolaeth.

Dyma hi eto, ideoleg lywodraethol ein llyfrau hanes.

7. *Hanes Un Dyn*

Rheithor Aber-porth a 'Thragwyddol Giwrat' Llanddewi Aber-arth oedd Thomas Thomas, awdur *Memoirs of Owen Glendower (Owain Glyndwr)* (1822). Y mae ei lyfr yn un o ffrwythau'r ailddarganfod a'r ailbrisio a fu ar Owain Glyndŵr oddeutu troad y bedwaredd ganrif ar bymtheg, wedi cenedlaethau o edrych arno fel gwrthryfelwr a dyn gwyllt. Yr oedd y teithiwr Thomas Pennant ym 1778 wedi cyflwyno darlun newydd ohono fel gwladgarwr a gwladweinydd, a Chymry eraill bellach yn mentro meddwl yr un fath. Yr oedd rhywbeth arall hefyd yn cyniwair drwy feddyliau dynion, y peth hwnnw a elwir Rhamantiaeth, ac yn llyfr Thomas Thomas dyma rai o'n cipolygon cyntaf ar Owain Glyndŵr yr arwr rhamantaidd:

> Henry's usurpation of the crown of England, and Owen Glyndwr's insurrection, were both equally indefensible. The one, through unheard of success, retained his crown, while the other witnessed, through uncommon disasters, a second subjugation of his country… Thus, one murder makes a felon, thousands, a hero: good fortune transforms the usurper into a legal sovereign, and luckless events doom the real hero to disgrace and oblivion, defraud him of his merited fame, and brand him with infamy.

Ar y tudalennau hyn fe â gwladgarwch Cymreig yn beth rhamantaidd, a'r Cymro ei hun yn greadur rhamantaidd, i fwy mesur nag a welsom yn yr un arall o'n chwe llyfr hanes:

> Indeed, the history of the ancient, nay, of the Cambro-Britons, contains such instances of national courage, love of liberty, a spirit of independence and personal bravery, as to bear strong marks of the romantic, improbable and marvellous.

Nid yw llyfr Thomas Thomas yn cyflwyno unrhyw wybodaeth a oedd yn newydd, hyd yn oed bryd hynny, ac nid oes ynddo unrhyw ymchwil y tu allan i ffynonellau printiedig. Ei arbenigrwydd yw ei fod yn gosod ymgais Glyndŵr yng nghyd-destun holl hynt y Cymry o'r goncwest Edwardaidd hyd amser ei ysgrifennu. Deil afael gyndyn ar yr 'hanes traddodiadol', er y gwêl rai pethau ynddo'n trethu credinedd, ac mae'n dygn gredu gyda Lewis Morris ac eraill mai'r testun a elwid 'Brut Tysilio' oedd y gwir 'hen lyfr' yr honnodd Sieffre o Fynwy ei fod wedi seilio'i waith arno. O ran ei ddysgeidiaeth sylfaenol, llyfr yn nhraddodiad Llwyd, Powel a'u holynwyr yw gwaith Thomas Thomas, yn mawrygu dewrder y Cymry gynt a'u tywysogion, ond yn sydyn yn cyrraedd rhyw ddyddiad pryd nad yw'n briodol gwrthsefyll mwyach. Erbyn hyn y mae'r dyddiad hwnnw wedi symud beth ymlaen. Nid oedd gan David Powel fawr o olwg ar Owain Glyndŵr: tila oedd ei hawl ar y dywysogaeth, meddai, gan nad oedd yn ddisgynnydd uniongyrchol i Lywelyn Fawr; a thrwy wrando gormod ar y daroganwyr tynnodd ddinistr am ei ben ei hun a'i bobl. Yr un, air am air bron, yw dyfarniad William Wynne. Mae agwedd Warrington yn llai negyddol, ond cynnil iawn yw ei adroddiad. I Thomas Thomas yr un modd, camgymeriad oedd y gwrthryfel, ond gwêl resymau dealladwy drosto, a gwêl ynddo fflam olaf ysbryd annibynnol y Cymry. Wedi'r gwrthryfel, trodd bryd y Cymry fwyfwy at beth gwahanol, neu yn hytrach daeth gwir nod eu dyhead fel pobl i'r golau; dyma 'nation that struggled so long, to be admitted to a thorough union of dominion and interest with its once terrible foe'. Dathlu cyrraedd y nod hwnnw yw gwir thema'r llyfr, a chwyd sŵn y dathlu'n uwch fel y darllenir ymlaen:

> The revolt of Glyndwr was the last effort of the ancient Britons at independence. From this period, their ungovernable spirit, and high ambition gradually declined. The blood of their princes was nearly exhausted, and we shall soon find that gallant and ancient nation, so many centuries the victims of ambition and conquest, the most loyal subjects to the English government; acknowledging with gratitude, 'that they were conquered to their gain, and undone to their advantage' [geiriau Robert Vaughan, meddir mewn nodyn]. Finding in time the change beneficial, from a precarious liberty, to stable, equable laws, and establishment under one monarch, we see this small residue of ancient Britons uniting in interests and amity with their conquerors, and rivaling in fidelity the best affected to the British empire.

Amlha esiamplau o ufudd-dod selog y Cymry:

> Proof against the plausible, yet delusive tenets of republicanism,
> we shall find them, in the perilous reign of the first Charles,
> impenetrable to its impostures, brave in defence of that unhappy
> monarch, ever loyal, ever sincere. In a more recent revolution,
> in which Great Britain was necessitated to act a most
> conspicuous, decisive and successful part; when politics had
> rendered all Europe mad with insubordination and levelling
> principles, Wales still remained firm at her post, and shed its
> best blood in crushing democracy and subduing tyranny.

Cyfeiriwyd o'r blaen at amheuaeth Titus Lewis o'r 'werinos'. Y mae gwrth-
ddemocratiaeth ei gyfoeswr, Rheithor Aber-porth, yn beth hollol wahanol.
Ysgrifenna'n daeogaidd am angladd Tom Paine, a gorohïan uwchben
cigyddwaith 'Sir Watkin Williams Wynne's corps of ancient British fencible
cavalry' yn ystod gwrthryfel 1798 yn Iwerddon. Daw trechu'r Ffrancod
yn Abergwaun, 1797, yn uchafbwynt hanes y Cymry. Ond druan o
Aberteifi! Yr oedd hi'n 'warth ar y Dywysogaeth' adeg y Rhyfel Cartref
am fod dau seneddwr amlwg yn byw ynddi!

Dyma baragraff clo Thomas Thomas. Y mae'n crynhoi thema'r
haneswyr Cymreig:

> May Britain appreciate her own prosperity, and learn wisdom
> from the fall of other nations! Let civil and religious liberty be
> her boast; universal justice her pride! And may the Principality
> of Wales, a district of much turbulence and discord heretofore,
> now incorporated with England under one august monarch,
> rapturously say,
>
> > Jam cuncti Gens una Sumus
> > - Et simus in aevum!

8. Rhai Casgliadau

Rhwng ein saith llyfr gwelsom Chwigiaeth a Thorïaeth, Eglwysyddiaeth, Presbyteriaeth a Bedyddiaeth, nodau'r Oleuedigaeth ac arlliw Rhamantiaeth, ynghyd ag un darn o froc môr o oes y Tuduriaid. Cawsom y plwyfol a'r byd-eang, yr hynafiaethol a'r agos-gyfoes. Eto mae'r saith yn un a chytûn mewn rhai pethau hanfodol. Yn ystod y bedwaredd ganrif ar bymtheg daeth chwyldro mawr yn nulliau hanes. Dysgodd haneswyr oddi wrth ddulliau gwyddoniaeth; a'r un pryd, fel y sylwodd A.L. Rowse unwaith yn gwbl gywir, daeth gwyddoniaeth yn ei thro dan ddylanwad hanes, gan ddwyn i fod y syniad o esblygiad. Perthyn ein saith llyfr ni i'r byd cyn y cyfnewidiad hwn, byd, er enghraifft, lle y mae cronoleg a rhifyddeg yn bethau pendant a chlir. Gwelsom fel yr oedd Simon Thomas yn mesur yr 'amseroedd'; gan Henry Rowlands cawn wybod, ar drawiad, boblogaeth yn byd yn y flwyddyn 101 wedi'r Dilyw – 32,832 o eneidiau. Meddylir am 'bobl' neu 'genedl' fel endid sefydlog; gall ei *chyflwr* newid yn ddirfawr, ond erys ei *chymeriad* yr un o oes i oes. Nid wedi esblygu neu ymffurfio y mae, ond wedi *dod* o rywle. Pwy oedd yma o'i blaen? O, y cynfrodorion. Sut y cafodd wladychu yma? Un ai drwy goncwest, neu drwy gennad rhyw frenin. Sut y gwyddom ni? Am ei fod yn ysgrifenedig yn rhywle. Ar ôl unigolyn y caiff cenedl ei henw; unigolion, dan Dduw, sy'n sefydlu dinasoedd a chreu cyfreithiau, yn cychwyn pethau newydd ac yn gwneud camgymeriadau tyngedfennol. Nid 'trwy ba broses y digwyddodd hyn?' yw'r cwestiwn a ofynnir, ond 'Pwy wnaeth?' Pam y mae hanes fel y mae? Pam y bu pethau fel y buont? Am mai dyna ewyllys Duw, meddai'r awduron Cristnogol a Phrotestannaidd hyn heb eithriad.

Un a allasai fod yn eithriad ymhlith ein haneswyr oedd John Lewis, Llynwene, Sir Faesyfed, awdur *The History of Great-Britain*. Cyhoeddwyd y llyfr hwn hefyd o fewn ein cyfnod ni (1729), er ei gyfansoddi tua'r un adeg â hanes teuluol John Wynn. Profwyd yn gwbl glir gan Ffransis Payne mai Pabydd oedd John Lewis, ac nad di-gost fu ei ymlyniad wrth yr Hen Ffydd. Wrth fynd dros yr hen stori, o Frutus hyd Gadwaladr, mae'n debyg y gallasai, petai wedi dewis, roi lliw Catholig arni. Ond amlwg iddo benderfynu mai 'taw piau hi', ar rai pethau beth bynnag. Un o'r pethau hynny yw dyfodiad Awstin a'r hyn a fu rhyngddo ac esgobion y Brytaniaid: cynnil a di-duedd yw John Lewis, lle mae Charles Edwards, Theophilus Evans ac eraill ar eu holau yn huawdl iawn.

Hanes teleolegol, hanes a diben iddo, sydd gan ein saith awdur, ac yn hynny y mae John Lewis yn un â hwy. I bobl Prydain Fawr, diben a therfyn hanes yw undeb pobloedd y deyrnas. Yma drachefn y mae John Lewis yn wahanol ei bwyslais, gan ei fod yn canolbwyntio nid yn bennaf ar undeb Cymru a Lloegr, ond ar undeb teyrnasoedd Lloegr a'r Alban. Mewn gwaith y bwriedid ei gyflwyno i Iago I, gosodwyd talpiau o hanes yr Alban, wedi eu codi o lyfrau croniclwyr y wlad honno, bob yn ail â'r hanes Brytanaidd traddodiadol. Am wn i mai dyma'r tro cyntaf i hanesydd o Gymro dderbyn y Sgotiaid i'r seiat yn y modd hwn. Ond erys yr egwyddor yr un, yr Undeb yw cyflawniad a chyfiawnhad popeth a fu cynt, a swyddogaeth yr hanesydd yw dathlu hynny.

Pwy sy'n ysgrifennu yma, meddech chi, gan sôn am adeg brwydr Bosworth?

> ... an aera that ought ever to be regarded with thanks and gratitude by the inhabitants of our Principality, as it was a means of rescuing us from the tyranny of the English, and, in the subsequent reigns, from the spiritual slavery under the Pope of Rome.

Ieuan Fardd yw'r awdur, gŵr a dystiodd yn fwy agored na neb yn ei oes yn erbyn 'the tyranny of the English'; daw'r dyfyniad o'i 'Short View of the State of Britain', a gyhoeddwyd gyntaf yn *The Cambrian Quarterly Magazine*, 1785. Yn ei lythyrau ergydia'n gyson at 'Esgyb Eingl' ac eraill o wrthwynebwyr y Gymraeg; mae ei amgyffrediad o'r broblem yn ymylu ar fod yn wleidyddol, ac yn hynny o beth o flaen ei oes. Ond wrth ysgrifennu hanes, y mae'n ailadrodd thema'r haneswyr, a diamau yn ei chredu, fod esgyniad y Tuduriaid wedi setlo popeth yn foddhaol rhwng Cymry a Saeson. Dywedodd rhywun mai 'gan y buddugwyr yr ysgrifennir hanes', a dywedodd rhywun arall mai 'pwrpas haneswyr yw cyfiawnhau'r sefyllfa sydd ohoni'; efallai bod yr ail wirionedd beth yn fwy cynhwysol na'r cyntaf. Ai eu twyllo'u hunain y mae Ieuan Fardd a'r lleill i gyd? Mae'n gwestiwn rhy gymhleth i'w ateb yn awr, ond cofiwn hyn bob amser: un peth yw derbyn blaenoriaeth teyrnas Loegr, peth gwahanol yw gwrogi i'r Saeson fel pobl – er bod rhai o'n hawduron, Thomas Thomas er enghraifft, yn barod i wneud y ddau beth. Prydeinig a gwrth-Seisnig yw'r hanes traddodiadol Cymreig, a'r un modd feddylfryd y beirdd a llawer o ysgrifenwyr eraill dros y canrifoedd; ni bu ymgais drefnedig i newid hyn hyd sefydlu cenedlaetholdeb Cymreig politicaidd wedi'r Rhyfel Byd Cyntaf. Cymreig yw gwladgarwch ein haneswyr, a Phrydeinig yw eu cenedlaetholdeb. I Gymru y buont byw, ond dros Loegr y byddent farw, petai gofyn iddynt. Dyna'r gwahaniaeth. Dyna reol buchedd a dihenydd Cymro ers canrifoedd lawer. Dyna a hawlir gan y drefn wleidyddol y bodlonodd i fod yn rhan ohoni. Prif neges haneswyr y Cymry oddi ar yr unfed ganrif ar bymtheg yw canmol y drefn honno.

[*Cof Cenedl* XIV (1999)]

MYFYRDODAU EWROSGEPTIG

Adolygu *Cymuned a Chenedl* oedd y dasg a gefais gan y Golygyddion, ond aeth fy meddwl, a'm darllen, ar led.[1] Dyma agoriad y gyntaf o chwe phennod Ioan Bowen Rees:

> Ers degawd neu ddwy bu pwyslais cynyddol yn y Gorllewin ar hawliau dyn, yn enwedig ei hawl i gydraddoldeb; mentraf sôn am hawliau *dyn* o gofio fod dyn yn golygu benyw yn ogystal â gwryw i Ddafydd ap Gwilym, fod John Morris-Jones o'r farn mai 'inelegant provincialism' oedd *dynes* a bod sawr eglwysig braidd i'r gair *person*.

Wel oes siŵr iawn. Anodd anghytuno llawer â llyfr sy'n cynnwys gwirionedd mor fawr â hwn yn ei frawddeg agoriadol. Fel camau tuag at ddod allan o ddrwg arferiad, byddai'n dda pe bai holl gyflwynwyr a sylwebyddion radio a theledu Cymraeg yn rhoi diofryd ar y gair *person*, am wythnos i ddechrau, yna am fis, yna am flwyddyn ac yna am byth, gan eithrio'r cyd-destunau eglwysig, gramadegol ac athronyddol lle mae'r defnydd yn draddodiadol ac yn addas. Mae 'pob person' yn lle 'pawb', a 'dim un person' yn lle 'neb', o'u mynych ailadrodd, wedi mynd yn fwrn ar glust ac enaid. 'Car ac ynddo le i bedwar person'; ond dim lle i esgob nac i bregethwr Wesle? 'Ddoe achubwyd tri pherson o'r môr ger Aberystwyth': mae rhywun yn gweld eu hetiau'n nofio ar wyneb y dŵr. 'Neithiwr, yn dilyn sgarmes mewn clwb nos yng Nghaerdydd, arestiwyd pum person': diolch byth, dim un o weinidogion yr Annibynwyr! Heddiw, wrth imi sgrifennu hwn, dyma'r rhaglen 'Be Nesa?' wrthi'n trafod y cwestiwn: 'A ddylai offeiriad briodi person sydd wedi cael ysgariad?' Ar yr un rhaglen, dro yn ôl, clywais ddweud: 'Y mae'n bosib i berson gael babi...'. Ydyw, yn Eglwys Loegr. Ddim eto yn yr Eglwys yng Nghymru.

Cefais fy hun yn amenio'n galonnog sawl gosodiad arall. Mae yna'r fath beth â 'chytuno nes mae'n brifo', profiad y gellir ei rannu, 'rwy'n siŵr, gan rai a ddarllenodd beth o bolemeg W.J. Gruffydd yn *Llenor* y blynyddoedd rhwng y ddau ryfel, neu Alwyn D. Rees yn *Barn* y 1960au. Yn gymysg â'r boddhad o weld mynegi cryf a chroyw ar rywbeth y mae dyn yn cytuno bron gant y cant ag ef, profir rhyw gynddaredd hefyd o feddwl mor gibddall a byddar y gall rhai pobl fod yn wyneb y ddadl a gyflwynir. Am ei fod yn gyfaill iddo, mae'n debyg, y mae'r awdur yn fwy goddefgar nag y byddwn i tuag at gyfaill a'i cyhuddodd ef, oherwydd ei bleidgarwch i unedau bychain, o fod heb erioed ddarllen straeon Caradoc Evans! Hyd y cofiaf, nid oedd a wnelo Caradoc o gwbl â maint unedau llywodraeth; nid awgrymodd yn unman y byddai pobl ei 'Gapel Sion' yn llai annymunol ped unid eu plwy â phlwy cyfagos, neu ped unid Sir Aberteifi â Sir Benfro. Temtasiwn yw dyfynnu sawl darn er mwyn ychwanegu 'clywch, clywch'. Bodlonaf ar un:

> ... Peth hurt, gyda llaw, ydyw beirniadu Cymry unigol, heb sôn am arwerthwyr o Gymry, am werthu i Saeson. Yn ffurfiol, ymddiriedolwyr ydyw llawer iawn o werthwyr ac y mae dyletswydd gyfreithiol arnynt i sicrhau'r pris gorau. Am y gweddill, mae'r mwyafrif mawr yn gorfod prynu yn ogystal â gwerthu yn yr un farchnad. Pob clod i'r unigolion sy'n barod i aberthu. Yn y pen draw, fodd bynnag, rhaid cael ateb cymdeithasol i bob problem gymdeithasol, ateb sy'n rhoi pawb ar yr un lefel...

> Peidiwn ychwaith â beio'r Cymry am ddiffyg menter. Yn y bôn, propaganda'r concwerwyr ydyw hynny. Ai diffyg menter a greodd yr Eisteddfod Gnedlaethol a'i gyrru yn llwyddiannus i Gasnewydd? Prin mai hunanoldeb ydyw'r bai ychwaith.

Balchder traddodiadol efallai, y syniad ei bod yn israddol
gwerthu pethau er mwyn bywoliaeth – bod wedi mopio
cymaint ar ddysg neu'r celfyddydau neu natur neu fabolgampau
nes credu fod busnes yn *boring*. Ond achos sylfaenol yr holl
broblem yw bod deuddeg miliwn o bobl yn byw o gwmpas
Lerpwl, Birmingham a Manceinion a dim ond chwe chan mil
yn nhair sir fwyaf gwledig Cymru. Ychwanegwch at hynny fod
y rhan fwyaf o'r fro Gymraeg eisoes o fewn dwyawr i rai o'r
dinasoedd hyn ac ar fin dod yn sylweddol nes…, fod y
dinasoedd hynny yn dioddef mwyfwy o drais, o lygredd yr
amgylchedd, o rwystredigaeth ar y ffyrdd ac o broblemau hil,
fod Cymru yn eithriadol o hardd ac o dangnefeddus, a bod gan
filiynau Lloegr lawer mwy o gyfalaf y pen ar gyfartaledd na
miloedd cefn gwlad Cymru. Trwy wledydd y gorllewin, rydym
yn byw mewn cymdeithas fwyfwy symudol, mewn economi
cynyddol fwy ei graddfa ac mewn gwladwriaethau sy'n dibynnu
mwyfwy ar y sector gwasanaethau… Nid diffyg menter sy'n
achosi'r broblem, ond mathemateg – a diffyg deddfwriaeth
Gymreig.

Dyna inni lais cenedlaetholdeb Cymreig modern, yn gwrthateb, gymal
am gymal bron, ddadleuon yr hen wladgarwch moesolaidd, niwrotig a fu,
mor aml, yn rhwystr i'r Cymro weld ei sefyllfa'n glir a gweithredu'n eofn
bwrpasol.

Y mae tair thema'n cyd-ymwau drwy'r chwe phennod: llywodraeth
leol, ymreolaeth Gymreig ac undod Ewropeaidd. Digon yw dweud fod
yr awdur yn gryf o blaid y tri pheth. Ymdrinia tair o'r penodau (y gyntaf,
yr ail a'r olaf) yn uniongyrchol â'r dasg o adeiladu ac amddiffyn
democratiaeth leol a chenedlaethol yng Nghymru, yn wyneb yr oll a
ddigwyddodd oddi ar 1979 i danseilio democratiaeth leol, ac yn wyneb
ein harafwch gresynus i greu i ni'n hunain ddemocratiaeth genedlaethol.
Y mae'r bedwaredd bennod yn craffu ar drefn llywodraeth y Swistir, y
gwêl yr awdur ynddi fodel, yn gyntaf ar gyfer llywodraeth Cymru
hunanlywodraethol, ac yn ail ar gyfer perthynas cenhedloedd Ewrop â'i

gilydd. Ysgrif fwyaf uchelgeisiol y llyfr, ac ar ryw ystyr yr un ganolog, yw'r bumed, 'Ffederaliaeth Proudhon ac Ewrop Heddiw'. Fe'i cyflwynwyd gyntaf fel darlith i Adran Athronyddol Urdd Graddedigion Prifysgol Cymru, a gellir ei darllen hefyd yn *Efrydiau Athronyddol* LVI. Awdur toreithiog a pharadocsaidd oedd Pierre-Joseph Proudhon (1809-65): proffesai anarchiaeth, ond astudiai drefn llywodraeth. Wrth fyfyrio ar gyfundrefnau mewnol gwledydd, ac ar gydberthynas pobloedd Ewrop, daeth i gredu mai perthynas cantonau'r Swistir o fewn eu ffederasiwn yw'r patrwm gorau ar gyfer undod Ewropeaidd. Nid yw credu hynny yr un peth â chredu fod holl ddull bywyd cyhoeddus a gwleidyddiaeth y Swistir yn beth y byddai'n ddymunol ei efelychu, hyd yn oed a bod hynny'n bosibl, mewn gwlad unigol arall neu drwy hyd a lled y cyfandir. Gall dyn rannu barn Harry Lime yn y ffilm am y Swisiaid a'u gwlad, ac eto gytuno â Proudhon ac â Ioan Bowen Rees fod rhywbeth deniadol iawn yn nhrefn yr 'hierarchaeth o chwith', lle mae awdurdod yn llifo nid i lawr, oddi wrth lywodraeth ganol at awdurdodau lleol, ond fel arall, oddi wrth fân wledydd neu fröydd at lywodraeth ffederal.

Ar gefndir cytundeb helaeth iawn, felly, â phrif ddadleuon y llyfr, dyma godi ambell gwestiwn.

'Hawliau Bro' yw enw'r bennod gyntaf, ple huawdl dros barhad llywodraeth leol ddemocrataidd, fwy amserol bellach na phan sgrifennwyd hi, gyda phapur yn cael ei gylchredeg o fewn y blaid Geidwadol y dyddiau hyn yn awgrymu cwangoau lleol yn lle cynghorau. Gresynir mai ychydig o drafod sydd, ac a fu, ar hawliau bro, o'u cymharu â hawliau dyn a hawliau cenedl. Ar un wedd mae'n hawdd deall pam. Mae terfynau i 'ddyn', a therfynau clir i 'genedl' hefyd, pa un a uniaethir hi â gwladwriaeth neu beidio. Ychydig o genhedloedd, mae'n debyg, a fu'n llwyr gyfrifol am bennu eu terfynau eu hunain; mae i'w cymdogion, yn anochel, ran yn y peth. Offa a gododd y Clawdd, a phwyllgor Thomas Cromwell a bennodd ffiniau dwyreiniol Cymru. 'Tae waeth, dyna'r terfynau yr ydym yn eu hadnabod, ac mae pawb yn eu derbyn. Gall calon Cymro golli curiad o hyd wrth groesi un o'r ffiniau yna, er nad ein dewis ni oedd eu gosod lle maent. Ond beth yw terfynau 'bro'? Gallwn i ddweud 'fy mro' am unrhyw un o bum cylch consentrig yn yr hen Sir Gaernarfon. Cantref Arfon, mae'n debyg, yw'r uned fwyaf y gallwn i ei galw yn 'fro'. Y mae'r hen sir yn rhy fawr. A gwlad yw Gwynedd. Gwlad yw Cymru hefyd, gwlad o wledydd. Pan ad-drefnwyd llywodraeth leol ym 1973 rhannwyd un o hen wledydd Cymru, Morgannwg, yn dair. Ond ar yr un pryd ailgrewyd pedair o'r gwledydd eraill (Gwynedd, Powys, Dyfed a Gwent) o fewn ffiniau nid cwbl annhebyg i'r hen rai, dim ond rhoi'r enw 'Dyfed' yn lle 'Deheubarth'. O safbwynt y Sefydliad Seisnig camgymeriad gwleidyddol oedd hyn. Ni wyddai mo hynny ar y pryd, gan na ŵyr ddim am hanes Cymru. Bellach y mae'n gweld ei gamgymeriad ac yn barod, ie yn dra awyddus, i wario arian mawr iawn ar ei ddad-wneud.

Yr oedd i Gymru gynt ddwy gyfundrefn gyfochrog o lywodraeth, a dwy egwyddor gwbl wahanol yn sail iddynt. Yn gyntaf yr oedd cantref a chwmwd, yn bendant a sefydlog eu ffiniau. Yn ail ceid llywodraeth y tywysogion o fewn eu gwledydd, gyda therfynau'r rheini'n symudol ac ansefydlog dros ben, wrth i'r tywysog ennill cantref neu gwmwd yma, a cholli un acw, i ganlyn llwyddiant neu aflwyddiant ei filwriaeth a'i ddiplomyddiaeth. Yr eithriadau i hyn oedd Arglwyddiaeth Morgannwg, led bendant ei therfynau, a lyncid yn gyfan pan lyncid hi, a'i gollwng yn weddol ddianaf pan ollyngid hi; a'r wlad rhwng Gwy a Hafren, a ddiffinid gan y ddwy afon. Er gwaetha'u hansefydlogrwydd, a hwnnw'n gynhenid bron, gallai Gwynedd, Powys a Deheubarth ennyn teyrngarwch gwahanol ei natur i'r ymlyniad wrth gantref neu gwmwd. Y rheswm am hyn oedd presenoldeb y teuluoedd tywysogol. Yn y gwledydd neu'r taleithiau, o hyd, yr oedd y ddrama, yr uchelgais, y posibilrwydd o uno'n wladwriaeth Gymreig. Cantref a chwmwd oedd yr unedau sefydlog, a gall Cymro o hyd brofi rhyw foddhad o uniaethu un ai â chantref neu gwmwd ei fagwraeth, neu â rhai o gantrefi a chymydau ei hynafiaid. Ond y gwledydd oedd yr unedau dynamig. Os rhoir inni weld y dydd y bydd llywodraeth Gymreig, yng ngeiriau Ioan Bowen Rees, 'yn rhoi cynnig ar greu'r system ddelfrydol, ac yn gwneud y gwaith yn drwyadl', i ba unedau, tybed, y dylid ymddiried y grym? Cymydau? Cantrefi? Siroedd? Gwledydd? Wrth ailorseddu hawliau bro, beth fyddai'r fro?

Hyn sy'n sicr, ni wneir byth y gwaith yn iawn ond gan lywodraeth Gymreig. Hyd yn oed pe llunnid yn derfynol gyfundrefn o hierarchaeth wrthdro, gyda'r gwir hawliau a'r gwir allu yn nwylo unedau bychain ar batrwm cantonau'r Swistir, llywodraeth ganolog Gymreig a fyddai'n gorfod rhoi cychwyn i'r cyfan. Pryd, o pryd, a thrwy ba fodd, y daw honno? Mae Ioan Bowen Rees yn gymedrol ffyddiog fod tueddiadau ar waith yn Ewrop a fydd yn hyrwyddo'i dyfodiad. Nid anodd rhestru pethau a rydd beth sail i obaith o'r fath: llwyddiant cymharol cyfundrefn y Länder a osodwyd ar Orllewin yr Almaen wedi'r ail ryfel; y posibilrwydd y gallai Ffrainc sefydlu cyfundrefn debyg, ar sail y 22 rhanbarth economaidd a grewyd ddechrau'r wyth-degau; y drefn ddatganoledig newydd yn Sbaen a alluogodd lywodraethau Catalwnia a Gwlad y Basg i ymddwyn mewn rhai pethau fel llywodraethau cenhedloedd; presenoldeb y 'llysgenadaethau' rhanbarthol ym Mrwsel; y ddarpariaeth dan Gytundeb Maastricht i ranbarthau Ewrop ddod ynghyd ar wastad gwahanol i wastad y 'cenedl-wladwriaethau' (esboniaf pam y dyfynodau eto).

Dyfynnaf o baragraff ola'r bennod ar Proudhon:

> Mae angen dealltwriaeth sydyn rhwng pragmatiaid a chenedlaetholwyr Cymru ac y mae Ewrop y Rhanbarthau, Ewrop led-Broudhonaidd, yn cynnig cyfle euraid i'r ddau: cyfle i atal creu cawr o wladwriaeth ymerodraethol newydd o Ewrop ei hun, a chyfle i ddiwygio'r hen droseddwyr fel yr Almaen, Ffrainc, Prydain, Sbaen a'r Eidal, ar yr un pryd.

Dyna fynegi'r gobaith yn deg mewn brawddeg bcllgyrhaeddgar. Ond caniataer cwestiwn bach neu ddau eto. Yn gyntaf, pwy yw'r pragmatiaid? Maent o ddau fath, ac nid awn ar fy llw pa fath yw'r lluosocaf yn eu plith. Digon posib fod y ddau fath yn gymysg o fewn yr un pragmatydd. Y math cyntaf yw'r ymreolwr sy'n fodlon cyfaddawdu â ffaith y wladwriaeth

Brydeinig ac amodau ei gwleidyddiaeth, y 'cenedlaetholwr gydag c fach' fel y'i gelwir weithiau. Yr ail fath yw'r unoliaethwr sy'n fodlon cwrdd i ryw fesur â dyheadau cenedlaetholdeb Cymreig rhag rhoi lle i hwnnw gryfhau. Ddwywaith o fewn cof, gyda Deiseb Senedd i Gymru'r pumdegau, a chyda refferendwm 1979, twyllwyd y cenedlaetholwyr gan y pragmatiaid; yr ail dro yn arbennig, cymerodd achos ymreolaeth gamau breision yn ôl. Pragmatiaid o'r ail fath a fu'n drechaf ar y ddau achlysur yna. A oes trydydd cynnig i Gymro? Beth a ddeil y pragmatiaid at eu gair? *Coup d'état* gan genedlaetholwyr, i wahanu'n glir rhwng dwy garfan y pragmatiaid, rhoi rôl i'r math cyntaf mewn creu trefn lywodraeth Gymreig, a gadael i'r lleill suddo a diflannu yng nghors eu Prydeindod. Ffurf y *coup*? Ailalw senedd y Cymry, ar adeg addas, ac wedi paratoad gofalus. Mae a wnelo fy ail gwestiwn â realiti 'Ewrop y Rhanbarthau, yr Ewrop led-Broudhonaidd'. A yw hi'n bod? A yw hi'n rhywbeth mwy na breuddwyd ar y gorwel? Crewyd rhai amodau a all ei gwneud yn bosibl iddi ddod i fodolaeth. Ni fentrwn ddweud mwy ar hyn o bryd. Dyna ichwi ddogn fach o Ewrosgeptigiaeth i'w chymryd gyda llyfr y mae ei ddarllen yn bleser ac yn ddysg.

★ ★ ★

'Cymru ac Ewrop' yw thema cyfrol LVI o *Efrydiau Athronyddol*; yn ogystal ag astudiaeth Ioan Bowen Rees o Proudhon, mae ynddi ddwy ysgrif arall sy'n uniongyrchol berthnasol i'n trafodaeth ni.

Ysgrifenna W.J. Rees ar 'Sofraniaeth a Ffederaliaeth'. Trafoda i ddechrau bedwar diffiniad o sofraniaeth, a gynigiwyd gan bedwar awdur rhwng yr unfed ganrif ar bymtheg a'r bedwaredd ar bymtheg: Jean Bodin, Thomas Hobbes, John Austin ac A.V. Dicey. Yn nesaf mae'n diffinio ffederaliaeth gan wahaniaethu rhwng mathau arni. Yna daw at y cwestiwn creiddiol: 'Pwy sy'n sofran mewn gwladwriaeth ffederal?' Nid ymdrinir â rhanbartholdeb fel y cyfryw, nac â'r rhan a allai fod i wledydd fel Cymru a'r Alban mewn Ewrop ffederal. Ymhlygiadau ffederaliaeth i'r gwladwriaethau sydd eisoes yn bodoli yw'r maes a ddewiswyd. O fewn ei therfynau eglur, mae'r ysgrif hon yn batrwm o ddiffinio a dadansoddi, heb frawddeg yn wastraff. Nid ailadroddaf ddim o'i chynnwys, dim ond annog pawb i'w darllen, a dyfynnu un darn brawddeg am fy mod yn cytuno ag ef: 'yr hyn a elwir (yn gamarweiniol) y genedl-wladwriaeth'. Ie, yn gamarweiniol.

'Cymru yn yr Ewrop Newydd' yw pwnc Aneurin Rhys Hughes yn yr *Efrydiau*. 'Pa Ewrop newydd?' hola'r sgeptig eto, newydd ddarllen am ymgyrch ddiweddaraf llywodraeth Ffrainc yn erbyn cenedlaetholwyr Llydewig a gyhuddir ganddi o fod wedi llochesu terfysgwyr o Wlad y Basg. Y mae 'niweidio undod tiriogaethol Ffrainc' yn dal, am a wyddom, yn drosedd dihenydd. A oes Ewrop newydd o gwbl? Y cyfan y gellir yn ddiogel ei ddweud yw fod rhai darpariaethau dan Gytundeb Maastricht a fyddai, o fanteisio'n egnïol arnynt, yn creu gwell cyfle nag a fu erioed o'r blaen i bobloedd fel y Cymry, yr Albanwyr, y Basgiaid a'r Catalwniaid ddatgan eu hunaniaeth a hyrwyddo'u buddiannau o fewn y Gymuned Ewropeaidd. Gallwn ddychmygu sefyllfa lle byddai Cymru'n dalaith o Brydain ac o Ewrop yr un pryd, a Llydaw yn dalaith o Ffrainc ac o Ewrop yr un pryd. Bu creu Cynulliad y Rhanbarthau yn gam cychwynnol tuag at wneud hyn yn bosibl. Ni allwn honni dim mwy, ac yn sicr nid enillwn ddim oni ddigwydd, yng Nghymru ac yn yr Alban, ymysgwyd a deffroad mewnol mawr. O ganol ei Ewrofrwdfrydedd, seinia Aneurin Rhys Hughes rybudd clir: oni sefydlwn yn fuan ryw fath o senedd ar dir Cymru, ni fyddwn mewn sefyllfa i fanteisio ar ddim o'r datblygiadau a all ddigwydd yn Ewrop. Yn ôl i'r fan yma y down.

★   ★   ★

Y mae teitl fel *The Rise of Regional Europe* unwaith eto fel petai'n rhagdybio fod y peth yn bod, ac wedi digwydd. Athro Astudiaethau Prydeinig ym Mhrifysgol Tübingen yn yr Almaen yw'r awdur, Christopher Harvie. Nid drwg o beth yw fod bodolaeth Prydain, ffaith y wladwriaeth

Brydeinig, yn beth digon hynod i fod yn wrthrych astudiaeth yn ei hawl ei hun mewn Prifysgol ar y cyfandir. Y dydd y cydnebydd y Saeson fod y ffenomenon Prydeinig yn beth i'w astudio a'i ddadansoddi a'i ddeall, byddwn ni ymreolwyr Cymreig gam go ddiogel yn nes at ein nod.

Ar ein hochr ni, heb ddim amheuaeth, y dymunai'r Athro Harvie ymrestru. Cyflwynodd ei lyfr i olygyddion *Planet*. Condemnia, fel y gwnaem ninnau, y cenedlaetholdebau gwladwriaethol Prydeinig, Ffrengig ac Almaenig fel 'offerynnau'r adain dde eithaf, hiliol a phopiwlistaidd'. Y mae'n gwahaniaethu rhwng gwlad ac iddi hunaniaeth ddiwylliannol fel Catalwnia a rhanbarth artiffisial fel Baden-Würtemberg. Dinoetha *régionalisme* y wladwriaeth Ffrengig fel offeryn i'w ddefnyddio yn erbyn lled-genedligrwydd rhai o'r rhanbarthau, Llydaw yn arbennig. Eto mae rhai o'i osodiadau yn peri imi ofyn a yw wedi ei deall hi mewn gwirionedd, ac yn arbennig felly ei osodiadau am Gymru, yr Alban a Gogledd Iwerddon. Dyma un: 'Regional identity remains politically vague in England, but positive, not to say aggressive, in Scotland, Wales and Northern Ireland.' Mae'r gwall yn ddeublyg: yn gyntaf methu â gweld fod Cymru a'r Alban yn bethau hanfodol wahanol i 'ranbarthau Lloegr'; ac yn ail rhagdybio fod Cymru a'r Alban ar y naill law, a Gogledd Iwerddon ar y llaw arall, yn ymateb yn yr un ffordd ac am yr un rhesymau. Rhestrir yr un drindod yn gynnar yn y llyfr fel 'cenhedloedd diwladwriaeth' (*stateless nations*). Fel disgrifiad o Gymru a'r Alban mae'n gywir, ond fel disgrifiad o Ogledd Iwerddon mae mor anghywir ag y gallai dim fod. Nid cenedl ddiwladwriaeth mo'r Chwe Sir, ond y gwrthwyneb; gwladwriaeth ddigenedl, rhanbarth y rhoddwyd iddo fframwaith gwladwriaeth i wasanaethu cymdeithas wladfaol. Dymuniad calon gwladfawyr ym mhobman yw bod yn lleiafrif rhagorach ymhlith mwyafrif israddol. Nid oedd modd yn y byd i unoliaethwyr Gogledd Iwerddon gael mwyafrif i'w ormesu ac edrych i lawr arno, felly bu raid iddynt fodloni ar y peth ail orau, lleiafrif go fawr. Pe bodlonid ar y pedair sir Brotestannaidd, buasai'r lleiafrif yn rhy fach; dyma pam y mynnodd yr unoliaethwyr gynnwys dwy sir Gatholig yng nghytundeb 1921. Ar y llaw arall, pe neilltuid y cyfan o hen dalaith Wledd, byddai yno fwyafrif Catholig, a gweriniaethol mae'n debyg. Gochelwn fel gwenwyn marwol bob cynllun a fyn osod Cymru ar yr un tir â Chwe Sir Gogledd Iwerddon. Un o'r pethau cyntaf y byddai gofyn i'r Alban a Chymru eu gwneud oddi fewn i ffederasiwn Prydeinig, neu mewn unrhyw drafodaeth yn arwain ato, fyddai gwrthwynebu'n ddigymrodedd unrhyw awgrym y câi'r Chwe Sir berthyn iddo. Undeb ffederal o dair cenedl a ddylai Ynys Brydain fod. A dylai Iwerddon, yr ynys arall, fod yn undeb ffederal o'i phedair talaith draddodiadol, yn cynnwys y wir Wledd. Dan amodau felly, deuai Protestaniaid y Gogledd yn bont i gysylltu'r ddwy ynys, ar ôl bod cyhyd yn achos llid a chynnen rhyngddynt. Dyma ddymuniad a fynegwyd gan y gwir weriniaethwyr Gwyddelig drwy'r blynyddoedd oddi ar y rhannu. Parhau'r gynnen, costied a gostio, fu polisi cyson y Sefydliad Prydeinig. Wrth sôn am 'Gymru, yr Alban a Gogledd Iwerddon' ar yr un gwynt nid ydym ond yn tywyllu cyngor ac yn hyrwyddo brad a dichell y Sefydliad. Nac ynganer yr ymadrodd.

Cynhwysodd Christopher Harvie fap (tt. [xiv-xv]) yn dangos rhanbarthau gwledydd y Gymuned heddiw, fel y deëllir hwy gan y Comisiwn Ewropeaidd. Deffro, o Gymro, deffro. Ac oni chredi eiriau, cred fapiau. Wele Gymru yn gydradd â 'Yorkshire and Humberside', y 'West Midlands' a'r 'South East'. Ai dyma, ryw ddydd, fydd patrwm y taleithiau mewn ffederasiwn Ewropeaidd? Sut y dylem edrych ar bosibilrwydd o'r fath? Gwn un peth i sicrwydd: y dydd y bydd Lloegr yn dalaith o Ewrop, byddwn ni wedi ennill. Y dydd y bydd y West Midlands yn dalaith o Ewrop, a ninnau ar yr un gwastad â hi, a fyddwn wedi colli? Na fyddwn, rhesyma'r rhanbartholwr: am fod yng Nghymru ddichonoldeb cenedl, rhywfaint o ymdeimlad cenhedlig, sefydliadau a elwir yn rhai 'cenedlaethol', traddodiad o gyfeirio ati ei hun fel cenedl, byddai llywodraeth ranbarthol Gymreig yn debyg o ymddwyn fel llywodraeth cenedl, pa beth bynnag fyddai ei statws ffurfiol. Efallai, efallai… Y mae profiad Catalwnia a Gwlad y Basg yn rhoi rhywfaint o garn i'r ddadl hon. Dylid cadw meddwl agored, mae'n debyg. Ond saif yr egwyddor: nid cydraddoldeb â'r West Midlands yw nod y mudiad cenedlaethol yng Nghymru, yn ôl fy nealltwriaeth i ohono; yn hytrach, cydraddoldeb â Lloegr. Statws cyfartal â Lloegr o fewn yr un deyrnas, dyna'r nod, yr unig un efallai, a ddeffry deimlad a dyhead yn nhrwch pobl Cymru, a'r unig nod gwleidyddol a all uno Cymry Cymraeg a di-Gymraeg yn goalisiwn nerthol. Mater i Loegr ei hun yw datganoli'n fewnol os gwêl hi fantais yn hynny. Ni ddylai cenedlaetholwyr Cymreig, nac Albanaidd, dreulio dim o'u hegni ar hyrwyddo hyn. Tawed y sôn am 'ymreolaeth i Gymru, yr Alban a rhanbarthau Lloegr'. Yn hanesyddol, ni bu ond dau ranbarth yn Lloegr, ac afon Humyr (Humber) fu'r ffin rhyngddynt.

★   ★   ★

Gyrrwyd fi gan astudiaeth werthfawr Ioan Bowen Rees i ddarllen peth o gynnyrch toreithiog Proudhon, ac i ailddarllen hefyd ddau o'r proffwydi sy'n arddel Proudhon yn ysbrydolwr. Deil Leopold Kohr yn *The Breakdown of Nations* a Yann Fouéré yn *L'Europe aux Cents Drapeaux* i gynnig cyfeiriad i feddwl pawb a fyn ystyried y pethau hyn.

Parodd llyfr Kohr, ar ei ymddangosiad ym 1957, benbleth i lawer a llwyddodd i wylltio rhai. Triniai'n ddibarch ac yn ddeifiol bethau a oedd bryd hynny'n fuchod go sanctaidd: cynnydd, canoli, twf, economeg maint, sosialaeth (athroniaeth naturiol cymdeithasau sydd un ai'n rhy fawr neu'n rhy fach, meddai amdani), a'r dyn cyfartaleddol ('this grunting low-grade organism'). Gwawdiai wladwriaethau, ond dymunai weld rhagor ohonynt yn y byd. Fflangellai genedlaetholdeb, ond o safbwynt math arall o genedlaetholdeb. I genedlaetholwyr Cymreig, ni ddylai'r paradocs hwn fod yn rhy ddieithr; bu raid byw gydag ef oddi ar y diwrnod ym 1926 pan wnaeth Saunders Lewis y cyntaf o'i ddatganiadau gwleidyddol oraclaidd: 'y peth a ddinistriodd wareiddiad Cymru ac a wnaeth alanas o'r diwylliant Cymreig, a achosodd y cyflwr enbyd y mae Cymru ynddo heddiw, oedd – *cenedlaetholdeb*'. (O'r un diwrnod, gyda llaw, y dyddia ein swildod ynghylch defnyddio'r gair 'annibyniaeth', atalfa na phoenodd mo genedlaetholwyr yr Alban o gwbl.)

Direidus yw agwedd Kohr, gwamal bron, yn y brawddegau y dibynna'r cyfan o'i ymresymiad arnynt, y brawddegau yn ei bennod olaf lle daw at y cwestiwn: a ellir dileu'r pwerau mawrion? Dyma'i ddadleniad o sut y gellid ei gweithio hi:

> Engulfed in a swamp of infantile emotionalism, and attaching phenomenal value to the fact that they are big and mighty, they cannot be *persuaded* to execute their own dissolution. But, being infantile and emotional, they can be tricked into it. While they would reject their division, if it were presented to them as a demand, they might be quite willing to accept it, if offered to them in the guise of a gift. This gift would be: *proportional representation* in the bodies governing the federal union of which they form part. The acceptance of this offer would cause nothing less than their eventual disappearance.

Er mwyn sicrhau mwy o bleidleisiau na Luxembourg neu Liechtenstein o fewn undeb Ewropeaidd, rhesyma Kohr, fe gytunai Ffrainc, yr Almaen neu'r Eidal i'w lluosogi eu hunain drwy ymrannu. Cymer Ffrainc yn enghraifft i fanylu arni:

> France – to illustrate the technique of division on a country clinging with particular tenacity to power and glory concepts – would never agree to be split up into her original historic regions. But she would certainly not object to the invitation to sit in the representative bodies of the European Council with, let us say, twenty voting delegates compared with, let us say, one delegate from Luxembourg, three delegates from Denmark, and five delegates each from Belgium and the Netherlands… the smaller countries would raise few objections if the twenty members of the French delegation were elected, not nationally, but regionally and were, consequently, to be entrusted only with *regional* responsibilities and *regional* representation. Such a

shift in the source of delegation would alter the entire picture in
an imperceptible, yet radical and fundamental manner. It is this
that would bring about the eventual dissolution of France.

Breuddwyd gweledydd wrth ei ewyllys? Gallwn nodi â pheth boddhad
gochelgar mai posibilrwydd rhywbeth nid cwbl annhebyg i hyn sydd
heddiw'n dechrau ymffurfio gyda sefydlu Cynulliad a Chyngor
Rhanbarthu'r Gymuned Ewropeaidd. Cryfder arbennig Kynllwyn Kohr
yw nad yw'n dibynnu o gwbl ar greu rhanbarthau artiffisial. Mae'r unedau
yna eisoes, meddai Kohr: Bwrgwyn, Picardi, Navarre, Alsás, Lwmbardi,
Fenis, Hesse, Hanofer, Aragon, Valencia, Catalwnia, yr Alban, Cernyw,
Cymru... a llawer rhagor. Dyma'n wir, meddai, dirwedd naturiol a
gwreiddiol Ewrop. Ni bu raid dyfeisio'r un enw. Ar y llaw arall:

> The great powers are the ones which are artificial structures and
> which, because they are artificial, need such consuming efforts
> to maintain themselves. As they did not come into existence by
> natural development but by conquest, so they cannot maintain
> themselves except by conquest – the constant reconquest of
> their own citizens through a flow of patriotic propaganda
> setting in at the cradle and ending only at the grave.

Edrycher ar fap Kohr o'r Wir Ewrop Ffederal, chwedl yntau. Mae Lloegr
arno'n gyfan. I mi, dyna fesur o'i ddiffuantrwydd. Gwir, y mae Wledd ar
y map hefyd, gyda ffiniau presennol y Chwe Sir; y mae terfynau gwledydd
yr hen Iwgoslafia yn daclusach nag y troesant allan yn nhrybestod y tair
blynedd ddreng ddiwethaf. Beirniadaeth deg ar Kohr yw nad yw wedi
ystyried yn ddigon manwl broblem lleiafrif o fewn lleiafrif, sef y broblem
sy'n gyffredin i Iwerddon ac i Bosnia. Diau y gwelai rai pethau'n wahanol
pe bai'n ysgrifennu heddiw. Asturias, Aragon a Chatalwnia yw rhaniadau
gogledd Sbaen ganddo; anodd meddwl na byddai Gwlad y Basg ar ei fap
erbyn hyn. Y fath drobwynt fu diwedd Carrero Blanco, prif weinidog
Ffasgaidd olaf Sbaen, a chwythwyd yn ei gar dros ben bloc o fflatiau ac i

ebargofiant gan herwfilwyr ETA ym 1975! Un o Dair Mad Gyflafan yr ugeinfed ganrif, pa rai bynnag oedd y ddwy arall.

Mynegodd Kohr wirioneddau mawrion mewn dull bachog a gogleisiol, a bu'n gyfaill gwiw i'r Cymry. Un cwestiwn sy'n anesmwytho dyn braidd, ddeugain mlynedd ar ôl ymddangosiad ei lyfr enwog: ble mae ei wledydd naturiol na chlywem fwy amdanynt erbyn hyn? Ydych chi yna, Galisia, Bwrgwyn, Profens, Sacsoni, Parma? Ble mae eich mudiadau cenedlaethol? Pwy yw, neu oedd, eich seiri cenedl? A oes ynoch ddigon o gof cenhedloedd? A oes gennych, mewn gwirionedd, ddigon o dystion i gadw tŷ yn eu cwmni? Na fyddwn yn rhy siomedig os na ddaw llawer, yn y dyfodol agos, i ymuno ag ymdrech y Cymry, yr Albanwyr, y Llydawyr, y Catalwniaid a'r Basgiaid. Nid yw Ewrop y Can Baner yma eto.

Dichon fod mwy o bobl erbyn hyn yn defnyddio'r ymadrodd *L' Europe aux cents drapeaux* nag a ŵyr ei darddiad. Ymddangosodd llyfr Yann Fouéré, dan y teitl hwn, ym 1968. Cyhoeddwyd trosiad Saesneg H. le Helloco, *Towards a Federal Europe: Nations or States?* gan Christopher Davies ym 1980. Arwyddwyd Cytundeb Rhufain y flwyddyn yr ymddangosodd argraffiad cyntaf *The Breakdown of Nations*, ac aethai un mlynedd ar ddeg o adeiladu marchnad gyffredin heibio cyn cyhoeddi llyfr Fouéré. Mynegir ynddo, ochr yn ochr ag eiddgarwch am ddwyn pobloedd Ewrop ynghyd, bryder mawr fod y broses wedi cychwyn oddi ar y seiliau anghywir. O'r Chwech gwreiddiol, yr oedd tair eisoes yn uwch-wladwriaethau, ac yr oedd dynion dienaid wrthi'n ceisio creu goruwch-wladwriaeth ar sail y rhain. Mae rhagair Alexander Marc yn crynhoi'n dda drasiedi a thrueni'r sefyllfa:

> Y gwir yw fod y drychfeddwl Ewropeaidd wedi ei beryglu o'r cychwyn gan ei gefnogwyr ei hun, a gredai – neu a honnai gredu – y gellid adeiladu Ewrop mewn ysbryd o ewyllys da tuag at bawb, o gydymffurfiaeth ac o barchu'r priodoldebau swyddogol… I gael ei haileni, yr oedd ar Ewrop angen proffwydi, arwyr a chewri. Ond barnwyd mai doethach

ymddiried y dasg i wŷr ymarferol a chyfrwys a oedd yn drawiadol brin o weledigaeth… Aeth eu cynlluniau o chwith, a chymerodd flynyddoedd iddynt sylweddoli eu bod yn mynd i fyny lôn bengoll. Nid ydynt eto wedi medru amgyffred llawn faintioli eu methiant.

Dyma ddisgrifio i'r dim drychineb sy'n tueddu i ddigwydd dro ar ôl tro, mewn cylchoedd mawr a mân, byd-eang ac agos atom. Brad y Dynion Sentrig, pwy a'n gwared rhagddo? Ond, meddai Yann Fouéré, mae tri chynnig i Ewropead. Ganed yr Ewrop Gyntaf tua'r flwyddyn 800, undod seiliedig ar y system ffiwdal a chrefydd gyffredin: yr oedd un ffydd yn dal ynghyd nifer mawr o unedau gwleidyddol, a byddinoedd amlgenhedlig yn cadw terfynau Ewrop. Oddeutu'r unfed ganrif ar bymtheg dechreuodd y broses o chwalu'r Ewrop hon, a chwblhawyd y broses gan y Chwyldro Ffrengig. Daeth i fod Ewrop y gwladwriaethau sofran. Dyma'r Ail Ewrop; byr fu blynyddoedd ei hanterth, a llawn gwae. Hyd yma y mae'r disgrifiad a'r ddadl yn hynod debyg i rai Saunders Lewis ym 1926. Bellach, meddai Fouéré, daeth yn bryd disodli'r ail Ewrop, gan Drydedd, a fydd yn Ewrop y bobloedd. Rhybuddia'n aml nad yn rhwydd y digwydd y newid, a da fyddai cofio'i rybuddion bob tro y profwn demtasiwn i ddweud 'mae oes y cenhedloedd sofran ar ben'. Bydd y gwladwriaethau'n eu hamddiffyn eu hunain drwy bob modd posibl, ac i'w helpu bydd ganddynt 'eu prifysgolion a'u heddluoedd, eu technocratiaid a'u cyfryngau torfol, eu deallusion a'u llysoedd cyfraith'. Rhestr ddiddorol!

Y Fabilon Fawr, a elwir gan amlaf y 'genedl-wladwriaeth': ysgrifenna Kohr yn wawdlyd amdani, Fouéré â mwy o daerni. Bu eu beirniadaeth arni yn gyfiawn ac angenrheidiol. Un cwestiwn yn unig y dymunwn ei godi, a hwnnw yw: beth y dylid ei galw hi? 'Gwladwriaeth-genhedloedd' neu 'genhedloedd gwladwriaethol' (yn Saesneg, *state-nations*) y dylid galw pethau fel Prydain Fawr, yr Almaen, Ffrainc a Sbaen. Y peth hanfodol yn eu cylch yw mai cenhedloedd ydynt a grewyd gan a thrwy wladwriaethau: byddai 'cenedlaetholdeb gwladwriaethol' neu 'gwladwriaethgenedlaetholdeb' (*state nationalism*) yn dermau cywir am yr ideoleg sy'n eu cynnal. A ydyw gwladwriaeth-genhedloedd yn genhedloedd gwirioneddol? Y mae rhai ohonynt, nid oes unrhyw amheuaeth: y ddwy enghraifft fawr yw'r Swistir a'r Unol Daleithiau, sef yr union ddwy y cyfeirir atynt yn aml fel yr enghreifftiau mwyaf llwyddiannus o ffederasiwn. Fe'u crewyd heb niweidio unrhyw genedligrwydd arall (mater gwahanol braidd yw rhyfel hiliol pobl wynion America yn erbyn y bobloedd a oedd yno o'u blaenau): nid oes uned diriogaethol o'u mewn ac ynddi ddichonoldeb cenedl arall, a dyna'r gwahaniaeth mawr rhwng yr Unol Daleithiau a Chanada, lle mae un dalaith, Québec, ac ynddi ddichonoldeb cenedl yn weddol agos at yr wyneb. Beth am Brydain Fawr, neu Ffrainc? A yw'r rhain yn wir genhedloedd? Maent yn real i fwyafrif o'u deiliaid, mae'n rhaid, onid e ni fyddent yn goroesi. Ond bydd rhai o fewn eu ffiniau yn teimlo mai afreal ydynt, ac yn nacáu iddynt o leiaf beth o'u teyrngarwch. Tra pharhant yn afreal i leiafrifoedd o'u mewn, ni waeth pa mor fychain y rheini, ni ellir yn ddibetrus ac yn ddiamod eu galw'n genhedloedd. Yr oedd J.R. Jones felly'n gywir wrth sôn am 'rith-genedligrwydd Prydeinig'. Pe baem yn geirio'n fanwl gywir, fe welem fod 'cenedl-wladwriaeth', neu 'wladwriaeth genhedlig' (*nation-state*) yn beth hollol wrthwyneb: gwladwriaeth yw hon, wedi ei chreu i wasanaethu cenedl. Dyna yr ydym ni, neu rai ohonom, yn dymuno'i sefydlu yng Nghymru.

Nid bach o waith yw disodli'r hen gamddefnydd geiriol, yn Gymraeg fel yn Saesneg; ond mae'n debyg y dylid ceisio. Wedi cael hyn yn glir, ni raid poeni'n ormodol am gwestiwn *maint*. Nid drwg bod y wladwriaeth yn fawr os yw'r genedl a wasanaethir ganddi yn fawr. Fe all gwladwriaeth fawr bob amser ddatganoli'n fewnol; ond dadl arall, nad oes a wnelo â chenedligrwydd, yw'r ddadl dros ddatganoli. Deled, brysied y dydd y bydd mawr y rhai bychain; ond bydd lle o hyd i ambell un go fawr, os yw hi'n wir genedl. Nid oes maint delfrydol i genedl: mae rhai cenhedloedd bychain bach a rhai enfawr. Troeon hanes a'u gwnaeth felly. Gadawer iddynt. Dylai cenedlaetholwyr fod o blaid cenhedloedd; ac i wireddu cenedl, sef rhyddhau pobl oddi wrth ormes pobl eraill, rhaid weithiau rannu a thro arall uno, creu weithiau uned lai ac weithiau uned fwy. Efallai'n wir fod Gwilym Hiraethog yn anghywir yn ei frwdfrydedd dros Garibaldi. Efallai fod deunydd mwy nag un genedl yn yr Eidal. Sawl un, nis gwn. Mater i'r Eidalwyr ydyw. Ond nid yw 'Y Gogledd' yn enw da iawn ar yr un ohonynt. I ddarllenwyr *Canlyn Arthur*, a gofia wefr paragraff clo'r deyrnged i Thomas Masaryk, ni all na bu tipyn bach o chwithdod y dydd y gwahanwyd y ddwy wladwriaeth a forthwyliwyd yn un gan y gof o Brno. Ond efallai ein bod yn anghywir. Y Tseciaid a'r Slofaciaid a ŵyr eu pethau. Ond mae rhai achosion o hyd lle mae dadleuon cryfion dros un ac nid dwy: un wlad i'r Basgiaid, mae'n debyg, ac un i'r Cwrdiaid. Un Gatalwnia. Ac un Iwerddon?

Da fyddai meddwl y cawn weld y dydd y gwireddir yn Ewrop amcanion a gweledigaeth Proudhon, Kohr a Fouéré. Yn y cyfamser rhaid i ni Gymry fyw o fewn Ynys Brydain a gwneud a allom o fewn y cyfyngiadau y mae byw ar yr Ynys fythig honno yn eu gosod arnom. Dylem ailalw ein senedd, nas dilewyd erioed. Dylai'r senedd honno ddatgan y nod o fod yn gydradd, o dan y Goron, â senedd yr Alban ac â Thŷ Cyffredin Lloegr. Dylai, yr un pryd, ddatgan ei pharodrwydd i fod yn atebol i Dŷ Senedd Ynys Brydain, sef tŷ a fyddai'n cymryd pwerau newydd, y cytunid arnynt gan seneddau'r tair cenedl ac a ddiffinid mewn cyfansoddiad ysgrifenedig. Y ffordd briodol o ddatgan y nod fyddai i senedd y Cymry ddeisebu'r Frenhines yn ei Chyngor. O ddeisebu Tŷ'r Cyffredin byddai'n ei gosod ei hun yn syth yn israddol ac atebol i'r tŷ hwnnw. Y Cyfrin Gyngor yw gwir lywodraeth Prydain Fawr; neu, ychydig yn fwy manwl efallai, ef yw'r corff mwyaf cynrychioliadol o wir lywodraeth Prydain Fawr. Dyma'r corff a gyhoeddodd ryfel yn erbyn yr Almaen ddwy waith yn yr ugeinfed ganrif, pryd na allai dau dŷ'r Senedd wneud dim ond gweiddi hwrê. Ymateb cyntaf y Cyfrin Gyngor, mae'n bur debyg, fyddai dweud iddo dderbyn y ddeiseb a sylwi ar ei chynnwys. Sut yr ymatebai senedd a phobl Lloegr wedyn, ni pherthyn i ni ddweud. Yn sicr ni allwn ni sgrifennu sgript ar eu cyfer. Ond byddai cyflwyno deiseb yn y modd hwn gan ein senedd yn gychwyn newydd a chychwyn mawr; cofier nad am ddeiseb boblogaidd yr ydym yn sôn, ond deiseb yn yr ystyr o lythyr ffurfiol gan gorff cynrychioliadol ac etholedig.

Efallai fod rhai tueddiadau bellach ar waith yn Ewrop sydd fwy o'n plaid nag i'n herbyn. Ond na ddibynnwn ar hynny. Nid yw Ewrop yn mynd i wneud y gwaith drosom. O fewn Ynys Brydain y mae problem y Cymry, neu, a'i roi fel arall, Ynys Brydain yw'r broblem. Yng nghyswllt Ynys Brydain y mae dod o hyd i'r ateb.

NODYN

1. Ioan Bowen Rees, *Cymuned a Chenedl: Ysgrifau ar Ymreolaeth* (Llandysul, 1993); *Efrydiau Athronyddol* LVI (1993); Christopher Harvie, *The Rise of Regional Europe* (Llundain, 1994).

[*Taliesin* 88 (Gaeaf 1994)]

PRYDEINDOD PIAU HI O HYD

Y<small>R OEDD</small> i'r diweddar Athro J.R.Jones, meddai agoriad medrus y llyfr hwn,[1] dair cynulleidfa wahanol: y rhai a'i cofiai fel academwr tawel, y rhai a'i dilynai fel proffwyd taer, a'r rhai a'i hadwaenai fel cyfaill. Rhan o amcan yr ymdriniaeth, meddir wrthym, yw cyflwyno'r tair cynulleidfa i'w gilydd, yn ogystal â chyflwyno J.R.Jones; rhydd hyn iddi ffurf gadarn a phendant. Fel un a berthynai i'r tair cynulleidfa y mae'r Athro Dewi Z. Phillips mewn gwell sefyllfa i fedru cyflawni'r dasg na neb arall y gellir meddwl amdano. Ceir yma gyfuniad arbennig iawn o eglurder dadansoddol a chynhesrwydd.

Daeth enw J.R.Jones i sylw mawr, ganol y 1960au, drwy iddo ef roi enw yr un i ddau beth, un ym myd crefydd a'r llall ym myd gwleidyddiaeth. Yr Argyfwng Gwacter Ystyr oedd y naill, Prydeindod y llall. Prydeindod fuasai prif elyn cenedlaetholdeb Cymreig ers dyddiau Michael D.Jones; ond yn rhyfedd braidd ni ddaeth yn adnabyddus dan ei enw tan ganol y chwe-degau, pan ymddangosodd mewn trafodaeth rhwng Alwyn D. Rees a J.R.Jones. Mewn ymateb i her gan Alwyn D. Rees yn rhifyn Mawrth 1965 o *Barn*, 'Y Cymro, adnebydd dy Brydeindod', yr aeth J.R.Jones ati i ysgrifennu ei lyfr dylanwadol. Yr oedd y ddau feddyliwr galluog yn meddwl efallai am ddau beth gwahanol, ond diffiniad J.R.Jones a aeth â hi: term difrïol fu Prydeindod wedyn, cyfystyr ag ideoleg yr 'un genedl ym Mhrydain' neu, yn syml, â chenedlaetholdeb Seisnig wedi ei gamleoli.

Fel ysgrifennwr ar bynciau crefydd fe'i cafodd J.R.Jones ei hun yn ffigur dadleuol. Ymfyddinodd nifer o ddiwinyddion yn ei erbyn, a deil D.Z.Phillips i'w cyhuddo, fel y cofiaf ef yn eu cyhuddo ddeng mlynedd ar hugain yn ôl, o fethu â chael gafael ar ben iawn y ddadl. I ble'r aeth yr Argyfwng Gwacter Ystyr erbyn hyn? Os yw yn y galon, mae'n ddistaw dros ben. Ai adfywiad crefydd ffwndamentalaidd ledled y byd sydd wedi ei fwrw i blith y pethau a fu, drwy beri nad diwrthdro mo rhawd y seciwlariaeth honno a oedd yn gefndir i gymaint o feddwl J.R.Jones? Ai ynteu fod yr unrhyw seciwlariaeth, yng Nghymru, wedi cerdded mor bell fel nad oes neb bellach yn malio pa un bynnag?

'Rwyf am eirio'n ofalus yn awr. Fel athronydd politicaidd ni bu J.R.Jones yn ddadleuol, er iddo'i gysylltu ei hun ag ymgyrchoedd dadleuol, ac er i rai o'i syniadau ysgogi dadl boeth yng ngwersyll y cenedlaetholwyr yn ystod y saith-degau, 'dadl Adfer' fel y gelwir hi. Bu *Prydeindod* yn gynhyrfus a chynhyrfiol, do. Ond nid yn ddadleuol. Nid aeth neb i'r afael â'r ddadl. Buasai'n ddiddorol petai rhyw Brydeiniwr wedi ei chymryd gymal wrth gymal a cheisio'i hateb. Ni wnaeth yr un. A yw hynny'n awgrymu nad oedd neb ohonynt yn atebol i'r dasg? Yr hyn a wnaeth y Prydeinwyr (yn wahanol efallai i'r diwinyddion) oedd mynd ymlaen fel pe na bai dim byd yn bod. Ac y mae Prydeindod cyn iached ag erioed.

Oddi ar pan dawodd llais J.R.Jones aeth heibio chwarter canrif o drai a llanw, colled ac ennill i'r Gymru Gymraeg; a dyma ni, o fewn pum mlynedd i dro canrif, mewn hinsawdd cymysglyd ac ansicr, nid heb obaith, ond yn llawn arwyddion ein dirywiad a'n gwendid. Cyn wiried ag y cwrddaf y bore â rhyw ddyn dŵad, od ac annisgwyl, yn siriol barablu rhyw lun o Gymraeg, mi glywaf y prynhawn am Gymro amlwg arall eto – bardd, llenor, pregethwr, cenedlaetholwr – y mae ei wyrion yn gwbl amddifad o'r iaith. Y mae lliw gwleidyddol y pedair etholaeth rhwng Crymych a Llanfair-yng-Nghornwy (am ryw hyd beth bynnag, a hei lwc y pery felly) yn tystio i'r politiceiddio a'r radicaleiddio a ddigwyddodd, o dipyn i beth, o fewn y chwarter canrif. Ond yn ystod yr un blynyddoedd yn union peidiodd yr un darn gwlad â bod yn 'Fro Gymraeg' yn yr ystyr a roddai J.R.Jones a'i ddilynwyr i'r term. Beth am weddill Cymru, y tu allan i'r 'Fro' (neu i'r hen Dywysogaeth, gair arall am yr un peth mwy neu lai)? Prydeindod sydd piau hi, os oes coel o gwbl ar ganlyniadau etholiad. Hyd at chwarter canrif yn ôl gallai Plaid Cymru, ar ôl ymgyrchoedd digon brysiog a diadnoddau, gael pleidlais leiafrif ddigon taclus – rhwng dwy a phedair mil dyweder – mewn etholaethau fel Wrecsam, Brycheiniog a Maesyfed, Bro Morgannwg (y Barri fel yr oedd gynt), Trefynwy, Casnewydd a seddau'r Brifddinas: peth a awgrymai fod yno bryd hynny ryw waelod neu weddill bach o Gymreigrwydd y gellid ei gyrraedd a'i gyffwrdd. Ers rhyw dri neu bedwar tro bellach prin, prin y llwyddodd y Blaid i gyrraedd y pedwar ffigur yn y seddau hyn: mewn ambell un llwydda i ragori mewn cochni ar bumcant diarhebol Arfon ym 1929. Yn ei ysgrif wleidyddol bwysig gyntaf, 'Y Syniad o Genedl' (1961), casglodd J.R. Jones mai graddol golli eu 'dichonoldeb cenedl' yr oedd y Cymry, gan ddod fwyfwy'n rhan o'r genedl Seisnig. Os mai llwyddiant etholiadol cenedlaetholdeb politicaidd yw'r ffon fesur, rhaid casglu fod yr ymbrydeineiddio, gair arall am ymseisnigo, wedi cerdded ymhell. Gall pethau newid, wrth gwrs. Ond dyna'r darlun heddiw. Wedi ei uchel ŵyl ym 1979, deil Prydeindod, drwy ran helaethaf Cymru, yn frigog fel y llawryf gwyrdd. Genedlaetholwyr ac ymreolwyr, peidiwch â dechrau rwdlian am refferendwm eto. Rhag ofn ichi gael un...!

Beth sy'n mynd i newid pethau? Yn ôl at ysgrifeniadau J.R.Jones â ni, i edrych eto ym myw llygad y gelyn a enwodd ac a hoeliodd ef mor effeithiol. Wedi darllen cyflwyniad golau yr Athro Phillips, trois unwaith eto at *Prydeindod*. Daeth yn ôl imi yr un gymysgedd o deimladau yn union â phan ddarllenais ef gyntaf yng ngwanwyn 1966: edmygedd nad yw'n gwanhau, ond sy'n hytrach yn cynyddu, at eglurder y dadansoddiad a'r modd y geiriwyd y cwestiynau allweddol ac y gosodwyd y dewisiadau; peth siom ac anfodlonrwydd ar y casgliad a'r ateb a gynigir, yn yr un tudalen olaf lle gofynnir sut y mae torri gafael ideoleg Prydeindod.

Bydd rhai o'm darllenwyr, mi wn, yn gwybod y geiriau clo ar dafod leferydd:

> Ond byddai un *angen* ar Gymru wedyn, nid am na 'mudiad' na 'phlaid newydd', ond am *un i yrru'r llafn adre*, am 'ddiwygiwr' neu 'ddeffrowr' – ffigur nid anhysbys i'r Bobl Gymreig. Ei rôl ef erioed a fu dadrithio dynion ynghylch eu gwir gyflwr, eu geni

allan o groth gysurus eu hunan-dwyll. Y mae wedi bod yn draddodiad oesol yng Nghymru i ddal i ddisgwyl y Gwaredydd. 'Myn Duw, mi a wn y daw'.

Gallai rhai o'i gyd-athronwyr yn eithaf teg fod wedi gofyn i J.R.Jones 'Pa fath o "mi a wn" yw hwnna?' Ni wnaeth yr un ohonynt, hyd y cofiaf. Swniai i mi, bron ddeng mlynedd ar hugain yn ôl, ac felly o hyd, braidd fel 'mi a wn' yn golygu 'mi hoffwn yn fawr allu meddwl'. Dychwelir yn y frawddeg olaf hon at ieithwedd a drychfeddwl y traddodiad daroganol, yr oedd J.R.Jones yn ei ysgrif gynharach, 'Y Syniad o Genedl', yn bur feirniadol ohono ac o'i ganlyniadau. Caniatawn nad oes llinell gwbl eglur rhwng y traddodiad daroganol a'r traddodiad proffwydol, neu os mynnir rhwng dau fath o 'broffwyd'. Yn rhai o broffwydi'r Hen Destament, neu yn Teiresias neu Cassandra'r Groegiaid, y mae'r ddau yn gymysg, fel o ran hynny yn Siôn Cent ac ym Morgan Llwyd, y benthyciodd J.R.Jones gan y naill frawddeg glo, a chan y llall deitl llyfr. Caniatawn hefyd, â phob parodrwydd, hawl dyn, wrth geisio dyfalu'r dyfodol, i fynegi teimlad cwbl oddrychol, y disgwyliad neu'r gobaith sydd ganddo ym mêr ei esgyrn. Cwbl deg yw hynny. Ond, ar derfyn dadansoddiad mor eglur a didrugaredd ag a gafwyd yn *Prydeindod*, disgwylid casgliad mwy gwrthrychol, mwy dibynnol ar ffeithiau canfyddadwy yn y sefyllfa gyfoes, neu mewn hanes, neu yn y ddau.

Fel y dengys Dewi Z.Phillips, bu cryn fesur o newid meddwl rhwng 'Y Syniad o Genedl' (1961) a *Prydeindod* (1966). Mewn un wedd y mae'r gyntaf o'r ddwy driniaeth yn well na'r ail, sef yn y lle canolog a rydd i hanes. O 1966 ymlaen tuedd J.R.Jones fu datgysylltu Prydeindod fwyfwy oddi wrth ei gyswllt hanesyddol, oddi wrth ei wreiddiau yn yr hyn y mentrwn i, yn wir y mentrais cyn hyn, ei alw yn 'Frytaniaeth', y gred a fagodd y Cymry oddi ar yn gynnar yn eu hanes – efallai heb lawer o sail – mai hwy oedd 'priodorion' neu berchenogion gwreiddiol a gwirioneddol gwlad a elwid 'Ynys Brydain'. Mewn ysgrif arall eto, '"Prydeindod" : Pa Brydain?' (*Gwaedd yng Nghymru*, t. 17) ysgrifennodd J.R.Jones:

Tynnodd rhai cyfeillion fy sylw, er enghraifft, at y 'Prydeindod'
a berthyn i ni fel Cymry drwy'r Brydain y buom unwaith, fel
Pobl Geltaidd, yn unig berchenogion arni – y Brydain
Frythonig, 'Ynys y Cedyrn'. Wrth gwrs, nid ydyw'r Brydain
honno bellach yn bod. Ond os etyb rhywun fod inni darddiad
olrheiniadwy ohoni, cystal i mi wneud yn glir nad oes a wnelo
hynny ddim oll â'n 'Prydeindod' yn yr ystyr (neu os oes mwy
nag un, yn unrhyw un o'r ystyron) sy'n berthnasol i ddadl y
llyfr.

Wel oes, meddwn innau, y mae a wnelo lawer iawn. Brytaniaeth, sef
traddodiad, ffug-hanes a chwedloniaeth Ynys y Cedyrn, a wnaeth
Brydeindod yn bosibl. Rhyw fath o wyriad neu lurguniad o Frytaniaeth
yw Prydeindod. Drwy fynd hebio i Brydeindod, yn ôl at Frytaniaeth,
adnabod gwahanol weddau honno, deall sut y gweithredodd drwy'r
cenedlaethau, beth y mae'n ei hawlio gennym a beth nad yw yn ei hawlio,
dyna, mi ddaliaf i, sut y down o hyd i ben y llwybr a'n harweinia, yn y
man, o garchar Prydeindod ac i ryddid.

Y mae edrych ar rôl Brytaniaeth yn hanes meddwl y Cymro yn fy
arwain at ddau gasgliad. Y mae a wnelo'r naill â dull sefydlu senedd
Gymreig, ac y mae a wnelo'r llall â'r nod cyfansoddiadol y dylai'r Cymry,
drwy eu senedd, ei ddatgan ac ymgyrraedd tuag ato. Dyma air dan y ddau
ben, gan geisio peidio ag ailadrodd gormod ar bethau yr wyf wedi eu
dweud eisoes:

1. Ni ellir torri gafael Prydeindod yng Nghymru ond gan a thrwy
senedd wedi ei sefydlu'n annibynnol. Y mae rhagor rhwng senedd a
llywodraeth, fel yr wyf wedi ceisio esbonio rai troeon o'r blaen. Nid am
lywodraeth annibynnol yr ydym yn sôn ar hyn o bryd, ond am *senedd*
annibynnol, senedd wedi ei chreu, ei sefydlu a'i hagor drwy ddyfeisgarwch
y Cymry, nid drwy ordinhad senedd a llywodraeth San Steffan. Ni byddai
gofyn i *lywodraeth* Gymreig fod yn gwbl annibynnol; byddai'n briodol

iddi fod yn rhan o lywodraeth Ynys Brydain, ac ni ddylai hynny fod yn dramgwydd i genedlaetholdeb Cymreig. Ond dylai'r senedd *fod wedi ei sefydlu'n annibynnol*, fel bod ei phwerau, nid yn rhai *a ddirprwywyd iddi* gan lywodraeth Westminster, ond yn rhai *y cytunwyd arnynt* rhyngddi hi ei hun a llywodraeth Westminster. Y mae *byd* o wahaniaeth – gobeithio bod pawb yn deall hyn – rhwng hynny a bod pwerau wedi eu dirprwyo, neu eu 'datganoli' i senedd Gymreig gan Dŷ'r Cyffredin. 'Grym a ddatganolir, grym a gedwir yw,' meddai J.Enoch Powell adeg y Ddadl Ddatganoli o'r blaen, ac yr oedd yn iawn yn y fan yna. Profwyd hyn yn glir, petai angen ei brofi, pan gauwyd Stormont, senedd ddatganoledig chwe sir Gogledd Iwerddon, mewn undydd unnos drwy benderfyniad gweinidogaethol, heb ddeddf na fawr o drafodaeth. Sefydlu senedd yn annibynnol, drwy gynnal etholiad ar ei chyfer, yw'r peth a gychwynnai don newydd o hyder a balchder ymhlith y Cymry; trwy'r senedd honno y dygid y wlad gyfan, y Dywysogaeth a'r Mers, Cymru Gymraeg a Wales a'r Tir Diffaith, i mewn i gwmpasgylch gwleidyddol Cymreig.

2. Dylai senedd Gymreig osod yn nod iddi ei hun *gydraddoldeb â Thŷ'r Cyffredin*, o dan dŷ senedd Prydeinig newydd a gymerai le Tŷ'r Arglwyddi. Ystyr hynny fyddai gofyn am gydraddoldeb i'r Cymry *fel Pobl* (rhown briflythyren fel y rhoddai J.R.Jones) â'r Saeson *fel Pobl*. Yma, y mae'r gwahaniaeth a dynnodd J.R.Jones (*Prydeindod*, t. 32) rhwng bod yn 'weithrediadol rydd' a bod yn 'ffurfiannol rydd' yn wahaniaeth perthnasol iawn. Dylem fel Cymry arddel ein Brytaniaeth, sy'n rhan mor waelodol ohonom, ac yna bod – nid fel unigolion ond fel Pobl – yn llawer mwy hyf ac ymwthiol o fewn Ynys Brydain. Nid 'Gollyngwch ni'n rhydd' ddylai'r gri fod, ond 'Gollyngwch ni i mewn'. Hon, a defnyddio geirfa *Prydeindod* eto, fyddai'r sefyllfa a dynnai'r gorchudd. Byddai'n sefyllfa newydd a diddorol, ac amhosib rhagweld ei holl ganlyniadau. Pwy a ŵyr, efallai mai deffro 'cynddaredd eu gwahanrwydd' yn y Saeson a wnâi…

Daliaf, yn groes eto i ddiweddglo *Prydeindod*, mai gwaith i fudiad yw ysgogi hyn oll. O roi cychwyn iawn i'r broses, dichon hefyd y gwelem ymffurfio plaid newydd, mewn amgylchiadau newydd. Dyna ddigon am y tro!

Deil ysgrifau treiddgar ac angerddol radical J.R.Jones yn ddeunydd darllen anhepgor i bawb sy'n ymddiddori ym mhwnc hunaniaeth y Cymry ac sy'n ymboeni am ei pharhad. Diolch calon i Dewi Z. Phillips am y cyflwyniad rhagorol hwn.

NODYN

1. Dewi Z. Phillips, *J.R.Jones* (Gwasg Prifysgol Cymru, 1995), £4.95.

[*Barn* 392, Medi 1995]

CNOI HET A THROI MEDDYLIAU

Cymru'n Dair

W RTH DDERBYN GWAHODDIAD y golygyddion i gofnodi rhai meddyliau wedi pleidlais 18 Medi 1997, y peth cyntaf y mae'n rhaid ei wneud yw llyncu geiriau. Oddi ar hanner dydd 2 Mawrth 1979 mi gredais, ac mi ddywedais droeon ar goedd, na ddôi hi byth drwy refferendwm. Ni bu erioed well blas ar het wrth orfod ei bwyta.

Do, fe dducpwyd Morgannwg a Gwynedd yn ddelaf fu erioed, ac fe wnaed yn un, os nad o Gonwy i Nedd, o leiaf o Fethesda i Nedd, mewn modd a fyddai wedi plesio'r hen fardd yn burion. Fe adawyd Cymru â rhaniad i lawr ei chanol, ond rhaniad clir, ystyrlon a dealladwy na ddylai beri gormod o ofid i neb a ŵyr ychydig o'i hanes hi. Bob yn ail â chnoi tameidiau o'r het, bûm yn ailedrych ar rai pethau a ysgrifennais dros y blynyddoedd diwethaf, gan chwilio am ambell frawddeg lle 'roeddwn yn iawn. Ac yn wir dyma ddwy, a ymddangosodd ym Mai 1996 ac a drosaf yn awr o'r iaith fain: 'A benthyca term gan yr Undeb Ewropeaidd, y Dywysogaeth a Morgannwg yw'r "rhanbarthau gweithredol" [*motor regions*]. Pan symuda'r rhain gyda'i gilydd, ni all y Mers ond dilyn.'

Cred ac egwyddor y Mers erioed oedd na allai Cymry ddim rheoli. Braint yr arglwyddi Normanaidd oedd rheoli, ac yna'r wladwriaeth ganolog a gymerodd iddi ei hun eu galluoedd. Pan gyll y wladwriaeth honno ei hawch i wastrodi, a chytuno – ie, yn weddol raslon, fel y mae'n ymddangos ei bod yn gwneud y tro hwn – i gychwyn yr hyn a all fod yn broses gynyddol o ddatganoli, nid oes i'r Mers ddewis ond dilyn lle mae arall yn arwain. A'r arall hwnnw y tro hwn yw'r glymblaid o Forgannwg a'r Hen Dywysogaeth. Fe drodd y fantol yng Nghymru, y mymryn lleiaf – ond fe drodd. Y mae'r cyfan yn hanesyddol yn nwy ystyr y gair: (a) yn gyson â'r hyn a fu, a (b) yn dyngedfennol.

Cymru'n un?

Y cwestiwn bellach yw sut i gael gan y rhanbarth 'Na' ymuno'n ewyllysgar, fel y crëer drwy Gymru benbaladr gonsensws gweithredol ynghylch lles a ffyniant ein pobl mewn canrif newydd. 'Ei chymryd hi'n araf' oedd cyngor rhai, y diwrnod wedi'r canlyniad: rhai wedi eu siomi gan feinder y gwahaniaeth a'u syfrdanu gan eglurder y llinell ar y map. Wedi cael cyfle i astudio'r darlun, ac yn wir i sylwi mor draddodiadol ydyw, arall ddylai ein casgliad fod. 'Tân arni!' ddylai fod yn egwyddor y ddau 'ranbarth gweithredol'. Pawb a ddywedodd 'Ie', fe'i dywedodd am ei fod yn dymuno gweld newid, a newid a ddylai fod. Y mae'r 58 y cant cadarnhaol, dros yr 11 ardal 'Ie', yn gyfartaledd y gallwn fod yn falch ohono (amrywia o 65.3 Caerfyrddin i 50.9 Môn); ac wedi llanast a gwaradwydd y tro o'r blaen y mae'r 41 y cant 'Ie' dros yr 11 ardal 'Na' yn dipyn o ryfeddod (32.1 Trefynwy oedd yr isaf, ond sylwch mewn difri ar 49.8 Torfaen; ac ystyriwch ymhellach fod y bleidlais gadarnhaol dros y cyfan o Went yn 43.8). Dyma sylfaen dda iawn i adeiladu arni, ac ysgogiad nid i arafu ond i gyflymu prosesau newid.

Peth arall a gynigiwyd i'r diben o 'dawelu ofnau' yw'r 'Pwyllgor Gogledd Cymru' sydd, yn ôl rhai o'r penawdau, i fod i roi 'Llais Cryf i'r Gogledd'. Dyma ddarn o ffwlbri y dylid ei gladdu ar y cyfle cyntaf. Ni wnâi ddim ond porthi hunan-dyb a phlwyfoldeb math arbennig o Ogleddwr, a milwrio yn erbyn yr hyn a ddylai fod yn bwrpas canolog y Cynulliad. Oni ddylai fod trefniadaeth ranbarthol dan y Cynulliad? Onid ydym wedi dweud a chredu drwy'r blynyddoedd mai 'gwlad o wledydd' yw Cymru? Felly yn sicr. Ond dylid seilio'r cyfan ar wledydd neu daleithiau gwirioneddol a hanesyddol Cymru: Gwynedd Uwch Conwy, Gwynedd Is Conwy, Powys, Deheubarth, Morgannwg a Gwent. Y mae'r rhain oll yn sefydliadau cynhenid Gymreig, ac wrth gryfhau eu hunaniaeth hwy byddid yn cryfhau Cymreictod hefyd. Wrth ad-drefnu llywodraeth leol ym 1973 fe adferwyd peth o'r hen drefn hon, camgymeriad a wnaed gan lywodraeth Geidwadol yn Llundain mewn anwybodaeth lwyr o hanes Cymru. Pan ddechreuodd rhai o'r unedau newydd, Gwynedd yn neilltuol, a Dyfed i ryw raddau hefyd, ymagweddu nid fel siroedd ond fel gwledydd, sef yr hyn oeddynt, gwelodd y Ceidwadwyr eu camgymeriad, a'r canlyniad fu ad-drefniad costus iawn o fewn llai nag ugain mlynedd. Cael gwared â Gwynedd oedd prif nod yr ad-drefniad hwnnw, wrth gwrs, ac fe lwyddodd i raddau, drwy ddileu Gwynedd fel gwlad a chadw'r enw ar sir. Fe gawsom oll ein cyfle i gynnig enwau ar y siroedd newydd, neu o leiaf i roi'n barn ar gynigion y cynghorau, ac 'rwy'n flin â mi fy hun am na ddywedais yn rhywle, ryw bedair blynedd yn ôl, yr hyn sy'n amlwg imi erbyn hyn. 'Arfon-Meirion' ddylai fod enw'r sir bresennol y cytunasom, drwy esgeulustod, i'w chamenwi yn 'Gwynedd'. Fel y clywais ddweud ar y pryd gan gyfaill a ŵyr fwy na fawr neb ohonom am ei chyfansoddiad, gwrthun yn sôn am 'Wynedd' nad yw'n cynnwys Llys Aberffraw, Castell Dolwyddelan na Chaer Deganwy. Ryw ddydd, a deued hwnnw'n weddol fuan, fe ddylai Cynulliad neu senedd Gymreig ddirprwyo galluoedd helaeth i'r gwledydd naturiol, fel bod i bob un o'r rheini ei senedd ei hun. O dan Senedd Gwynedd, fe ddylid adfer siroedd Meirionnydd a Chaernarfon fel eu bod yn gyfartal â Môn, o fewn *gwlad* a fyddai'n draddodiadol ac ystyrlon, Gwynedd Uwch Conwy. Ym mhegwn arall Cymru, fe ddôi siroedd presennol Casnewydd, Trefynwy, Torfaen a Blaenau Gwent at ei gilydd yn ddigon naturiol i ailgodi gwlad Gwent eto. Ac felly ymlaen drwy Gymru, gan dderbyn fod ambell i newid wedi digwydd ac nad yw'r hawdd ei ddad-wneud: daeth 'Clwyd', er nad oes iddo hanes hir, yn enw digon derbyniol ar Wynedd Is Conwy; a rhwng y naill beth a'r llall newidiodd Powys fel nad hawdd ail-greu 'Powys yn ei therfynau' fel y gwelid hi gan awdur *Breuddwyd Rhonabwy* wyth ganrif yn ôl. Pan ac os daw cyfleoedd i ad-drefnu ffiniau (ffiniau llywodraeth leol a ffiniau etholaethau), mae ambell addasiad arall y dylid ei wneud er mwyn diffinio gwir faintioli'r Mers. Ar y map (ac mae mapiau, cyfrifiadurol ac arall, yn bwysicach nag erioed heddiw fel rhan o offer y sylwedydd gwleidyddol), mae'r Mers yn edrych yn fwy nag ydyw. Hyd yn oed os golyga greu sir newydd i lannau môr y Gogledd (Geriatrica?), dylid dychwel yr hen Rufoniog (sef yn fras Hiraethog, Uwchaled a Dyffryn Clwyd) i'r Dywysogaeth neu Gymru Cunedda, lle mae'n perthyn; ac yn etholiadol byddai'n dda gweld gogledd Sir Benfro unwaith eto'n gallu ymrestru ar ochr y Dywysogaeth. Rhywbeth i feddwl amdano yn y man.

Fe newidia meddwl yr ardaloedd 'Na', ac fe ddaw'r tair Cymru – y Dywysogaeth, Morgannwg a'r Mers – i gyd-ddeall ac i gyd-symud, pan fabwysiada'r mudiad cenedlaethol gwleidyddol yng Nghymru nod cyfansoddiadol y gall pob Cymro ei ddeall ac y bydd yn amhosib ei wrthwynebu. Y nod hwnnnw, fel yr wyf wedi ceisio dadlau bellach ar sawl achlysur, yw cydraddoldeb â Lloegr o fewn y Deyrnas. Mentraf feddwl y digwydd hynny fel rhan o ailddiffinio, ail-greu ac aileni cenedltholdeb Cymreig, yr hyn a ddylai ddeillio rywfodd neu'i gilydd o'r 'wleidyddiaeth newydd' y mae rhai, a rhestraf fy hun yn eu plith, yn gobeithio'i gweld yn datblygu gyda sefydlu'r Cynulliad.

Tair Plaid y Cynulliad

Os â Mesur Cymru yn weddol ddianaf drwy ddau dŷ'r Senedd, fe ddylem weld cynnal, ym Mai 1999, yr etholiad Cynulliadol cyntaf. Ymhlith y trigain aelod a etholir, fe welwn ddefnydd tair plaid, a dyma hwy: (1) Plaid Chwalu a Dinistrio. Efallai na fydd yn un fawr, ond fe gaiff gynrychiolaeth, marciwch chi. (2) Plaid Edrych yn Bwysig a Pheidio â Gwneud Dim Byd Neilltuol. Y mae rhagolygon hon yn dda, gan fod ganddi etholaeth eang i apelio ati, y chwarter a ddywedodd 'Na' a'r hanner na phleidleisiodd o gwbl. Un o ganlyniadau syfrdanol y refferendwm oedd fod Ysgrifennydd Gwladol Llafur (ie, *Llafur*), a rhyw hanner dwsin arall o seneddwyr ei blaid, wedi llamu dros nos i reng flaen arwyr y mudiad cenedlaethol. Pob clod iddynt yn wir. Ond cofiwn fod hyn yn gadael cryn 30 o seneddwyr Llafur y bu eu cyfraniad cyn ac yn ystod yr ymgyrch yn… llai nag adeiladol, gawn ni ddweud. Ymhlith y rhain, a llawer yr un fath â hwy, y mae sylfaen dda iawn ar gyfer Plaid Edrych yn Bwysig. (3) Plaid Symud Ymlaen at Bethau Gwell. Mae'r defnyddiau ar gyfer hon ar wasgar mewn o leiaf dair o'r pleidiau presennol – Plaid Cymru, Llafur a'r Democratiaid Rhyddfrydol. Er mwyn dod, yn weddol fuan, i allu cynnig her effeithiol i Blaid Edrych yn Bwysig, rhaid i'r elfennau hyn, rywfodd neu'i gilydd, ddysgu cydsymud. Rhoddodd yr ymgyrch 'Ie' awgrym o'r hyn sy'n bosibl. Yn rhifyn Hydref 1997 o *Barn*, rhifyn campus o ran ei gloriannu a'i ddadansoddi a'i gofnod darluniadol o'r ymgyrch, sonia'r ysgrif olygyddol am 'gynghrair cyfrwys' ac am 'strategaeth ddaufiniog' sy'n cynnwys ymosod a chynghreirio; ysgrif ydyw y dylid ei darllen, ei threulio a'i rhoi ar gof gan bawb sy'n ei weld ei hun, ryw ddydd, yn aelod o Blaid Symud Ymlaen.

Pum Tasg y Cynulliad

Bydd tasgau mawrion yn aros y Cynulliad, a chyfrifoldeb pwysfawr ar bob un ohonom wrth fwrw pleidlais. Os na wnawn etholiad '99 yn gyfle mawr i ganolbwyntio'n meddyliau, byddwn yn haeddu pob aflwyddiant a ddaw i'n rhan wedyn. Fel y gwyddom oll, mae pum prif faes lle bydd gofyn i'r ymgeiswyr a'u pleidiau, wrth ddod gerbron y bobl a gofyn am eu hymddiriedaeth, gyflwyno cynigion pendant a manwl. Y blaid a enilla yn y pen-draw, beth bynnag am y tymor byr, fydd honno a gyflwyna bolisïau mor radical fel y gwelir na all dim byd llai na senedd eu gwireddu. Yr wyf am ddweud gair am bob un o'r pum maes, a thipyn bach mwy na gair am yr olaf:

1. *Iechyd*. Y cam cyntaf un fydd adfer rheolaeth ddemocrataidd, fel bod *atebolrwydd* yn rheoli gweithredoedd a dewisiadau pa rai bynnag, wedyn, y disgyn arnynt y dirfawr gyfrifoldeb o ddosrannu adnoddau a phennu blaenoriaethau.

2. *Tai*. Rhaid creu amodau cwbl newydd ar gyfer gweithgarwch y cymdeithasau tai, a symud ymaith y cyfyngiadau hollol wrthun sy'n eu llesteirio ar hyn o bryd. Dylai Pwyllgor Tai'r Cynulliad gymryd lle'r cwango Tai Cymru, a dylid adfer peth o'r disgwyl traddodiadol ar i lywodraeth leol chwarae rhan mewn darparu cartrefi.

3. *Amaeth*. Dywed cyfiawnder y dylid cosbi'r ffermwyr am ddweud 'Na', ond dywed hunan-les nad oes ddyfodol inni o gwbl onid arferir pob dyfais a phob moddion posibl i symud ymaith yr ansicrwydd sy'n tanseilio bywyd cefn gwlad.

4. *Cyflogaeth*. Un o'r hen ofergoelion sydd wedi drysu llawer ar hwyl gwleidyddiaeth Gymreig yw mai swydd Aelod Seneddol yw 'dod â gwaith'. Creu cyfreithiau yw swydd seneddwyr a senedd-dai. Swydd cyfalaf yw creu cyflogaeth. Ar yr un pryd gall senedd-dy, drwy ei ddewisiad o ddeddfau, amodau a rheoliadau, gyfeirio peth ar weithgarwch cyfalaf, a gall llywodraeth ganol a lleol hefyd drin arian cyhoeddus fel cyfalaf. Ym 1999 byddwn yn disgwyl gweld gan bob un o'r pleidiau gynigion newydd, pendant a manwl ar gyfer creu a diogelu bywiolaethau. Ond y mae un rhybudd alaethus o'r gorffennol. Y tro diwethaf y bu i blaid wleidyddol ym Mhrydain ddod gerbron yr etholwyr gyda chynigion gwir uchelgeisiol i ymladd diweithdra oedd 1929, pan gyflwynodd Lloyd George ei 'Lyfr Melyn', *We Can Conquer Unemployment*. Fe'i gwrthodwyd drwy fwyafrif mawr, ac ethol llywodraeth Lafur nad oedd ganddi'r un syniad sut i fynd i gwrdd â'r broblem. Etholiad mwyaf trychinebus yr ugeinfed ganrif oedd hwnnw, a gofidus gorfod cofnodi mai ef hefyd oedd yr etholiad cyntaf wedi i bawb dros un ar hugain oed gael yr hawl i bleidleisio. Gan gadw'r rhybudd yna mewn cof, dylai pob plaid lunio'i chynigion. Fy nyfaliad i yw nad atebir problem gronig diweithdra yng Nghymru heb ateb yn gyntaf broblem arall, ddyfnach a mwy cronig, a berthyn i'r pumed maes, a'r olaf, sef:

5. *Addysg*. Drwy'r cenedlaethau y mae'r addysg ffurfiol, seciwlar a ddarparwyd i'r Cymry wedi eu paratoi ar gyfer ymadael a diflannu. Daeth hynny'n ail natur i'n plant mwyaf galluog. Dyna pam y mae Prifysgol Cymru'n nychu a darfod ar ei thraed o ddiffyg Cymry'n aelodau ohoni. Gwahoddaf, drwoch chi, barchus olygyddion, unrhyw un i ysgrifennu i *Daliesin* i wrthddadlau hyn: ond fy nheimlad, wedi dim llawer llai na deugain mlynedd o berthynas â hi, yw na bu cyflwr y Brifysgol erioed mor alaethus ag y mae heddiw. Y mae yma broblem seico-gymdeithasegol ddofn iawn, problem ganolog bywyd Cymru, petaem ond yn cydnabod. Y rheswm pam na wnawn ei chydnabod a'i hwynebu yw fod gan ormod ohonom, yn enwedig y Cymry proffesiynol cysurus ein byd, llawer ohonom yn raddedigion y Brifysgol ei hun, ormod i fod yn ddistaw yn ei gylch. Tasg llywodraeth Gymreig fyddai creu amodau cwbl wahanol i'r amodau sydd heddiw ar gyfer cynnal ac ariannu Prifysgol Cymru. Drwy gymorth y llywodraeth, dylai'r Brifysgol allu cynnig telerau ffafriol iawn, nid yn academaidd ond yn ariannol, i bawb wedi ei eni a'i fagu yng Nghymru sy'n dymuno astudio am ei graddau. Fe atelid yn y fan yr arferiad o ganu'n iach i Gymru yn ddeunaw oed, ac fe gâi'r Cymry rhwng deunaw a thair ar hugain brofiad newydd a gwerthfawr iawn, sef *practis aros gartref*. Diffyg dosbarth llywodraethol brodorol, sefydlog, hunanbarhaol fu ein problem genhedlig drwy'r canrifoedd a'r cenedlaethau; dyna un rheswm pam y mae'r Albanwyr, ar rai achlysuron, yn ymddangos gymaint yn fwy hyderus na ni. Methiant fydd pob trefn lywodraeth yng Nghymru oni lwydda i feithrin to newydd o Gymry galluog sy'n fodlon *gwneud y peth syml*: a'r peth syml hwnnw yw aros yn eu gwlad eu hunain i berchenogi'r siop, i yrru'r drol ac i redeg y sioe. Y mae'n gwestiwn mawr a ddaw'r Brifysgol, ar y dechrau beth bynnag, o dan reolaeth y Cynulliad. Rheolir ei gweithgarwch ar hyn o bryd gan ddau neu dri o Gwangoau hynod ddiffaith a dinistriol eu hagwedd. *Pe bai* addewid yn cael ei gwireddu – nid wyf yn hyderus y caiff – ac y cawn weld yn gwawrio hyfryd ddydd

Coelcerth y Cwangos, byddai'r gwaethaf o'r rhain, corff anfad o'r enw HEFCW, yn ddewis addas i'w sodro fel Guto Ffowc ar ben y twmpath fflamllyd. Y mae'r diwygio a'r atrefnu sy'n angenrheidiol ar y Brifysgol yn dasg ry fawr i Gynulliad ac iddo'r galluoedd a ragwelir ar hyn o bryd. Tasg i senedd, tasg a fydd yn gofyn deddfu, fyddai creu amodau newydd ar gyfer cynhaliaeth a gweithrediad y Brifysgol: ond hyd nes wynebir y dasg hon, ofer fydd disgwyl gwir adfywiad ym mywyd economaidd Cymru.

Dau etholiad

Erbyn y daw etholiad 1999 bydd gan Blaid Symud Ymlaen un polisi eglur a phendant i ymffurfio o'i gwmpas: cydraddoldeb â'r Alban. Dyma beth y gall pob Cymro ei ddeall, a bydd yn syn gennyf os na bydd yn dechrau hel cefnogaeth yn yr ardaloedd 'Na' yn ogystal â'r ardaloedd 'Ie'. Dyweder hyn yn ddigon uchel, ac fe balla'r cof am y 'Na'. Mentraf feddwl hefyd y gall y polisi hwn fod yn sail peth cynghreirio rhyngbleidiol, hyd yn oed yn yr etholiad cyntaf. Erbyn etholiad 2003 dylai'r alwad hon fod yn uwch, dylai'r cynghreirio fod yn fwy mentrus, a dylid dechrau crybwyll posibilrwydd arall hefyd: cydraddoldeb â Lloegr.

Yn awr, y mae hyn yn rhagdybio un peth ychwanegol y tueddodd cenedlaetholdeb Cymreig i'w esgeuluso hyd yma, ond peth y bydd raid i genedlaetholdeb wrtho os yw am gael ei gymryd o ddifri gan drwch y Cymry: gweledigaeth o ddyfodol y Deyrnas Gyfunol. Fel yr wyf wedi dweud o'r blaen nes fy syrffedu fy hun, Brytaniad yw'r Cymro; neu, a'i roi fel arall, y Cymro yw'r Brytaniad. Nid ar chwarae bach y gollynga'i afael ar y wlad ddychmygol sydd eto'n wlad y galon iddo, Ynys Brydain. Nid yw erioed wedi dygymod â'r syniad ei fod wedi ci cholli (ac efallai, fel y mae'n rhaid pwysleisio o hyd, mai dim ond syniad ydyw). Oni chaiff ddal ei afael arni, ac yn wir gryfhau ei afael arni, mewn rhyw ffordd gadarnhaol, fe fydd ei awydd unwaith eto, fel sawl tro yn y gorffennol, yn cymryd ffurf negyddol ac afiach, ffurf a grynhoir yn deg a thaclus yn y pedwar gair 'Isio Bod yn Sais'. Daw cefnogaeth eang a dofn i'r syniad o ymreolaeth Gymreig pan welir hynny nid fel llai o lais, ond fel mwy o lais, yn llywodraeth Ynys Brydain.

Un deyrnas, dwy goron

I'r cwestiwn 'A fydd hyn yn chwalu undod y Deyrnas?' gellir ateb 'Na fydd', a'i feddwl. Ystyr galw'r Deyrnas yn 'Unedig' yw fod yr un brenin neu frenhines yn gwisgo'r ddwy goron, coron Lloegr a choron yr Alban. Rhywbeth rhwng yr Albanwyr a'r Saeson yw hynny, ac i raddau bychan iawn yr effeithid arno gan unrhyw beth a wnawn neu a ddywedwn ni'r Cymry. Fel i'r cwestiwn 'A yw'r Deyrnas yn debyg o ymrannu?', yr un modd i'r cwestiwn 'A fyddech chi'n dymuno i hynny ddigwydd?' fe ddylai cenedlaetholwr o Gymro allu ateb ar gydwybod 'Na fyddwn'. Mi fentraf broffwydoliaeth arall, gan nad oes gennyf ddim i'w golli: os bydd, ryw ddiwrnod, i'r Deyrnas ymrannu ac i ran neu rannau ohoni fynd yn freniniaethau neu weriniaethau annibynnol, nid cenedlaetholwyr Cymreig a fydd wedi mynnu hynny. Na chenedlaetholwyr yr Alban ychwaith. 'Now let England leave the U.K.' oedd pennawd un o golofnau'r *Sunday Telegraph* y Sul wedi refferendwm yr Alban. Byddwn barod am ragor o alwadau fel hyn.

Mewn cywair tra gwahanol bu un o gyfranwyr y *Times*, yr Arglwydd Rees-Mogg, yn ysgrifennu droeon yn ystod y misoedd diwethaf gan annog Saeson i dderbyn bod proses wedi ei chychwyn o ail-greu'r Deyrnas, a chan annog Ceidwadwyr i ailddarganfod eu swyddogaeth fel pleidwyr cenedligrwydd y tair cenedl, Lloegr, yr Alban a Chymru. 'Ni bydd datganoli wedi ei gwblhau,' ysgrifennodd ym mis Gorffennaf, 'nes bydd gan Brydain drefn ffederal gyflawn gyda phwerau cyfartal i'r Alban, Cymru a Lloegr'. Dylem groesawu'r dystiolaeth fod rhywun yn Lloegr o'r farn na fyddai trefniadaeth fel hon yn annerbyniol; o'm rhan fy hun gallaf lwyr gefnogi ei safiad yntau o blaid undod ac ymreolaeth Lloegr ac yn erbyn ei rhannu'n nifer o ranbarthau Ewropeaidd. Cadwed y Cymro ei lygad ar y nod: cydraddoldeb â Lloegr, nid â Gogledd Orllewin Canolbarth Lloegr.

Tua 2004

Ymhen blwyddyn ar ôl ethol y Cynulliad am yr eildro fe ddaw cyfle rhagluniaethol a hanesyddol arall. Cyfeirio'r wyf at chwe chan mlwyddiant Senedd Machynlleth, nas diddymwyd erioed.

Disgwyl mawr yw disgwyl y bydd gan y Cynulliad alluoedd i helaethu ei alluoedd ei hun. Mwy tebyg mai fel arall y bydd hi, gyda gwaharddiad pendant ar unrhyw newid yn ei natur ac eithrio drwy ddeddf yn Senedd Llundain. Ni all y Cynulliad ei droi ei hun yn senedd, ac ni all ychwaith greu senedd. Ond bydd yn berffaith bosibl i *aelodau*'r Cynulliad gwrdd *fel* senedd, ynghyd ag eraill, hyd at nifer y cytunir arno, a fydd wedi eu hethol yr un mor ddemocrataidd â hwythau. Pwy a ddylai'r eraill hynny fod? A yw, er enghraifft, yn ddymunol mewn egwyddor bod llywodraeth leol yn cael ei chynrychioli mewn senedd ganolog? Ai ynteu cloffrwym fyddai hynny? Yr wyf wedi ceisio codi'r cwestiwn o'r blaen, ond nid oes ar neb eisiau ei drafod. Nid oes neb o'r Cymry chwaith fel petaent yn deall mor bwysig yw bod y senedd Gymreig, i ddechrau, wedi ei sefydlu'n annibynnol, a'i phwerau'n dod iddi nid drwy rodd ond drwy gytundeb, a'r cytundeb hwnnw'n cynnwys darpariaeth i'w adolygu ei hun ymhen hyn-a-hyn o flynyddoedd. Dyna'r unig sicrwydd rhag ei dileu'n unochrog gan lywodraeth San Steffan.

Am fod y refferendwm wedi digwydd, ac am iddo fod yn llwyddiannus, bydd y chwe chan mlwyddiant yn llai peth nag y byddai fel arall. Cawsom y ddrama ar Fedi 18-19, a chyda pheth lwc fe gawn beth o'r ddefodaeth ddiwrnod agor y Cynulliad. Ond mae 2004 yn dod, ni allwn ei hosgoi, a chywilydd arnom os gadawn iddi fynd heibio gyda dim ond cwpl o ddarlithoedd a phasiant. Dyma gyfle aruthrol i Gymru symud i gêr uwch, cyfle na chaiff yr Alban mohono am efallai genhedlaeth eto. Dibynna lawer ar beth fydd nerth Plaid Symud Ymlaen erbyn hynny, a dyma'r pennaf rheswm dros ddymuno gweld y blaid honno'n ymffurfio. Mae'r rhan fwyaf o'r bobl a weithiodd yn galed dros 'Ie' fis Medi diwethaf yn debyg o fod yn 'bobl chwaneg' hefyd. Fe ddylent ddal mewn cyswllt, dan ryw enw neu'i gilydd, a dechrau cynllunio sut orau i fanteisio ar y cyfle cwbl unigryw a roddir inni ymhen chwe blynedd.

Senedd wedi ei sefydlu'n annibynnol, ond bellach drwy gyfranogiad aelodau etholedig y Cynulliad, ac yn gosod yn nod cyfansoddiadol iddi ei hun gydraddoldeb â Thŷ'r Cyffredin, dyna'r offeryn a ddwg Gymru oll ynghyd ac a rydd ar waith y chwyldro a fydd yn symud ymaith warth y canrifoedd. 'Gwna'n un o Brestatyn i Aberdaugleddau' fo'r arwyddair y tro nesaf. Yn y cyfamser, testun rhyfeddod a diolch a llongyfarch yw'r ymgyrch a sicrhaodd fod Gwlad yr 'Ie' yn ymestyn yn ddifwlch o Lanfair-yng-Nghornwy ym Môn i Lyn Ebwy yng Ngwent. Aruthrol o gyflawniad. Ychydig iawn ohonom, ychydig fisoedd yn ôl, a gredai y byddai'n bosibl. Yn sicr nid oeddwn i'n un. Rhywun am damaid o het, cyn imi ei gorffen?

[*Taliesin* 100, Gaeaf 1997]

SENEDDAU A SOFRANIAETH

Chwe chan mlwyddiant

Y cwestiwn mawr nesaf sy'n ein hwynebu ni Gymry yw pa ddefnydd a wnawn o'r flwyddyn 2004. Bydd yn chwe chan mlwyddiant senedd Owain Glyndŵr. Mae'n debyg y bydd yna ddarlith neu ddwy. Arddangosfa efallai. Pasiant? Opera roc? Stamp, tybed? Crys T o leiaf. Rhywbeth arall? A wnawn ni'r coffâd hwn yn gyfle i adeiladu'n sylweddol ar yr hyn a enillwyd ar 18 Medi 1997? Os na wnawn, bydd eisiau edrych ein pennau. Yn y flwyddyn '04 dylem ailgynnull Senedd y Cymry.

Erbyn hynny, gyda pheth lwc, bydd gan y Cynulliadwyr ychydig o brofiad y tu ôl iddynt. Byddant, gobeithio, wedi cael ambell ddadl go boeth, i brofi fod democratiaeth yn gwreiddio yn ein plith.

Yn y cyfamser bydd y sofraniaeth yn dal yn Llundain. Gwnaed hynny'n gwbl glir i'r Albanwyr gan Tony Blair ar drothwy'r refferendwm.

Sofraniaeth – y ddelwedd

Mae'r syniad o sofraniaeth yn un amlweddog a diddorol. Yn ogystal â gwleidyddion a diplomyddion, bu gan astudwyr llenyddiaeth, chwedl a mytholeg lawer i'w ddweud amdano, ac ystyr braidd yn arbennig i'w rhoi i'r gair. Yn ôl un ffordd o feddwl, duwies y wlad neu'r tir yw'r sofraniaeth. Cyffredin mewn chwedl yw bod yr arwr yn dod i feddiant y wlad drwy briodi'r arglwyddes sy'n ei chynrychioli. Daeth Macsen Wledig i feddiant Ynys Brydain drwy briodi Elen o Arfon – esboniad ar berthynas Rhufain a Phrydain a oedd yn plesio'r hen Gymry'n o lew. Yn chwedl Macsen, ac yng nghainc Branwen o'r Mabinogi yr un modd, ymddengys y sofraniaeth mewn gwedd amlwg ac anodd ei chamddeall; gwelodd ysgolheigion hi hefyd, yn llai amlwg ond yn ddigon hawdd i'w hadnabod wedi i rywun dynnu sylw ati, mewn chwedlau eraill megis Iarlles y Ffynnon a Pheredur. Cynrychiolwyr y sofraniaeth yw'r tair brenhines yn y chwedlau Arthuraidd, a chân y sofraniaeth yw 'Cân y Tair Brenhines' yn *Ymadawiad Arthur* T. Gwynn Jones. Sonia'r arbenigwyr lawer am wedd gadarnhaol a gwedd negyddol y sofraniaeth, a'r modd y gall newid ar drawiad o fod yn wrach hyll i fod yn wraig ifanc hardd, yn ôl yr agwedd a gymerir tuag ati. Yn nrama W.B. Yeats, *Cathleen ni Houlihan* digwydd hyn mewn amrantiad wedi i'r arwr ifanc benderfynu dilyn yr hen wraig. Ymhen blynyddoedd ar ôl ei hysgrifennu, cafodd Yeats ambell bang o anesmwythyd ynghylch y ddrama hon:

> Did that play of mine send out
> Certain men the English shot?

Ffigurau sofraniaeth, sydd bellach yn bur gyfarwydd i ddarllenwyr llenyddiaeth Gymraeg, yw'r ddwy frenhines yn y nofel *Un Nos Ola Leuad*, Brenhines yr Wyddfa a Brenhines y Llyn Du – gyda mam yr adroddwr, efallai, yn ymuno â hwy i wneud trindod. Ffigur sofraniaeth, yr un modd, yw unrhyw ferch sydd wedi ei dewis i gynrychioli tir neu wlad mewn defod, ddifrif neu wamal: Miss World, Miss Royal Welsh, a chyflwynyddion yr Aberthged a'r Corn Hirlas (Mam y Fro a Rhiain y Fro) yn nefodau'r Eisteddfod. A'r ddelw fwyaf cyfarwydd i ni o hyd, er na welwn hi cyn amled erbyn hyn, yw Britannia orseddog ar ein darnau arian. Fe'i cedwir bellach yn unig ar y darn hanner can ceiniog, sef y peth nesaf sydd gennym at hanner sofren. Hi yw sofraniaeth Ynys Brydain, a cheisia rhai ein rhybuddio y bydd hi'n ymadael o'n plith os cytunwn i dderbyn yr arian cyffredin Ewropeaidd ac i fynd yn rhan o Ewrop ffederal.

Sofraniaeth – y sylwedd

Oes, y mae cysylltiad digon cryf rhwng y sofraniaeth weladwy, bersonol sydd o ddiddordeb i astudwyr chwedl a llenyddiaeth, a sofraniaeth, y peth ymarferol hwnnw y bydd gwleidyddion yn sôn amdano, ac a ddylai fod o ddiddordeb i bawb ohonom fel etholwyr a threthdalwyr. Gallwn wahaniaethu rhwng sofraniaeth o fewn gwladwriaeth, sef y gwir awdurdod o fewn gwlad; a sofraniaeth yn y byd cydwladol, sef mesur y rhyddid sydd gan wlad yn ei hymwneud â gwledydd eraill:

(1) O fewn gwladwriaeth, fe berthyn y sofraniaeth i'r sawl sy'n penderfynu neu'n gwir lywodraethu. Yn y Deyrnas Gyfunol, y mae amwysedd sylfaenol a pharhaol ynghylch y sofraniaeth, gwaddol gwrthdaro cyfansoddiadol yr ail ganrif ar bymtheg. Clywn ddigon o sôn am 'sofraniaeth y Senedd', a digon o ddarogan y dyddiau hyn y bydd hwnnw'n cael ei ddwyn ymaith os bydd mwy o ddatganoli mewnol neu fwy o ganoli Ewropeaidd. Ond ar yr un pryd y mae'r Frenhines yn sofran. Er gwell neu er gwaeth, nid dinasyddion mo neb ohonom ym Mhrydain, ond deiliaid. Gallwn o hyd gael ein dienyddio am deyrnfradwriaeth, sef am weithio yn erbyn buddiannau teyrnas Loegr fel y corfforir honno yn y Frenhines. Daw adegau pan nad oes Senedd, megis pan fo'r Senedd wedi ei diddymu ar gyfer etholiad cyffredinol. Ond y mae'r Frenhines yn ei Chyngor yna drwy'r adeg, a gellir dal yn ddigon teg mai dyna wir lywodraeth y Deyrnas. Profwyd hyn ddwywaith yn yr ugeinfed ganrif pan gyhoeddodd y Cyfrin Gyngor, gyda dim ond dau neu dri yn bresennol, ryfel yn erbyn yr Almaen heb deimlo bod raid iddo ymgynghori â'r Senedd – a heb i neb o blith y Senedd awgrymu y dylai. Dyna ryfeddod llywodraeth Prydain, yr unig lywodraeth o'i bath yn y byd efallai: y mae'r Goron, o un agwedd, yn gwbl ddiallu; ac eto mae'n sofran. Prydain Fawr yw'r unig wir frenhiniaeth ar ôl yn y byd, ac efallai mai Archddugiaeth Luxembourg a ddaw nesaf ati. Am y 'breniniaethau' Protestannaidd eraill (Gwledydd

Llychlyn, Belg a'r Iseldiroedd), a chyda hwy bellach y frenhiniaeth seciwlar a wnaeth gymaint i ddwyn mesur o ddemocratiaeth i Sbaen Gatholig, ffug-freniniaethau ydynt i gyd – yn union fel y mae Ffrainc, yr enwocaf o'r gweriniaethau, yn ffug-weriniaeth yn y bôn ac yn methu byth â gweithredu'n ymarferol ond fel brenhiniaeth.

(2) Yn y cyswllt cydwladol, ystyr sofraniaeth yw annibyniaeth, a'r prawf ar wladwriaeth annibynnol yw y gall hi ddewis ei hochr mewn rhyfel, neu ddewis peidio â chymryd ochr. Er bod pris cymryd ochr yn llawer iawn uwch, y mae pris i'w dalu am niwtraliaeth hefyd, fel y dangosodd rhai datgeliadau diweddar am ochr dywyll niwtraliaeth Sweden a'r Swistir yn yr Ail Ryfel Byd. Un diwrnod ym 1945 bu raid i gynrychiolydd llywodraeth Iwerddon lyncu'n galed a mynd i gydymdeimlo â llysgennad yr Almaen ar farwolaeth Herr Hitler. Dyn a ŵyr beth oedd ei feddyliau. Ni wyddom chwaith feddyliau Dug Caeredin pan safai ar lan bedd yr Ymerawdwr Hirohito yn cynrychioli ei briod a phawb ohonom, ei deiliaid, yn yr angladd. Mae diplomyddion a phenaethiaid gwladwriaethau'n derbyn fod pethau fel yna'n digwydd rhwng gwledydd sofran.

Annibyniaeth – ie pam lai?

Wedi cael Cynulliad ac wedi i hwnnw ddechrau cael ei draed dano, at beth yr anelwn ni Gymry wedyn? Sofraniaeth? A hynny'n gyfystyr ag annibyniaeth? A oes unrhyw beth yn erbyn hynny?

Mae hanes rhyfedd braidd i'r gair 'annibyniaeth' yng ngeirfa Cymry gwlatgar. Yn rhan olaf oes Victoria yr oedd yn air y clywid digon ohono mewn caneuon ac areithiau. Llaw-fer ydoedd am rai o'r pethau ar raglen Rhyddfrydwyr yr oes, yn cynnwys sbario talu'r Degwm, yr hawl i addysg rad anenwadol, a'r cyfleustra i ddysgu Saesneg. Yn fuan wedi sefydlu'r Blaid Genedlaethol ym 1925, diflannodd 'annibyniaeth' o eirfa swyddogol cenedlaetholdeb, er iddo ddal i gael ei ddefnyddio'n answyddogol. Yn ei ddarlith *Egwyddorion Cenedlaetholdeb* (1926) rhoddodd Saunders Lewis ddiofryd ar y gair, a dilynwyd ef yn bur gysáct gan y deallusion a'r cenedlaetholwyr mwyaf ymwybodol. O fudiad a fu'n eithriadol o eclectig mewn pethau eraill, glynodd Plaid Cymru'n rhyfeddol o gyson at ei hegwyddor 'Rhyddid nid Annibyniaeth', ac fe'i ceir weithiau o hyd yn ceisio'i hesbonio i gynulleidfaoedd di-ddeall. Gydol yr un cyfnod bu Plaid Genedlaethol yr Alban yn defnyddio'r gair 'annibyniaeth' yn ddiedifar.

Gallwn ddeall beth oedd ym meddwl Saunders Lewis. Yr oedd yn bwriadol ymwrthod ag un o ystrydebau Cymru Fydd. Yr oedd hefyd yn datgan yr egwyddor y dylai fod awdurdod cydwladol uwchlaw gwladwriaethau. Y model a oedd ganddo ef yn ei feddwl oedd ymddarostyngiad gwladwriaethau'r Oesau Canol a'u penaethiaid i awdurdod moesol y Pab, ac mewn rhyw ystyr y mae ei freuddwyd wedi ei wireddu gydag ymostyngiad cynyddol pymtheg gwladwriaeth y Gymuned Ewropeaidd i awdurdod y Comisiwn ym Mrwsel. Math o Babaeth neu offeiriadaeth yw'r Comisiwn: fel y Pab y mae wedi ei ethol, ond yn anuniongyrchol iawn a chan etholaeth dra chyfyngedig; y mae'n llywodraethu drwy ordinhadau, ac nid yw'n atebol i neb.

Mewn gwirionedd nid oedd dim o'i le ar y gair 'annibyniaeth', ac nid oes eto. Nid enillodd Plaid Cymru ddim o beidio â'i ddefnyddio. Oni ddaeth yn adeg ei arddel?

Un peth yn unig sydd yn erbyn hynny, sef arfer neu draddodiad meddwl y Cymro.

Cymro, Brytaniad a Sgotyn

Y mae'r Cymro hefyd yn Frytaniad. Y mae ganddo afael gref o hyd ar wlad o'r enw Ynys Brydain. Hawdd y gellid dangos mai gwlad ddychmygol yw hi; nid yw'n cynnwys yr Alban, ac am hynny nid yw'n union gyfateb i'r ynys ddaearyddol. Credodd yr hen Gymry eu bod unwaith wedi ei meddiannu o gwr i gwr, ond iddynt ei cholli. Fel barnedigaeth ddwyfol am bechodau'r Cymry – dyna'r gred waelodol – fe drosglwyddwyd sofraniaeth Ynys Brydain i'r Saeson. Yn ystod y canrifoedd bu mwy nag un ymateb gwahanol i hyn. Un ymateb fu credu fod y Cymry wedi derbyn ad-daliad am y golled, sef popeth a ddeilliodd iddynt o'r Diwygiad Protestannaidd: dyletswydd y Cymry felly, ac yn wir eu hunig ddewis, oedd derbyn y golled wleidyddol ac ymroi i fod yn well Cristnogion yn ôl y ddealltwriaeth Brotestannaidd. Ymateb arall oedd chwilio am gyfle i gipio'n ôl y sofraniaeth goll: credodd llawer o Gymry fod y cyfle hwnnw wedi dod pan ymddangosodd gŵr o dras Gymreig yn brif hawlwr dros un o'r pleidiau yn ymrafael dynastig Lloegr y bymthegfed ganrif. Y canlyniad fu brwydr Bosworth a phopeth a ddeilliodd o hynny.

Dwy ochr i'r un geiniog yw, ar y naill law, yr hen ddyhead a fynegwyd mewn brut a brud am erlid y Saeson i gyd yn eu holau i'r môr; ac ar y llaw arall yr awydd a deimlodd llawer Cymro i 'fod yn Sais'. Fel hyn y gweithia'r rhesymeg. Y Cymry oedd biau Ynys Brydain oll unwaith; fe'i meddiannwyd hi gan y Saeson; felly'r ffordd i'w meddiannu'n ôl yw troi'n Sais. Yr oedd y rhesymeg hon yn un elfen ymhlith eraill ym mudiadau gwladgarol y bedwaredd y ganrif ar bymtheg, ac erys olion ohoni o hyd. Saif Lloyd George ar Faes Caernarfon mewn ystum barhaol o godi ei ddwrn ar rywun neu rywrai. Ar bwy ond ar y Sefydliad Seisnig? Saif Aneurin Bevan yr un modd yng Nghaerdydd, yn ei ystum nodweddiadol pan fyddai'n gwawdio twpdra'r un Sefydliad. Prynodd y ddau ohonynt ffermydd yn Lloegr fras.

Ceisia cenedlaetholdeb modern osgoi dau eithaf y ffordd hon o feddwl. Dywed wrth y Cymro: 'Nid oes raid iti fod yn Sais, ac nid oes raid iti ei hel i'r môr chwaith. Gad iddo lle mae, a dal dithau d'afael ar yr hyn sydd gennyt.' Synnwyr cyffredin yw hyn, gyda'r rhinwedd o roi i'r Cymro syniad gwleidyddol a dinasyddol amdano'i hun, yn lle'r hen syniad hiliol. Daliai'r hanesydd A.W. Wade-Evans, un o broffwydi mwyaf diddorol cenedlaetholdeb Cymreig modern, mai chwedl gelwyddog yw stori'r goncwest Eingl-Sacsonaidd, ac na fu i'r Brytaniaid golli'r Ynys o gwbl. Mae rhywbeth apelgar iawn yn ei syniadau, a hawdd y gellid rhestru rhai o ddrwg-effeithiau 'myth y goncwest' nid yn unig ar feddyliau Cymry ond ar feddyliau Saeson hefyd. Os cymerodd yr Eingl a'r Saeson Ynys

Brydain oddi ar y Brytaniaid, rhaid bod rhyw gyfiawnhad moesol dros hynny: fel yna yr ymresymodd Saeson drwy'r cenedlaethau. Rhaid bod y Brytaniaid yn bobl anghymwys, annheilwng, neu eu bod wedi pechu yn erbyn Duw mewn rhyw fodd. Dyna safbwynt y mynach Beda yn yr wythfed ganrif, ac fe'i dilynwyd gan lawer. Ym 'myth y goncwest' y mae gwreiddiau gwrth-Gymreigrwydd traddodiadol y deallusion Seisnig. Y Cymry, o hyd, yw'r 'peth arall' yn Ynys Brydain, y peth na ddylai fod yno.

Ni bu gan yr Alban y cymhlethdod hwn. Safodd hi tu allan i'r ymryson am sofraniaeth Ynys Brydain. Y mae'n wahanol i Gymru o ran ei sefyllfa, ei hesblygiad, natur ei chenedligrwydd a'i pherthynas â Lloegr. Er maint eu hymraniadau a'u hymrysonfeydd mewnol, sy'n aml yn peri i raniadau Cymru ymddangos yn bethau digon bychain mewn cymhariaeth, meddyliodd yr Albanwyr amdanynt eu hunain am yn agos i fil o flynyddoedd fel cymundod gwleidyddol. Goroesodd eu brenhiniaeth tan ddechrau'r ail ganrif ar bymtheg, a'u senedd am ganrif arall wedyn. Nid yw'r syniad o sofraniaeth Albanaidd yn ddieithr nac yn chwithig i'r Sgotyn, ac efallai i Garreg Scone wasanaethu'r syniad hwn yn well drwy gael ei chipio gan Edward I na phetai wedi aros gartref! Digon posib i'w dychweliad seremonïol gyfrannu rhywbeth tuag at ganlyniad diamwys Medi '97.

Rhwng y naill beth a'r llall, gall cenedligrwydd yr Alban ymddangos yn beth cryfach a llai problemus na chenedligrwydd y Cymry. Wedi'r ddau refferendwm, diau fod llawer o Gymry'n gofyn 'Pam na allwn ni fod fel yna?' Yr ateb yw ein bod wedi'n rhaglennu'n wahanol. Er gwell neu er gwaeth, y mae'r Cymro'n Frytaniad. Dylai ein cynlluniau gwleidyddol ganiatáu ar gyfer y ffaith hon.

Adeg ailfeddwl

Yn Nhachwedd 1997 cyhoeddodd yr hen Dori Peregrine Worsthorne ysgrif yn y *Daily Telegraph* yn datgan ei fod wedi colli ei ffydd yn y pethau y bu'n eu pregethu drwy'r blynyddoedd. Yr oedd canlyniadau'r ddau refferendwm, problemau'r teulu brenhinol, a'r sôn beunyddiol am ragor o integreiddio Ewropeaidd yn gefndir i'r cyfan. 'The Bonfire of the Certainties' oedd enw'i ysgrif.

Mewn cenedlaetholdeb Cymreig yr un modd, mae'r pethau sicr yn llai sicr, nid yn gymaint oherwydd eu llosgi mewn coelcerth ag oherwydd eu llygru gan wyfyn a rhwd ers rhai blynyddoedd. Wedi trawma 1979, aeth y mudiad cenedlaethol gwleidyddol heb ddim i'w ddweud. Ni chyhoeddir na *Draig Goch* na *Welsh Nation*, ac nid oes unrhyw bapur sy'n cynnal dadl cenedlaetholdeb o wythnos i wythnos fel y gwnaeth y *Faner* am yr hanner can mlynedd o'r 1920au i'r '70au. Cododd cenhedlaeth nad adnabu Joseff, am nad oedd cnewyllyn ohoni'n clywed y dadleuon yn gyson. Da fyddai iddi ddarllen cyfrol newydd y Lolfa o ysgrifau Harri Webb, iddi gael gwybod beth *oedd* cenedlaetholdeb. Rhyfeddod yr ugain mlynedd diwethaf yw i Blaid Cymru ddal ei dwy sedd ac ychwanegu dwy atynt, yng nghanol y fath wacter ideolegol. Prif achos hyn fu'r Mewnlifiad, ac ymateb y Cymry Cymraeg iddo: enghraifft o genedlaetholdeb ethnig yn *llawer gwell peth na dim*, yn niffyg y cenedlaetholdeb dinasyddol y deisyfa rhai ohonom, gyda rhesymau da, am ei weld yn ymwreiddio.

Ar unigolion ac ar bleidiau, daeth yn adeg ailfeddwl. Darllenwn fod Ceidwadwyr yr Alban yn chwilio am enw newydd, ac yn troi yn eu pennau bosibiliadau cyffrous fel 'The Progressive Unionist Party', 'The Scottish Unionist Party' a 'The Scottish Democratic Conservative Party'! Mae rhai, yr un modd, am newid enw Plaid Cymru, ac am gael enw Saesneg arni. Beth am fynd yn ôl at yr hen bâr o enwau, 'Plaid Genedlaethol Cymru' a 'The Welsh Nationalist Party'? O ddifrif, fe all y gwelwn adeg yn dod pan fydd enw newydd yn addas a naturiol: ond yr adeg i gael enw newydd yw'r adeg pan ymffurfia plaid newydd, o fewn neu o gwmpas y Cynulliad. Cawn weld beth a ddaw. Nid peth dibwys yw enw, ond o'r ddau, mae polisi'n bwysicach. Fe ymffurfia plaid newydd, os o gwbl, o gwmpas polisi.

Ceir heddiw amrywiaeth o farnau ymhlith cefnogwyr Plaid Cymru, hyd yn oed ynglŷn â'r polisi canolog, ymreolaeth. Yn y naill begwn, deil yr arweinyddiaeth i sôn am 'senedd lawn yn Ewrop'. (Sut senedd yw 'senedd lawn'? Senedd heb sedd wag?) Yn y pegwn arall awgrymodd un o'i hymgeiswyr y dylai roi ymreolaeth o'r naill du am ddeng mlynedd, gan ganolbwyntio ar gystadlu yn erbyn Llafur â pholisïau economaidd a chymdeithasol. Aeth yr hen dermau yn angof. Yng ngeirfa cenedlaetholdeb Cymreig modern bu dau air, ar wahanol adegau, yn diffinio'r nod cyfansoddiadol: 'dominiwn' oedd un, a 'chydffederasiwn' oedd y llall. Ni chlywn ddim sôn, erbyn hyn, am 'statws dominiwn', a gwanhau y mae ei arwyddocâd yn y byd. Syniad ydoedd a wasanaethodd dros dro tra oedd Lloegr yn gollwng gafael ar ei hymerodraeth. Yn rhesymegol mae'n amhosibl i wlad – Cymru neu'r Alban, dyweder – fod yn ddominiwn o Brydain ac ar yr un pryd yn uned gyfansoddol mewn cydffederasiwn a elwir 'Prydain'. O'r ddau syniad, cydffederasiwn yw'r mwyaf perthnasol, ac efallai y daw ei awr eto.

Fel y neseir at etholiad cynta'r Cynulliad, ac yn y byd a fydd ohoni wedi i'r Cynulliad agor, bydd 'cydraddoldeb â'r Alban' yn nod da i ymreolwyr Cymreig ei osod. Y mae'n rhywbeth dealladwy ac yn anodd ei wrthwynebu. O'i ganfasio'n ddigon egnïol, fe ddylai gasglu cefnogaeth yn ardaloedd y 'Na' yn ogystal ag ardaloedd yr 'Ie', a bod yn gyfrwng i dynnu dau hanner y wlad at ei gilydd. Yn hyn o beth y mae greddf arweinwyr y Blaid yn gywir. Ond fe ddylid mynd ymhellach. Fel rhan o'r ailfeddwl a orfodir arnynt gan ddiwedd canrif a diwedd cyfnod, dylai cenedlaetholwyr Cymru ddechrau mwmian yn uchel am beth arall: cydraddoldeb â Lloegr.

Os na wneir hyn yn weddol fuan, fe all Cymru eto'i chael ei hun yn gydradd â rhywbeth arall – Mercia, East Anglia neu ryw North-West Midlands. A dyna ddadwneud y cwbl.

Cenedl, talaith a rhanbarth

Ddiwedd 1997 creodd y llywodraeth naw Swyddfa Ddatblygu Ranbarthol drwy hyd a lled Lloegr, a dehonglwyd hyn gan lawer fel cychwyn proses o ddatganoli llywodraeth i ranbarthau. Beth ddylai fod agwedd ymreolwyr Cymreig tuag at symudiad o'r fath? I ddechrau, dylid dweud nad oes ond rhyw ddwy neu dair o'r rhanbarthau hyn ag iddynt unrhyw hunaniaeth hanesyddol. Gall y De-Ddwyrain, rhwng Tafwys a Môr Udd, weld mantais mewn troi ei chefn ar weddill y Deyrnas a chlosio fwyfwy at ogledd Ffrainc, proses sydd eisoes wedi cychwyn. Rhwng ei Brenin Alfred a'i Thomas Hardy, gallai gwlad Wessex ailddarganfod rhyw fath o hunaniaeth. Yn ôl adroddiadau yn y wasg, mae'r 'Gogledd-Ddwyrain' yn barod i'w mentro hi ar ei liwt ei hun, a sonir am 'North-East independence' heb ymddiheuro dim ynghylch y gair a barodd y fath betrustod i genedlaetholwyr Cymru. Ar un wedd daw hyn yn haws i ranbarth nag i genedl, gan nad yw'n dwyn gydag ef ddim o ddewisiadau nac o gyfrifoldebau cenedl. Gŵyr pobl Northumbria ('Brynaich a Deifr', fel y byddai'r hen Gymry'n eu galw), mai Saeson a fyddant yr un fath yn union os agorir senedd yn Newcastle-upon-Tyne, ac na fyddai rheolau'r chwarae'n newid mewn unrhyw fodd sylfaenol. Gallant gellwair â'r gair 'annibyniaeth' gan wybod nad yw cwestiwn sofraniaeth yn cael ei godi o gwbl. Am fod iddi rai o briodoleddau cenedl, ac am mai ar y ffaith honno y seilir ei dadl, y mae'r dewis yn galetach i Gymru.

Yn y diwedd, mater i Loegr yw datganoli'n fewnol neu beidio. Ond ni ddylai cenedlaetholwyr Cymreig ruthro i gefnogi'r datblygiad hwn; dylent ei wrthwynebu hyd oni welir y dydd y bydd Cymru'n gydradd â Lloegr. Nid oes gan y rhan fwyaf o'r rhanbarthau tybiedig hyn fawr o ddadl dros ymreolaeth, llawer llai o ddadl nag sydd gan daleithiau hanesyddol Cymru. Y mae'r rheini'n wledydd go-iawn, wedi eu ffurfio unwaith o amgylch teuluoedd tywysogol.

Yn wir, dylai adfer hunaniaeth a hawliau ei gwledydd fod yn un o flaenoriaethau llywodraeth Cymru, gan dderbyn o ran hwylustod ambell un o'r ffiniau modern, megis yr un rhwng Gwynedd a Chlwyd. Dylai Caernarfon a Meirionnydd gael eu hadfer fel siroedd, i wneud trindod, fel erioed, gyda Môn, o fewn Gwynedd Uwch Conwy. Dylid adfer Sir Ddinbych i'w therfynau gan ddileu Sir Conwy, ac efallai ddatod Wrecsam i ffurfio sir gyda Maelor Saesneg. Rhoddai hynny fodolaeth unwaith eto i wlad Gwynedd Is Conwy, neu, ac arfer yr enw modern hwylus arni, Clwyd. Dylai Gwynedd, Clwyd, Powys, Deheubarth, Morgannwg a Gwent fod oll yn wledydd gyda rhyddid helaeth i amrywio'u polisïau yn ôl eu hanghenion ac yn ôl y patrymau cymdeithasol, ieithyddol ac economaidd o'u mewn, ond oll o dan gyfraith a lunir gan Senedd yr Holl Gymry.

Gellir dychmygu cydraddoldeb â Lloegr o fewn un o ddau fframwaith: (i) yn un o blith nifer o wladwriaethau tra amrywiol eu maint o fewn y Gymuned Ewropeaidd, pob un mor annibynnol, neu mor ddibynnol, â'i gilydd; (ii) yn un o dair uned genhedlig o fewn Prydain ffederal neu gydffederal; wrth dweud 'tair', rhagdybir na ellir ar unrhyw delerau dderbyn chwe sir Gogledd Iwerddon yn uned gydradd â Lloegr, Cymru a'r Alban dan drefniant o'r fath: byddai raid i wŷr Wledd ddod o hyd i'w dyfodol yn rhywle arall.

Y mae yma ddau ddewis clir, gyda dadleuon teg o blaid y naill a'r llall. O blaid y cyntaf y mae rhesymeg, synnwyr cyffredin a thaclusrwydd. O blaid yr ail y mae'r ffaith ei fod mewn rhyw ffordd yn cwrdd â dyhead y Cymro i ddal ei afael ar Ynys Brydain. Mi gredaf y byddai cefnogaeth eang yng Nghymru i'r syniad o gydraddoldeb â Lloegr o dan y Goron. Daliaf gan hynny mai dyma a ddylai fod yn bolisi cyfansoddiadol y mudiad ymreolaeth gan ddechrau adeg etholiad y Cynulliad. *Dylai rhagor o ymreolaeth olygu mwy, nid llai, o lais i'r Cymry yn llywodraeth Prydain.*

Dau ymateb Lloegr

Yn fuan wedi'r ddau refferendwm, galwodd Michael Ancram A.S. am 'ddyddiau Seisnig' yn y Senedd. Mae Teresa Gorman A.S., meddai hi, am gyflwyno mesur, wedi ei seilio ar fesurau'r Alban a Chymru, yn awdurdodi refferendwm ar ymreolaeth i Loegr. Os cyrhaedda'r mesur lawr y Tŷ, gobeithio y bydd cenedlaetholwyr yr Alban a Chymru yn ei gefnogi, oherwydd dyma'r union fiwsig yr ydym wedi bod yn disgwyl ei glywed drwy'r blynyddoedd. 'Hawliau cyfartal i Loegr' yw galwad Ms. Gorman. Wel ar bob cyfrif! Pwy a fyddai'n meddwl am wrthwynebu hynny?

Nid oes eisiau clust fain iawn i glywed dwy dôn wahanol yn y galwadau am ymreolaeth i Loegr. Tôn bwdlyd yw un. Fe'n rhybuddir y gall Lloegr droi tu min, ac fe'n cynghorir, er ein lles, i beidio â deffro'r cawr sy'n cysgu, cenedlaetholdeb Seisnig. Ond ceir tôn fwy hynaws hefyd, fel gan yr Arglwydd Rees-Mogg mewn ysgrifau yn y *Times*; geilw ar ei gyd-Geidwadwyr i ddarganfod swyddogaeth newydd fel gwarchodwyr tri chenedligrwydd y Deyrnas, ac awgryma fod yr amser wedi dod i feddwl o ddifrif am undeb ffederal lle byddai'r tair gwlad yn gydradd. Os oes pobl yn Lloegr yn meddwl fel hyn, y mae i'w groesawu. Rhydd inni ddehongli fel y mynnom eu cymhellion. Digon posibl fod y Ceidwadwyr yn ofni mai plaid Lloegr yn unig a fyddant yn y dyfodol, a bod gwell gobaith adfer Lloegr Doriaidd ar ôl gollwng gafael ar y ddwywlad arall.

Byddai hynny'n berffaith bosibl, ac fe gâi Lloegr ei chydraddoldeb (a'i llywodraeth Geidwadol), ond ymorol yn gyntaf am ddiwygio'r ail siambr yn y ffordd iawn. Os gellir dychmygu unrhyw beth gwaeth na thyaid o hen arglwyddi etifeddol, tyaid o hen arglwyddi am oes wedi eu henwebu gan y pleidiau yw hwnnw. Yn hytrach na throi'r ail siambr yn oruwch-gwango o enwebedigion plaid, troer hi'n siambr ffederal etholedig gyda chynrychiolaeth gydradd o dair cenedl yr Ynys hon, yn dŷ senedd a fyddai'n goruwchreoli seneddau Lloegr, yr Alban a Chymru i'r un graddau yn union â'i gilydd, bydded y graddau hynny fach neu fawr. Dyma'r ateb i 'Gwestiwn Gorllewin Gododdin'.

Cynulliad a Senedd

Cyfraniad y Cymry, yn y cyfamser, fyddai ailagor eu senedd eu hunain, fel bod yma yn barod dŷ senedd i'w osod yn gydradd â Thŷ Cyffredin Lloegr. Ni ellir troi'r Cynulliad yn senedd, a gobeithio bod pawb yn deall hynny. Fel Cynulliad y bwriadwyd ef, a bydd amodau a rheolau ei fodolaeth yn rhwystro ei droi, oddi fewn, yn ddim arall. San Steffan a fydd wedi gwneud yr amodau a'r rheolau hynny, ac ni all y Cynulliad ei hun eu newid, pa beth bynnag fydd ei liw gwleidyddol a pha faint bynnag o 'awydd chwaneg' a fydd ar ei aelodau. Ar y llaw arall – a dyma'r egwyddor a ddylai fod yn flaenaf yn ein meddyliau dros y pum mlynedd nesaf – *nid oes dim yn rhwystro i aelodau'r Cynulliad, os byddant yn dymuno, ymuno gyda chynrychiolwyr etholedig eraill i ffurfio senedd.* Gall cynulliad a senedd orgyffwrdd a chydfodoli am gyfnod, y Cynulliad yn trafod y pethau yr awdurdodwyd ef gan Westminster i'w trafod, a'r Senedd yn trafod... wel, unrhyw beth y teimla'i haelodau y dylid ei drafod. Ni pherthyn i'r Cynulliad, er enghraifft, drafod y priodoldeb o wario can miliwn o bunnau'r flwyddyn, fel y bwriada'r llywodraeth Lafur wneud, ar gynnal taflegrau Trident. Ond byddai hwnnw'n bwnc hynod briodol i Senedd y Cymry ei drafod. Byddai dechrau trafod amddiffyn yr Ynys yn ffordd o ddechrau hawlio cyfran o'r sofraniaeth.

Tair plaid

Bydd tair plaid yn y Cynulliad wedi ei etholiad cyntaf, a dyma'u henwau: (i) Plaid Chwalu a Dinistrio. Mae hon wrthi eisoes, a'i gwaith hi yw'r helynt ynglŷn â chartrefu'r Cynulliad. Fe glywn fwy amdani, neu bydd yn syn iawn. (ii) Plaid Edrych yn Bwysig a Pheidio â Gwneud Dim Byd Neilltuol. Efallai mai hon fydd y blaid gryfaf; mae etholaeth gref iddi dynnu arni, ac ni fydd raid iddi boeni am ymgeiswyr. (iii) Plaid Symud

Ymlaen. Dibynna popeth ar gryfder y blaid hon, a dyma ddylai fod ei pholisi dan dri phen:

(a) *Cyfansoddiadol.* Dylai ddatgan y nod o gydraddoldeb i Gymru, Lloegr a'r Alban o dan y Goron.

(b) *Economaidd a chymdeithasol.* Dylai gofio'n feunyddiol beth yw diben y Cynulliad: gwobrwyo'r rhai a bleidleisiodd drosto, sef Cymry cyffredin mewn gwlad a thref. Ac os daw ambell wobr anhaeddiannol i'r rhai a fotiodd yn erbyn, eu lwc hwy fydd hynny. Nid lle neb yw mynd ati i'w hamddifadu mewn unrhyw fodd.

(c) *Ieithyddol.* Dylai seilio'i pholisi ar argymhellion Cymdeithas yr Iaith Gymraeg, y corff sydd wedi rhoi mwyaf o sylw dros y blynyddoedd i'r agwedd hon. Dyma reswm cwbl ddigonol dros i'r Gymdeithas honno barhau mewn bod.

Diwygiad '04

Dibynna llawer ar beth a fydd tymer wleidyddol y Cynulliad, ac yn benodol beth fydd cryfder Plaid Symud Ymlaen, erbyn ei ail etholiad, sydd i'w gynnal ym Mai 2003. A fydd mwyafrif o aelodau'r Cynulliad erbyn hynny yn barod i fod, gydag eraill, yn aelodau o senedd Gymreig? Pe gellid sicrhau'r amod honno, gellid symud ymlaen fel hyn:

1. Dylid sefydlu neu ailsefydlu Ymgyrch annibynnol, ddi-blaid, gyda chelloedd ym mhob rhan o Gymru, i addysgu'r etholaeth ynghylch y pwysigrwydd a'r angenrheidrwydd o symud ymlaen oddi wrth gynulliad tuag at senedd.

2. Dylai cynrychiolaeth o'r Ymgyrch a chynrychiolaeth o'r Cynulliad ddod ynghyd i benderfynu ar y tri pheth hyn: (a) drafft-gyfansoddiad i'r

Senedd, yn cynnwys sut i rannu ei seddau rhwng aelodau'r Cynulliad ac aelodau wedi eu hethol yn ychwanegol; (b) drafft-eiriad llw ar gyfer aelodau'r Senedd, gan ystyried a fyddai gofyn iddo fod yn wahanol mewn unrhyw beth o bwys i lw aelodaeth y Cynulliad; (c) dull ethol y Senedd, gan ystyried a ddylai fod yn wahanol mewn unrhyw ffordd i ddull ethol y Cynulliad.

3. Dylid cynnal etholiad y Senedd *un ai* yr un diwrnod ag etholiad y Cynulliad, 2003, *neu* ar yr un diwrnod ym Mai ymhen y flwyddyn.

4. Dylai aelodau'r Senedd, yn Gynulliadwyr ac yn aelodau ychwanegol, ymgynnull ar ddyddiad addas yn 2004 er mwyn cymryd y llw a chorffori'r Senedd. Rhyngddynt hwy wedyn a pha mor aml y maent am gyfarfod, ac ym mhle.

5. Yn gyntaf peth ar ôl ei chorffori ei hun, dylai Senedd y Cymry fabwysiadu holl Ystatud Lloegr yn gyfraith dros-dro i Gymru. Gobeithio bod pawb yn deall ystyr a diben hyn. Datganiad ynghylch sofraniaeth fyddai. Heb newid, am y tro, yr un iota o Gyfraith Lloegr a Chymru, byddai'r Senedd newydd yn ei chyhoeddi ei hun yn gorff deddfwriaethol, a thrwy hynny yn rhoi rhybudd o'i bwriad i ddiwygio'r Ystatud o dipyn i beth. Byddai Cyfraith Lloegr wedyn yn gyfraith i'r Cymry, nid drwy fod wedi ei gosod gan San Steffan, ond drwy fod wedi ei mabwysiadu gan Senedd y Cymry; o'r foment honno byddem yn byw mewn byd gwahanol.

6. Yna dylai'r Senedd Gymreig hysbysu'r Cyfrin Gyngor yn ffurfiol ('drwy Ddeiseb' fel y dywedir) ei bod wedi ei chorffori ei hun.

7. Yn nesaf dylai'r Senedd Gymreig lunio diffiniad o'r pwerau y dymunai hi eu cael drwy gytundeb â Senedd Westminster; dylai lunio drafft o'r cytundeb, a drafft o ddeddf i'w chyflwyno yn nau Dŷ Westminster yn awdurdodi arwyddo'r cytundeb neu fersiwn diwygiedig ohono. Cytundeb

fyddai hwn i gydnabod senedd a fyddai eisoes yn bod, ac i rannu â hi nifer o bwerau diffiniedig. Cytundeb rhwng dwy senedd a fyddai, a thrwy hynny byddai'n wahanol yn ei hanfod i'r ddeddfwriaeth sy'n sefydlu'r Cynulliad. Byddai'r sofraniaeth seneddol wedi ei rhannu. Hanfodol hefyd yw bod y cytundeb yn cynnwys cymal yn awdurdodi ei adolygu ymhen cyfnod gosodedig o, dyweder, saith neu ddeng mlynedd. Beth os bydd Tŷ'r Cyffredin yn dweud 'Na'? Drosodd atat ti, y dyn sy'n medru proffwydo'r cyfan o'r dyfodol.

Oddi ar Fedi 1997 daethom yn gyfarwydd â chlywed yr ymadrodd 'Ymreolaeth fel proses barhaol'. Gweithredu fel yr amlinellir uchod yw'r un ffordd sicr o wireddu hynny.

A fyddai rhannu'r sofraniaeth yn golygu rhannu'r Deyrnas sydd fater arall, a mater nad oes a wnelom ni Gymry lawer ag ef. Mae'r Deyrnas yn 'Deyrnas Unedig' am fod yr un brenin neu frenines yn gwisgo coron Lloegr a choron yr Alban. Unig ystyr 'rhannu'r Deyrnas' yw gwahanu'r ddwy goron. Pobl eraill biau penderfynu ar hynny. Peidiwn â synnu'n ormodol os mai Lloegr fydd y gyntaf o dair cenedl yr Ynys i alw am annibyniaeth lwyr. Os daw galwad felly, bydd raid i ni ymateb iddi'n bwyllog ac ystyriol.

Yr un bardd ag a ddywedodd 'Duw a'm gwaredo, ni allaf ddianc rhag hon', a roddodd inni hefyd y llinell 'Rwy'n myned i rywle, ni wn i ble'. Ni ddylid llwyr ddirmygu egwyddor y llinell hon, ac mewn rhai sefyllfaoedd gall fod cystal egwyddor â'r un. Gŵyr pob gwleidydd beth yw cychwyn yn selog i un lle, a chyrraedd lle hollol wahanol. Daw adegau yn hanes mudiadau, ac yn hanes pobloedd hefyd, mentraf feddwl, pan yw'r teimlad ein bod yn 'myned i rywle' yn bwysicach o'r ddau na gwybod yn sicr i ble. Mae yna'r fath beth â theithio mewn gobaith. Ond inni gychwyn y broses yn y man iawn a'i gosod ar y llinellau iawn, fe ddaw'r sofraniaeth o hyd i'w lle mewn amser. Felly ni ddylem ymboeni'n ormodol amdani. Peth rhyfedd i'w ddweud, efallai, ar ddiwedd papur a neilltuwyd i'w thrafod.

A gaf i grynhoi? Ni byddai Diwygiad '04 yn rhoi inni annibyniaeth. Ond byddai'n rhoi inni *senedd wedi ei sefydlu'n annibynnol.* Byddai hynny'n gam allweddol yn y broses o drosglwyddo'r sofraniaeth.

O ddal ar bosibiliadau'r flwyddyn '04 a gweithredu fel yr awgrymir yma, neu mewn rhyw fodd tebyg, fe enillwn hanner sofren. Efallai y gwelwn fod hynny'n ddigon inni am genhedlaeth neu fwy. Ond efallai y daw'r hanner arall ynghynt na'r disgwyl.

[Pamffled, rhif 4 yng 'Nghyfres y Cynulliad' (Y Lolfa, 1998)]

BYW GYDA HANES

MAE BOB AMSER ddwy ystyr i'r gair 'hanes', sef yn gyntaf yr hyn a ddigwyddodd, ac yn ail yr hyn a adroddwyd. Ni allwn byth wybod y cyfan o hanes yn yr ystyr gyntaf; am hynny, os cywir rhesymeg un ysgol athronyddol, ni allwn wybod dim ohono. Am hanes yn yr ail ystyr, fe ellir dychmygu rhyw gyfrifiadur, ryw dro, yn storio ar ei gof y cyfan a roddwyd ar glawr. Y mae hanes yn y ddwy ystyr – yr hyn a fu, a'r hyn a ddywedwyd – gyda ni bob amser ac yn amodi'n gweithredoedd a'n dewisiadau. 'Rydym yn 'byw gyda hanes' yn y ddwy ystyr, a'r ail, os yr un, yn bwysicach na'r gyntaf. Wrth gyrraedd carreg filltir, megis troad canrif, troad milrif, neu gychwyn ar drefn gyfansoddiadol newydd, nid oes dim drwg mewn aros a gofyn: beth y mae hanes yn ei hawlio gennym? beth yw hyd a lled y dewisiadau y mae hanes yn eu caniatáu inni? beth a olyga byw gyda hanes?

Mae'r rhain yn gwestiynau neilltuol o berthnasol i ni Gymry, oherwydd oddi ar ein cychwyniad yr ydym wedi byw gyda hanes mewn ystyr arbennig, sef gyda dehongliad ohonom ein hunain ac o'n sefyllfa a'n tynged. Ni bu adeg yn ein hanes (ystyr 1) heb fod gennym fersiwn o hanes (ystyr 2) yn canlyn fel ci wrth ein sodlau. Dyma, at ddiben y drafodaeth hon, y peth y mae'n rhaid inni 'fyw' gydag ef.

Fel yr oedd y Cymry'n dechrau dod i fodolaeth, yr oedd stori'n cael ei hadrodd fod pobl o'r enw y *Britanni* wedi colli eu gwlad, 'Ynys Brydain', oherwydd eu pechodau. Yn gam neu'n gymwys, fe gredodd y Cymry mai hwy, neu eu cyndadau, oedd y *Britanni* hyn. Fe adroddwyd y stori gyntaf tua chanol y chweched ganrif, yn llyfr Gildas, 'Coll Prydain' – fod Duw, er mwyn cosbi'r *Britanni* am eu pechod, wedi cymryd oddi arnynt y rhan helaethaf a gorau o'u gwlad, a'i throsglwyddo i'r Saeson; a mwy na hynny, fel rhan o'r gosb, wedi peri i'r *Britanni* eu hunain fynd yn wallgof a gwahodd i mewn, o'u gwirfodd eu hunain, 'fel bleiddiaid i'r gorlan, y Saeson tra ffyrnig hynny o felltigedig enw, atgas gan Dduw a dyn'. Bron cyn ein bod ni, yr oedd y stori hon yn bod, ac nid gormod dweud ein bod wedi byw, nid yn unig gyda hi, ond hefyd ynddi a thrwyddi, o'r pryd hwnnw allan. Ymhen rhyw ddwy ganrif a hanner eto, mewn cyfnod arall o newid ac ailddiffinio, daw stori Gildas yn stori Nennius, gydag ambell ychwanegiad ac ambell newid pwyslais: fe sonnir llai am y pechod, a mwy am y camgymeriad gwleidyddol, camfarn drychinebus yr hen Wrtheyrn; fe gynhwysir hefyd, yn nameg y ddraig wen a'r ddraig goch, addewid a phroffwydoliaeth y bydd troi'r byrddau ryw ddydd ac adfer yr hyn a gollwyd. Tair canrif arall a dyma hi'n stori Sieffre o Fynwy, yn helaethach ei manylion, yn hyfach ei chelwyddau, ac wedi ei gosod o fewn cyd-destun dwy filrif o hanes honedig – 'hanes' yn ystyr 2, yn bendant iawn! Heb ei atal gan unrhyw ymboeni am gysondeb, mae Sieffre'n cymysgu'r dehongliad crefyddol a'r un seciwlar; yn cyfeirio at y baich pechodau, ond hefyd yn rhoi pennod gyfan i ddaroganau Myrddin yn addo adfer y meddiant tymhorol. Fe aeth y daroganau hynny wedyn yn rhan o draddodiad y beirdd, ac yn y man mae'n debyg iddynt chwarae rhyw ran mewn sicrhau'r diweddglo yr oeddent hwy eu hunain yn ei addo. Fe gafwyd, nid yn hollol y 'dydd Iau' hwnnw, pryd y disgwylid y tro mawr ar fyd, ond peth llawn cystal yng ngolwg y beirdd, y dydd Llun hwnnw, 22 Awst 1485, pan fu Cymro'n fuddugol yn yr ymgiprys am goron Lloegr.

Wedyn yr oedd raid penderfynu sut i'w chymryd hi. I 'Gymry, fynych gamfraint', nid peth hawdd oedd rhoi heibio'r arferiad o gwyno a thuchan. Fe barhaodd hwnnw. Ond hefyd, ar yr un pryd a rhyw sut neu'i gilydd, yr oedd yn rhaid credu a thystio i'r Cymry fod ar eu hennill oherwydd Maes Bosworth a phopeth a ddilynodd, yn cynnwys eu hymgorffori yn nheyrnas Loegr. At ei gilydd fe lwyddodd beirdd, llenorion, dyneiddwyr a haneswyr i'w hargyhoeddi eu hunain fod popeth wedi troi er gwell i'r Cymry, ond weithiau mae'r hen ysfa i duchan yn drech – fel yng ngwaith Theophilus Evans, a'r un modd yn union gwaith William Williams, Llandygái, gryn

273

ganrif ar ei ôl. 'Doedd wiw dweud yn agored fod pethau wedi mynd o chwith yn y cyfnod Tuduraidd, ac nid oes unrhyw hanesydd yn gwneud hynny tan ddau-ddegau'r ugeinfed ganrif.

Ymhlith haneswyr y Cymry, Cymraeg a Saesneg eu hiaith, yn ystod y tair canrif rhwng Oes Elizabeth a diwedd Oes Victoria, y mae dau draddodiad gwahanol, ond yn y diwedd unfrydedd. Mae un traddodiad yn dewis canolbwyntio ar ddau gyfnod neu ddau begwn hanes, sef y cynoesoedd chwedlonol ar y naill law, ac ar y llall y cenedlaethau diweddar, Protestannaidd pryd y gwelir adfer braint y Cymry. Yn y grŵp hwn o haneswyr y perthyn Charles Edwards, Theophilus Evans, Simon Thomas, Joshua Thomas a Titus Lewis, ac mae Robert Jones, Rhos-lan, yntau'n un â hwy yn ei gred, er ei fod ef yn canolbwyntio'n llwyr ar yr ail gyfnod. I'r rhain, ysbaid i'w hanghofio yw'r Oesoedd Canol yn hanes y Cymry. Olyniaeth wahanol yw honno sy'n cychwyn gyda Humphrey Llwyd a David Powel, ac sy'n cynnwys William Wynne, William Warrington, Evan Evans (Ieuan Fardd), William Williams a Jane Williams (Ysgafell). Mae golygon y rhain nid yn gymaint ar y 'Prif Oesoedd' ag ar y 'Prydnawngwaith', chwedl yr hen Landygái, y canrifoedd canol hynny nad oedd gan y lleill fawr amynedd â hwy. Man cychwyn eu stori yw Brut y Tywysogion, yn ôl dehongliad Llwyd a Powel. Gwelir gwrthsafiad y tywysogion i'r Normaniaid yn ymdrech arwrol ac angenrheidiol, a chyda dyfodiad rhamantiaeth fe estynnir yr oes arwrol ymlaen i gynnwys Owain Glyndŵr. Ond, cyn sicred â dim, fe ddaw pob un ohonynt at y pwynt pan ddywedir 'dim mwy'. Yn ddiolchgar, fe gyhoeddir nad oes raid codi arf bellach, gan fod y cyfrif wedi ei sgwario. Fe gofir y tywysogion â balchder, ond gwir ryddhad y Cymry fu eu corffori yn un â'r Saeson. Bellach daw'r ddau draddodiad hanesyddol at ei gilydd, gyda'r holl awduron heb eithriad yn rhannu'r un weledigaeth deleolegol, mai bwriad Duw ar gyfer y Cymry oedd eu cynnwys ar dir cyfartal â'r Saeson yn nheyrnas Loegr Brotestannaidd. Drwy hynny y cawsant y Beibl yn eu hiaith, a'u hachub o dywyllwch Pabyddiaeth. Mae'r gwladgarwch Cymreig yn parhau, ac yn wir wedi cael estyniad einioes. Mae'r ymosod hiliol ar y Saeson hefyd yn parhau. Ond mae'r *cenedlaetholdeb* yn awr yn Brydeinig, ac mae'r teyrngarwch *gwleidyddol* i deyrnas Loegr. Y tu fewn i drothwy'r ugeinfed ganrif, fe erys y cyfuniad yn gyfan ddifwlch yn *Flamebearers of Welsh History* Owen Rhoscomyl; a heb ddarllen llawer rhwng y llinellau fe welid nad yw safbwynt O.M. Edwards yn sylfaenol wahanol. A thrwy gydol yr ugeinfed ganrif wedyn fe barhaodd Prydeindod yn ideoleg waelodol haneswyr Cymru, yn cynnwys yr haneswyr academaidd, gydag ychydig iawn o eithriadau.

Ymhlith y toreth o lyfrau da diweddar sy'n ymdrin â natur cenedlaetholdeb a'r mathau ohono, ac â hunaniaethau cenhedlig, yn cynnwys gwahanol hunaniaethau Ynys Brydain, un o'r rhai y cefais i fwyaf o oleuni ohonynt yw *The Construction of Nationhood* gan Adrian Hastings (1997). Mae yntau mewn rhan bwysig o'i ymresymiad yn arddel dyled i lyfr Liah Greenfield, *Nationalism: Five Roads to Modernity* (1992). Yn ôl y ddau awdur hyn, dwy genedl wreiddiol y byd, a dyfeiswyr cenedlaetholdeb, yw'r Iddewon a'r Saeson. Ac o'r ddwy, y bwysicaf yw'r Saeson; Lloegr yw prototeip y genedl-wladwriaeth, model o genedlaetholdeb llwyddiannus y bu'n bosib i bobloedd eraill yn y man ei ddynwared. Beth yw bod yn genedl? Dawn yn nwfn y galon, meddai Waldo. Bod fel y Sais, meddai Greenfield a Hastings. Ond fe all y Cymro, medd awdur arall eto, fynd un cam yn well, a bod *yn* Sais. Mae'r myth hanesyddol am goll Prydain yn atgyfnerthu'r awydd hwn yn ddirfawr, ac yn wir yn gosod rhyw orfodaeth bellach arnom ni. Rhywsut fel hyn y rhed y rhesymeg: (1) ein hynafiaid ni Gymry oedd biau 'coron teyrnas' neu sofraniaeth Ynys Brydain; (2) fe'i cymerwyd hi gan y Saeson; (3) felly un ffordd o'i chael yn ôl yw i ni fod yn Saeson. Bod yn Saeson neu ynteu fwrw'r Saeson i gyd yn eu holau i'r môr, dyna'r ddau ddewis, yn ôl yr hen draddodiad gwladgarol – neu hilgarol fel y dylid efallai ei alw. Dyma'r hyn y ceisiodd cenedlaetholdeb Cymreig modern wedi 1925 ei gywiro, gan ddweud wrth y Cymro: 'Aros di lle'r wyt ti, a gad lonydd i'r Sais lle mae yntau'.

Mae pobloedd, yn anochel, yn ffurfio a diffinio'i gilydd, ac yn enwedig felly gymdogion mewn ynys gymharol fechan fel Ynys Brydain. Mae

Athelstan, Offa, Edward I, Harri VIII a Tony Blair oll â rhyw ran mewn llunio'r Gymru y gwyddom ni amdani y funud hon. Yn ein tro yr ydym ninnau Gymry wedi cyfrannu rhywbeth tuag at lunio cenedligrwydd a chenedlaetholdeb grymus y Saeson. Mae hynny'n rhan o'u 'hanes' (ystyr 1), er nas cydnabyddir yn eu 'hanes' (ystyr 2). Eithriadol iawn, er enghraifft, yw bod un o haneswyr neu wleidyddion Lloegr yn cofio am Ddeddf 1536, y 'Ddeddf Uno' fel y byddwn ni'n ei galw, heb sôn am ei hystyried yn eitem o bwys. Un o'r ychydig rai y tu allan i Gymru a gofiodd oedd y Brenin Iago VI neu I. Yn ei anerchiad cyntaf i senedd Lloegr, Mawrth 1604, fe gyfeiriodd Iago at uniad 1536 fel cynsail ar gyfer yr uniad arall, rhwng seneddau Lloegr a'r Alban, y dymunai ef ei weld, ond a gymerodd ganrif arall ymron cyn dod yn ffaith. Yr oedd 'ffŵl doethaf gwledydd cred' yn iawn wrth gwrs. Ni fyddai'r uniad â'r Alban (1707) ac Iwerddon (1800), a chreu teyrnas unedol Prydain Fawr ac Iwerddon, ddim wedi digwydd yn y modd y gwnaeth onibai i ymgorfforiad Cymru ddigwydd mor rhwydd a diwrthwynebiad. Ac fe ddigwyddodd hynny am fod y Cymry'n barod amdano. Oherwydd yr hen Frytaniaeth y daeth Prydeindod yn bosibl, ac y ffurfiwyd yn y man y 'genedl Brydeinig' honno y mae nifer o ddadansoddwyr diweddar wedi darlunio'i genedigaeth yn ystod y ddeunawfed ganrif. Dyfais Lloegr oedd hi, i wasanaethu Lloegr; ond fe'i gwnaed hi'n bosibl am fod y Cymry wedi meithrin a magu'r syniad Brytanaidd, yn ei amrywiol weddau, dros yr holl ganrifoedd. Mawr fu'n cyfraniad ninnau Gymry tuag at lunio hunaniaeth arbennig i'r Saeson, yr hunaniaeth y mae rhai ohonynt heddiw – os coelir colofnau'r *Times* a'r *Daily Telegraph* – yn credu na allant fyw hebddi. Yn ôl un math o Sais, nid Lloegr fydd Lloegr ond mewn gwladwriaeth unedol sy'n cynnwys yr Alban a Chymru; unwaith yr â'r undeb yn un ffederal, neu gydffederal, neu unrhyw beth ond undeb ymgorfforol, dyna hi'n ddiwedd Lloegr, ac yn ddiwedd y byd! Gyda'r Sgotyn a'r Cymro un o boptu yr anturiodd y Sais allan i ddwyn 'falau gyntaf erioed. Ni bu'n arbennig o hoff o'r ddau arall, yn sicr nid o'r Cymro: ond mae hi'n oer hebddyn nhw, neu hyd yn oed wrth feddwl am fod felly. Dyma 'argyfwng' hunaniaeth y Saeson heddiw, 'argyfwng' mewn dyfynodau trwm, oherwydd nid yw'n argyfwng o gwbl. Cenedl yw Lloegr a chanddi lai o broblemau heddiw nag erioed gan nad oes ganddi mo'i hymerodraeth i dreulio da a bywydau yn ei chynnal. Pwy na ddymunai fod yn Sais? Meddyliwch am gael deffro yn y bore a pheidio â gofyn 'Faint yn llai fydd yna ohonom ni heddiw?'.

Rhodd fawr y Cymry i'r Saeson fu'r syniad Brytanaidd... masg i wynebu'r byd, neu siwt i rodio allan. Mae'n debyg fod rhai fel ni sydd yma heddiw wedi arfer sylwi mwy ar ei ddrwgeffeithiau nag ar ddim arall, yn benodol yng nghyswllt yr iaith Gymraeg. Yn anterth nawnddydd eu Prydeindod, fe ddaeth y Cymry i gredu fod eu hiaith yn ddrwg iddyn nhw; bu'r niwed yn ddifesur, ac mae gofyn ffydd fawr iawn i gredu y gellir byth ei ddad-wneud. Mae llawer ohonom, am y rheswm hwn, wedi dweud 'yn boeth y bo Prydeindod', un ai ar dop ein llais neu dan ein gwynt, a buom yn ei ddweud â mwy o hyfdra ar ôl i J.R. Jones hoelio'r gelyn dan ei enw, yn Ionawr y flwyddyn drobwyntiol 1966.

Byth oddi ar hynny yr wyf innau wedi darllen ac ailddarllen dadansoddiad J.R.Jones gydag edmygedd, ond drwy'r un blynyddoedd hefyd wedi troi syniad gwahanol yn fy mhen. Efallai y maddeuwch imi am fod ychydig bach yn hunangofiannol am funud neu ddau. Wrth feddwl am yr afael gref a fu gan y Cymro ar Ynys Brydain fe'm trawodd i un diwrnod, flynyddoedd go dda yn ôl erbyn hyn, mai'r math o ymreolaeth a fyddai'n addas i'r Cymry, ac a gefnogid gan drwch y Cymry, fyddai'r ymreolaeth a fyddai'n golygu nid llai, ond mwy, o lais yn llywodraeth yr Ynys. Yr oedd y cyfan yn cyfeirio at ryw ffurf ar ffederaliaeth. Mi es mor bell â'i awgrymu, mewn cyfres o ysgrifau yn dechrau ag un yn *Barn*, 1977. Oddi ar ddechrau'r naw-degau rwyf wedi ei ddweud yn blaen. Dechreuais feddwl hyn yn ôl yn y cyfnod pan oedd 'sedd i Gymru yn y Cenhedloedd Unedig' yn bolisi a dderbynnid gan fwyafrif mawr y rhai a oedd yn ymreolwyr bryd hynny, sef aelodau Plaid Cymru. Dyma fi'n dal i'w feddwl, mewn cyfnod pan yw'r blaid honno bellach yn sôn am gydraddoldeb â rhanbarthau Lloegr o fewn y Deyrnas Gyfunol, neu gydraddoldeb â Gwlad y Basg, neu Brofens neu Hesse o fewn 'Ewrop y Cenhedloedd a'r

Rhanbarthau'. Cyn sgrifennu'r ddarlith hon mi es ati i ailddarllen y rhan fwyaf o'r pethau a gyhoeddais ar y pwnc oddi ar 1977, i weld a oeddwn yn dal i'm hargyhoeddi fy hun. Yr oedd rhai o'm disgwyliadau tymor byr mor anghywir ag y gallent byth fod; gwelaf imi gredu unwaith y gellid ennill refferendwm 1979, ac yna credu na ellid byth ennill refferendwm arall! Fe ddaeth canlyniad etholiad cynta'r Cynulliad, 6 Mai 1999, yn syndod mawr i mi. Wrth orfod cyfaddef ambell gaff gwag fel yna – ambell un go fawr hefyd – ymgysuraf â chyngor Emrys ap Iwan fod rhagor rhwng 'taetheg' a 'stradeg' (tacteg a strategaeth, fel yr aed i ddweud yn ddiweddarach); mae a wnelo'r cyntaf â symudiadau'r tymor byr, yr ail â'r weledigaeth dymor-hir. 'Rwy'n credu – neu o leiaf yr wyf am honni – imi fod yn weddol gyson. Ac rwy'n sylwi, wrth wahodd pobl i feddwl am y posibilrwydd ffederal, na ddywedais air yn erbyn annibyniaeth.

Dowch inni roi'r ddadl o blaid annibyniaeth, rhag ofn fod pawb wedi ei hanghofio. Mae annibyniaeth yn daclus, yn syml ac yn rhesymegol. 'Does dim byd o'i le arni. Mae hi gan lawer o genhedloedd, a hefyd gan lawer o ranbarthau daearyddol nad ydynt genhedloedd o gwbl, er enghraifft y rhan fwyaf o wladwriaethau Affrica. Pob gwladwriaeth sy'n perthyn i'r Cenhedloedd Unedig, maent yn wladwriaethau sofran, neu annibynnol. Beth am yr hen sedd yna rhwng Cyprus a Chiwba? Os na chymer Cymru hi, pwy a'i cymer hi? Pymtheg gwlad yr Undeb Ewropeaidd, maent yn aelodau am eu bod yn wladwriaethau sofran, ac i ymuno â hwy byddai raid i ninnau yn gyntaf fod yn wladwriaeth sofran, ar yr un tir â Lloegr neu â'r Almaen, neu Luxembourg fechan, neu Holand neu Iwerddon gymedrol eu maint. Gwenu'n wirion a wnaeth un o lefarwyr Plaid Cymru ryw noson, wrth i un o'r holwyr teledu ofyn cwestiwn hollol deg: 'Fel pwy yr ydych chi'n dymuno bod o fewn yr Undeb Ewropeaidd, ai fel Luxembourg ai fel Catalonia?' Un peth sy'n sicr, ymhell cyn y bydd Cymru mewn safle i benderfynu, fe fydd pobloedd a gwladwriaethau eraill wedi ymuno â'r Undeb Ewropeaidd, yn cynnwys Slofenia, gwlad a'i phoblogaeth yn ddwy filiwn, a gwlad nad oedd gweddill Ewrop, ddeng mlynedd yn ôl, yn meddwl amdani fel cenedl o gwbl. Pan ymuna hi â'r

Undeb, fe fydd yn ymuno fel gwladwriaeth sofran, ac *am* ei bod yn wladwriaeth sofran. All hi ddim ymuno fel arall. Casgliad o genedl-wladwriaethau yw'r Undeb Ewropeaidd, a'r Cenhedloedd Unedig. Oes angen dweud peth mor amlwg â hynny? Sut y gall neb ddweud fod 'dydd y genedl-wladwriaeth ar ben'?

Y tu ôl i ymwrthod ymreolwyr Cymreig, ac ymwrthod Plaid Cymru yn benodol, â'r gair a'r egwyddor 'annibyniaeth' y mae dau reswm, newydd a hen, yn cyd-daro. Y rheswm newydd yw cofio am ganlyniad trwch blewyn 18 Medi 1997, a sylwi ar betrustod ac anawydd y Cymry wrth feddwl am ragor o gyfrifoldeb. Yr hen reswm yw datganiad enwog Saunders Lewis ym 1926, 'Rhyddid nid annibyniaeth'. Yr oedd cyd-destun arbennig i'r datganiad hwnnw, ac ystyr neillltuol i'r gair 'annibyniaeth'. Mae'r rhan fwyaf o'r hyn a ddywedodd S.L. oddi ar hynny wedi rhagdybio cenedl-wladwriaeth Gymreig, a rhagdybio peth y gellid rhoi arno'r enw 'annibyniaeth' yn ddigon teg – dim ond cofio bod ystyron eraill i'r enw. Yn y diwedd, nid yw 'rhyddid' yn derm cyfansoddiadol; rhaid inni geisio dweud beth a olyga 'rhyddid' inni yn gyfansoddiadol – ai datganoli, ai rhyw ffurf ar ffederaliaeth, ai annibyniaeth. Nid oes dim rheswm moesol yn erbyn annibyniaeth, na rheswm economaidd ychwaith. Os oes rheswm, rheswm hanesyddol ydyw. Wrth anelu am statws ffederal, yr oeddwn i'n meddwl y byddai'n haws i ni Gymry fyw gyda hanes.

Digon posib fy mod yn anghywir. Ond gan imi roi'r ddadl hon droeon o'r blaen, a chynhesu cryn dipyn ati, gadewch imi ei rhoi hi un waith eto. Pe rhoddid y cynnig yn glir o flaen y Cymry, 'a dderbyniwch chi senedd ac ymreolaeth yn gydradd â'r Alban, ac yn gydradd hefyd â Lloegr, o fewn Ynys Brydain ac o dan y Goron?' 'rwy'n dal i feddwl mai cadarnhaol fyddai'r ateb, a hynny drwy fwyafrif a fyddai'n nes at fwyafrif yr Alban nag at fwyafrif Cymru ar gynigion 1997. 'Rwy'n dal i feddwl mai dyma'r polisi cyfansoddiadol a fyddai'n uno cyfran ddigon helaeth o Gymry De a Gogledd, gwlad a thref, Cymraeg a di-Gymraeg, Tywysogaeth a Mers, i wneud yn bosibl gam arwyddocaol ymlaen. Dyma'r nod, dyma'r polisi, a fyddai'n prysuro'r dydd y byddai mwyafrif ein cynrychiolwyr ar bob lefel

– Cynulliad, Westminster, Ewrop – yn ymreolwyr ymroddedig. Mi af ymhellach, ac awgrymu y byddai'r blaid neu'r glymblaid neu'r gynghrair a chanddi'r polisi yma yn ddigon eang ei sylfaen i fedru mynd ati'n hyderus i wneud y pethau y mae'n rhaid eu gwneud i atgyweirio ac adfer bywyd Cymru yn wleidyddol, economaidd a diwylliannol. Yn un peth, ac yn bennaf peth gen i, fe allai fod yn llawer mwy ffwndamentalaidd a mwy radical yn hyrwyddo'r Gymraeg nag y gall unrhyw blaid feiddio bod ar hyn o bryd.

Fe ragdybir, wrth gwrs, gadw undod y Deyrnas drwy undeb coronau'r Alban a Lloegr. (Ond pe gwahenid y ddwy goron ryw dro, drwy goroni brenin neu frenhines ar wahân i'r Alban, ni byddai'n newid y ddadl yn sylfaenol lle mae a wnelo â Chymru.) Fe ragdybir hefyd greu tŷ senedd newydd cyffredin neu ganolog i Ynys Brydain, y byddai senedd Cymru, senedd yr Alban a Thŷ Cyffredin Lloegr yn atebol iddo i'r un graddau yn union â'i gilydd. Fe ddylai'r tŷ hwnnw gymryd lle Tŷ'r Arglwyddi yn ei swyddogaeth ddeddfwriaethol, tra'n gadael swyddogaeth gyfreithiol Tŷ'r Arglwyddi fel y mae. 'Does dim byd yn erbyn Arglwyddi. 'Rwy'n llwyr o blaid eu cadw, ar ddwy amod: (1) eu bod yn para'n etifeddol, a (2) nad oes iddynt ddim rhan mewn llunio deddfau. Fe ddylai teitl Arglwydd gael ei etifeddu, ac fe ddylid llunio deddfau gan gynrychiolwyr etholedig. Fe ddechreuwyd bellach ar broses o newid cyfansoddiad ac aelodaeth Tŷ'r Arglwyddi: y mae'r cyfan a wnaed hyd yma yn hollol amherthnasol i ni.

Dowch inni ofyn y cwestiwn a'i ateb yn blaen. Pe sefydlid trefn ffederal lawn fel yr un yr wyf newydd ei hamlinellu, pwy a gynrychiolid yn y Cenhedloedd Unedig ac yn yr Undeb Ewropeaidd a'u sefydliadau, Cymru ynteu Prydain? Yr ateb yw: Prydain. I gael ei chynrychiolaeth uniongyrchol, byddai raid i Gymru fod yn wladwriaeth annibynnol. Dyna'r dewis, onibai fod y syniad o gonffederasiwn (cydffederasiwn) yn cynnig rhyw ffordd ganol. O'r holl dermau a ddefnyddiwyd o bryd i'w gilydd gan genedlaetholwyr, hwyrach mai dyma'r un y tâl meddwl galetaf yn ei gylch.

Wrth gymell y posibilrwydd ffederal i sylw, 'rwy'n ddigon ymwybodol drwy'r adeg o'i gyfyngiadau, ac yn ymwybodol y byddid yn aberthu rhai pethau wrth ei fabwysiadu. Ond dowch inni glywed eraill yn awgrymu rhyw nod cyfansoddiadol. Mi goeliaf fod rhai o fewn y Blaid Lafur yn dal i gredu yn y 'broses'; ond fydd hi ddim yn broses chwaith os nad oes gan rywun gynllun i beri iddi ddigwydd. Yn draddodiadol, polisi'r Rhyddfrydwyr yw ffederaliaeth; ond ni chlywn mo'r Democratiaid Rhyddfrydol y dyddiau hyn yn awgrymu sut y gellir symud ymlaen oddi wrth ddatganoli at drefniant ffederal. Ac y mae Plaid Cymru, ar hyn o bryd, heb bolisi cyfansoddiadol. Oddi ar 1997 mae hi wedi darganfod fod bywyd yn haws heb yr un, a synnwn i ddim na phery hynny dros ryw un etholiad neu ddau eto. Ryw ddydd, efallai y gwêl hithau eto na ellir pedlo'n ôl i dragwyddoldeb.

Felly gadewch inni *feddwl*, ac yn y cyfamser fe fydd mwy o 'hanes' yn ystyr (1), sef digwyddiadau. 'Tempora mutantur,' medd yr hen awdur, 'nos et mutamur in illis' (mae'r oes yn newid, a ninnau'n newid gyda hi). Fe ddigwydd rhyw bethau, mae'n bur sicr, i beri inni weld pethau ychydig bach yn wahanol bum mlynedd, a deng mlynedd, i heddiw. Gadewch inni weld beth ddaw, yng Nghymru a'r byd, ac yn y Cynulliad ei hun.

Yng Nghymru mae'n hen adeg ryfedd iawn. Fe gafwyd yr 'Ie', o'r trwch blewyn lleiaf erioed. Allai dim dewin fod wedi rhagweld yr hyn a fu wedyn − helynt cartrefu'r Cynulliad, helyntion ei arweinyddiaeth a chanlyniad ei etholiad cyntaf. I bobl fel ni sydd wedi trafferthu i ddod yma heddiw, mae'r cyfan wedi bod yn ddiddorol iawn. Ond faint a gymer hi i fagu diddordeb trwch y Cymry? Os gwir adroddiadau yn y wasg, y noson ar ôl disodli un arweinydd yn y Cynulliad a dewis un arall fe gafodd rhaglen 'The Point' ar BBC 2 gynulleidfa o ddwy fil, sef cynulleidfa o ddim un, yn ôl graddfa'r mesurwyr cynulleidfaoedd! Dro ar ôl tro daw rhyw bethau fel hyn i'n hatgoffa ni o'r 'genedl tu chwith' neu'r 'anghenedl' sydd yn y Cymry, y modd yr ydym yn gallu troi egnïon cenedl yn ein herbyn eu hunain, a symud yn reddfol i gêr ôl pan wynebir ni â'r mymryn lleiaf o gyfrifoldeb! Mae rhywun yn meddwl eto'n sobor am ddiwrnod agor y Cynulliad. Fe wnaeth ddiwrnod reit dda, diolch yn llwyr i bresenoldeb y teulu brenhinol. Onibai eu bod nhw yno, fyddai bron neb yno. Ond petaen nhw wedi dod i agor pwll nofio byddai'r tyrfaoedd yn llawer mwy a Chaerdydd yn fwy banerog. *Am* fod yr achlysur yn un pwysig, yr unig ymweliad brenhinol o unrhyw bwys â Chymru erioed, fe gadwodd y Cymry draw! Y cyfan y gallwn ei ddweud yw fod y Cynulliad yna – cael a chael – a bod ganddo gyfle i ddechrau ar y gwaith adeiladu. Yr un pryd, mae'r adfeilio yn mynd rhagddo. 'Cymru newydd, hyderus' ydi hi i fod. Ond caf fy hun yn gofyn, ac ateb, gyda T.S. Eliot:

> What sign of the spring of the year?
> Only the death of the old…

O'i gychwyniad tua 1963 fe fu'r mudiad pop Cymraeg yn un o'r pethau mwyaf gobeithiol; yr oedd yn ymgais gadarnhaol, a llwyddiannus i bob golwg, gan y Cymry Cymraeg i dderbyn y diwylliant torfol Eingl-Americanaidd ar eu telerau eu hunain. Dyma ef bellach mae wedi newid iaith. S4C oedd ein cyfrwng a'n cyfle i feistroli cyfrwng y teledu. Ar ôl cychwyn ansicr, a dirywiad wedyn, pwy sydd am honni ein bod ni wedi llwyddo? Pa bapur Cymraeg – ac eithrio'r papurau bro – y gellir ei ddarllen â hyder y gallwn ni gyrraedd diwedd brawddeg heb gael ein taro rhwng ein dau lygad gan ryw hen wall plentynnaidd, amaturaidd, anesgusodol? A dyma inni ragflas o Gyfrifiad 2001: cwymp o wyth y cant yn siaradwyr Cymraeg Môn, o 62 i 54 y cant. Mae'r gwaelod fel petai ar fin syrthio allan, os nad yw wedi gwneud eisoes. A cheisio rhoi'r cyfan mewn cyd-destun hanesyddol, onid y gwir yw fod y bywyd Cymraeg a adnewyddwyd yn niwygiadau'r ddeunawfed ganrif bellach yn rhedeg ar fatri isel iawn? Ac onid y pryder yw fod y mymryn ymreolaeth gyfyngedig wedi dod yn rhy hwyr i allu ei achub?

Ers rhyw chwarter canrif yr ydym yn gyfarwydd iawn â'r syniad o lunio ac adlunio, dyfeisio ac ailddyfeisio, dychmygu ac ailddychmygu cenedl. Mae sawl llyfr diweddar, gweithiau Gerald Newman,[1] W. A. Speck,[2] Linda Colley,[3] Norman Davies[4] ac eraill, wedi manylu'n graff a diddorol iawn ar ailddyfeisio'r genedl Seisnig (y 'genedl Brydeinig', fel y mae *rhai* ohonynt yn dal i'w galw) yng nghwrs y ddeunawfed ganrif a dechrau'r bedwaredd ganrif ar bymtheg. Ac fel y gwelodd rhai o'r awduron hyn, fe brofodd yr un cyfnod a'r un cenedlaethau ryw hwrdd o ailddyfeisio nid yn unig ar yr hunaniaeth lywodraethol, yr un Seisnig, ond hefyd yn gyfochrog ar hunaniaethau Albanaidd a Chymreig. Fel y crewyd Lloegr newydd gan rymoedd Protestaniaeth, Chwigiaeth, rhyfel a masnach, fe grewyd tua'r un adeg Gymru newydd dan argraff diwygwyr, Gwyneddigion, derwyddon, diwydianwyr ac eraill. Y teimlad rhyfedd y mae dyn yn ei gael heddiw yw fod rhai o flaenoriaid y ddau ddiwylliant, Seisnig a Chymreig, yn profi'n gyfochrog ac ar yr un pryd ryw ball ffydd ac egni, rhyw ddiflastod tuag atynt hwy eu hunain a'u pethau. (Y 'ddau' ddiwylliant, meddwn i, sef diwylliannau'r Ynys Brydain fythaidd; nid yw'r un peth yn wir am yr Albanwyr.) Yn y *Spectator* fis Chwefror ola'r hen ganrif, fe gyhoeddodd Peregrine Worsthorne: 'I have fallen out of love with England'. Yma yng Nghymru yr un modd, oddi ar tua 1985, 'roedd arwyddion fod rhai o aelodau'r dosbarth proffesiynol Cymraeg, yn cynnwys rhai sydd wedi byw ar y Gymraeg a thrwyddi, fel petaent yn colli blas ar y chwarae ac yn 'syrthio allan o gariad'. Fel y bu'r cenedlatholwyr gynt yn lleiafrif bychan ond dylanwadol, wele bellach y cyn-genedlatholwyr mewn mannau allweddol, nid yn unig yn ddifater ond yn bendant elyniaethus yn eu gweithredoedd. 'A gerais i, digaraf.' Fe fydd Lloegr yn goroesi, wrth gwrs; anodd gweld sut y gall beidio. Am Gymru, fe gawn weld...

Ar ôl dweud hynna i gyd yr wyf am ddyfynnu eto hen besimist arall: 'Gobeithiaw a daw ydd wyf'. Mae yna bethau y gellir eu gwneud i aildanio'r bywyd Cymraeg, ac fe ddylid eu gwneud. Y mae'n rhaid cael prifysgol Gymraeg mewn rhyw ffurf neu'i gilydd, yn lle'r 'sorod a'r gwarth' a welodd Saunders Lewis ym 1945, ac sydd heddiw ddengwaith gwaeth. Ac y mae'n rhaid sefydlu gwasg ddyddiol Gymraeg. Iaith a chan mil o bobl yn ei darllen bob dydd, fe fydd byw. Mae mor syml â hynna.

Wedyn, yn y Cynulliad ei hun, gadewch inni weld sut y try pethau. Cyn ei etholiad cyntaf, fe fentrais i broffwydo y byddai ynddo dair plaid weithredol, nid yr un rhai o angenrheidrwydd â'i bleidiau ffurfiol. P.Ch.D.

oedd y gyntaf, sef Plaid Chwalu a Dinistrio: ar hyn o bryd mae hi'n weddol dawel. P.E.B. oedd yr ail, sef Plaid Edrych yn Bwysig (neu a rhoi ei henw'n llawn, Plaid Edrych yn Bwysig a Pheidio â Gwneud Dim Byd Neilltuol): gallwn fentro y bydd hon gyda ni bob amser. A'r drydedd oedd P.S.Y., sef Plaid Symud Ymlaen. Yn gynnar iawn fe drawyd hon gan drychineb pan gollodd ei harweinydd. Y mae gwaddol Ron Davies yn cynnwys, yn ogystal â'r Cynulliad ei hun, y ddau derm 'proses' a 'digwyddiad', a'r cyferbyniad rhyngddynt. Efallai y byddai'n well gennych chi rannau holl aelodau'r Cynulliad yn ddwy blaid, 'Plaid y Broses' a 'Phlaid y Digwyddiad'. Byddai hyn yn grynodeb digon teg. Ac yn ddiweddar iawn, dyma ddichonoldeb plaid arall, y gallwn ei galw 'Plaid y Broses Fach', neu 'Blaid y Twf Organaidd', sy'n dechrau mwmian am bwerau deddfwriaethol ymhen, efallai, deng mlynedd. Dyma, yn wir, amserlen fach ddigon del, sy'n peri nad oes gen i ddim cweryl mawr â'r blaid hon. Mae'r cyfan, wrth reswm, yn dibynnu ar gynifer o ffactorau eraill. Beth petai'r Alban, a beth petai Lloegr, yn dymuno cael annibyniaeth?

Ond gadewch inni gadw un peth mewn cof. Cyn y daw'r deng mlynedd yna i ben, yn wir rhyw ychydig cyn hanner y ffordd drwyddyn nhw, fe ddigwydd rhywbeth arall. Bydd y flwyddyn 2004 yn chwe chan mlwyddiant yr unig senedd Gymreig a fu erioed. Ychydig iawn a wyddom ni am weithrediad nac aelodaeth senedd Glyndŵr; rhyfygus fyddai tybio ei bod hi'n senedd ddemocrataidd mewn unrhyw ffordd. Gwyddom iddi fodoli, ac na chafodd ei dileu – neu o leiaf nad oes dim hanes o hynny. Dyma lythyr Pennal yn ei ôl am dro. Da iawn. 'Rydym am gael plât. Efallai bydd yna grys T. Iawn, i gyd. Ond gwell na'r cyfan fyddai ailagor y senedd. Gadewch inni'n hatgoffa'n hunain eto: nid oes gan y Cynulliad hawl na moddion i'w droi ei hun yn ddim arall heb gydsyniad senedd Westminster. Ond mae gan *aelodau*'r Cynulliad berffaith hawl i gwrdd, gydag eraill, mewn senedd Gymreig. Pwy a ddylai'r eraill fod, ni wn i, ond byddai'n beth da inni i gyd feddwl. A gaen' nhw fod, er enghraifft, yn gynrychiolwyr yr awdurdodau lleol? Ynteu a fyddai hynny'n cyflwyno egwyddor newydd annerbyniol? Nid wyf am ailadrodd dim ymhellach o'r hyn y ceisiais ei amlinellu yn y pamffled *Seneddau a Sofraniaeth* (1998), ond dywedaf hyn: byddwn yn ffôl os gadawn i'r flwyddyn 2004 fynd heibio heb wneud rhywbeth allweddol a strategol a fyddai'n gwneud dyfodiad senedd Gymreig, yn y man, yn anochel. Fe garwn i feddwl fod gwleidyddion o fwy nag un blaid yn barod i feddwl: dyma ffocws i fyfyrdodau Plaid Symud Ymlaen (neu Blaid y Broses). Byddai'n dda fod Ymgyrch Senedd i Gymru'n meddwl am yr un peth. Ac a gawn ni wahodd y Sefydliad Materion Cymreig i feddwl yr un modd?

A gawn ni Ddiwygiad '04? Meddyliwch.

NODIADAU

1. *The Rise of English Nationalism: a cultural history, 1740-1830* (Llundain, 1987).
2. *The Birth of Britain: A New Nation 1700-1710* (Rhydychen a Cambridge, Mass., 1994).
3. Linda Colley, *Britons: Forging the Nation 1707-1837* (New Haven, 1992).
4. Norman Davies, *The Isles: A History* (Llundain, 1999).

[Darlith i gynhadledd 'Cymru 2000', Canolfan Uwchefrydiau Cymreig a Cheltaidd, Aberystwyth, Ebrill 2000]

Am restr gyflawn o lyfrau'r Lolfa – mynnwch gopi
o'n catalog newydd, rhad, neu hwyliwch i mewn i
www.ylolfa.com ar y we fyd-eang!

TALYBONT CEREDIGION CYMRU SY24 5AP
e-bost ylolfa@ylolfa.com
gwefan ylolfa.com
ffôn (01970) 832 304
ffacs 832 782
isdn 832 813